THE CASH NEXUS

Money and Power in the Modern World, 1700-2000

金钱关系

[英] 尼尔·弗格森◎著

唐颖华◎译

中信出版集团 | 北京

图书在版编目（CIP）数据

金钱关系/（英）弗格森著；唐颖华译. —北京：中信出版社，2012.4（2024.5重印）
书名原文：The Cash Nexus: Money and Power in the Modern World, 1700–2000
ISBN 978–7–5086–3218–6

I. 金…　II. ①弗…　②唐…　III. 经济－研究－世界　IV. F112

中国版本图书馆CIP数据核字（2012）第013853号

金钱关系
JINQIAN GUANXI

著　　者：[英] 尼尔·弗格森
译　　者：唐颖华
出版发行：中信出版集团股份有限公司（北京市朝阳区东三环北路27号嘉铭中心　邮编　100020）
承 印 者：北京通州皇家印刷厂
开　　本：787mm × 1092mm　1/16　　**印　　张**：25　　**字　　数**：337千字
版　　次：2012年4月第1版　　**印　　次**：2024年 5 月第10次印刷
京权图字：01–2010–4173
书　　号：ISBN 978–7–5086–3218–6 /F · 2563
定　　价：69.00元

服务热线：400–600–8099
投稿邮箱：author@citicpub.com

ISBN 978-7-5086-3218-6
01 >
9 787508 632186

目录

THE CASH NEXUS

第二部分
偿债承诺

第三部分
政治经济学

旧的经济决定论及其新版

人人都道有钱能使鬼推磨。

——《酒店》(1972)

正如歌舞片《酒店》中所唱，有钱能使鬼推磨，这虽是一句老话，但时至今日仍耐人寻味。关于金钱，《旧约》和《新约》中均有提及，我们来对照这两句话："金钱万能"（《旧约·传道书》10：19），以及"对金钱的执迷乃万恶之源"（《新约·提摩太前书》6：10）。贪欲在摩西律法中固然被视为难赎之罪，可正如上述第二条警句所言，在基督教教义中，即便转转致富的念头也同样会受到责难。基督教中极具震慑力的灌输手法之一，便是断言富人将被摒弃于天国之外。俗语说，一个富人进入天国之不易，更甚于一头骆驼穿过针眼。

幸而这些陈规旧律没有吓退人们赚钱的念头，否则西欧也不能成功完成从封建制社会到资本主义社会的转变。当然，这些教条在抑制人们对金钱的追逐方面毫无作为，它旨在安抚那些不名一文而占人口绝大多数的穷人，又能让那些腰缠万贯的富人们心怀愧疚。这一石二鸟之法对一个试图网罗人心，又寻求上层精英阶级丰厚捐资的组织而言，无愧为上上之策。

道德与金钱之间根深蒂固的矛盾造就了近代史上一个最成功的"世俗宗教"。在马克思和恩格斯看来，资产阶级令人厌憎之处在于它所奉行的"赤裸裸的自我利益"以及"冷酷无情的金钱交易"。马克思提出的资本主义制度的内在矛盾将加速其灭亡的论断，按说也是科学的、客观的。正如资本主义制度与资产阶级势不可当的崛起推翻了封建制度下的贵族秩序一样，进而言之，工厂里集结起的一贫如洗而声势浩大的无产阶级势必也将摧毁资本主义制度及其统治阶级。《资本论》痛斥资本主义的累累罪状，宣告它即将到来的灭亡，预言审判正等着那些无视历史进程和目标的人，他们终将受到历史的清算。

我们也可以把理查德 · 瓦格纳的《尼伯龙根的指环》解读成对资本主义进行的一次富有浪漫主义色彩的批判。该剧的核心论点便是金钱，抑或更确切地说，是经过开采加工过的黄金，即权力。在第一幕中，莱茵河的仙女便告诉侏儒阿贝利希，莱茵河黄金铸成的指环可使他脱胎换骨，赋予他无边法力，全世界财富尽归其有，但有个条件，他唯有舍弃爱情的力量，唯有撒手爱的欢乐，方能获取魔力，将莱茵河黄金幻铸为指环。换而言之，便是财富与情感乃鱼与熊掌，不可兼得。阿贝利希起初对莱茵河仙女色胆包天地求爱，已招致断然的拒绝和耻笑，故而此时他毫不迟疑地选择了财富。更意味深长的是，他是靠窃取黄金来完成他第一笔资本积累的。

这还不是唯一一处经济象征。紧接下来的一幕便着重于众神之王沃坦和刚为他盖成沃尔哈拉神殿的巨人发生的合同纠纷。而在第三幕中，经济象征更为明显。此时的阿贝利希已摇身变为冷酷无情的尼布尔海姆之主，在尼伯龙根的巨大金矿里，毫不手软地榨取着他的侏儒同胞们的血汗。正如他同样卑劣猥琐的弟弟米梅所唱，他的同胞们原是“无忧无虑的金匠，为女人们打造细软，为尼伯龙根装点门楣，劳作之际充满欢声笑语，而如今，这个恶棍将我们驱使，在洞穴中为他卖命……无休无止，不得安宁”。阿贝利希高压之下马不停蹄的工作节奏化为锤敲铁砧的急管繁弦，令人过耳难忘，而在稍后齐格弗里德为父亲重铸诺顿剑时，我们再次听到这段组乐：这大概是将武器锻造谱写成曲的先例吧。

当然，如今仍倾向于夸大《尼伯龙根的指环》中经济主题的严肃的瓦格纳研究者已经为数不多了，这出歌剧1976年在贝罗伊特上演时，阿贝利希头戴一顶高帽，齐格弗里德身着工人的蓝衣劳动服，但这种在当时来说颇有新意的创造，到了1991年就成了老调了。而从另一方面看，正是瓦格纳本人将当年烟雾笼罩的伦敦与尼布尔海姆相提并论，也正是在1848年的欧洲大革命时期，瓦格纳开始了对这出歌剧的首度构思，不久之后，他便跟随现代无政府主义创始人米哈伊尔·巴枯宁前赴德累斯顿的兵营（在此期间，两人勾画了歌剧《拿撒勒的耶稣》，并在剧中设计了一出渎神的十字架场景）。到了1876年8月，谱写完毕的《尼伯龙根的指环》首演时，瓦格纳已然褪去年轻时激进的政治观念，但是对于那年刚满20岁的爱尔兰年轻剧作家萧伯纳而言，瓦格纳歌剧中的经济意象仍是跃然纸上：人们看到萧伯纳在大英博物馆的阅览室里，一边研习《特里斯坦与伊索尔德》的歌谱，一边参看着马克思的《资本论》的法译本。在萧伯纳眼里，《尼伯龙根的指环》是一则影射阶级制度的寓言：阿贝利希是个“贫贱穷困，粗野下流”之徒，企图跻身上流社会，而嗤笑和嘲弄让他认识到，只有成为百万富翁才能将那个社会踩于脚下，此外还能购得一位美丽优雅的如意夫人，他别无选择，只能像其他千千万万的人们每天所做的那样，弃绝爱情，而选择将金钱攥于手中。

瓦格纳这出气势恢弘的歌剧中，关键之处在诸神偷走了指环之后，阿贝利希加诸指环的一道诅咒：

> 我以金子赋予我的无尽魔力诅咒：
> 无论何人戴上此戒都将招致死亡，
> 拥有此戒者将忧烦无尽，
> 无缘此戒者则嫉妒钻心！
> 世人皆欲图夺魔戒，
> 可无人能从中得到欢愉！
> 占有者的守护终为徒劳，
> 因为它只会给他招来死神！

在《诸神的黄昏》一幕中，这道咒语终于应验，齐格弗里德遇害，此幕结尾时，布伦希尔德纵身跃入齐格弗里德的火葬堆，她把魔戒扔回莱茵河，并点燃了沃尔哈拉神殿，神殿在熊熊烈火中轰然坍塌。

无独有偶，马克思在他的《资本论》第一卷中也预言了资本主义制度的类似下场——这部巨著虽在美学上逊于《尼伯龙根的指环》，但其意义却远胜之。在第32章中，马克思描述了这样一段资本主义制度的经济发展，令人印象深刻：

> 个人分散的生产资料转化为社会积聚的生产资料，从而使多数人的小财产转化为少数人的大财产，广大人民群众被剥夺土地、生活资料、劳动工具……人民群众遭受的这种可怕的残酷的剥夺，形成资本的前史。靠自己劳动挣钱的私有制……被资本主义私有制，即以剥削他人但形式上是自由的劳动为基础的私有制所排挤。

此处“小财产”与“大财产”颇有些暗示性。另外，和瓦格纳一样，马克思也预言了清算的这一天：

> 随着那些掠夺和垄断这一转化过程的全部利益的资本巨头不断减少，贫困、压迫、奴役、退化和剥削的程度不断加深，而日益壮大的、由资本主义生产过程本身的机构所训练、联合和组织起来的工人阶级的反抗也不断增长。资本的垄断成了……生产方式的桎梏。生产资料的集中和劳动的社会化，达到了同它们的资本主义外壳不能相容的地步。这个外壳就要炸毁了。资本主义私有制的丧钟就要响了。剥夺者就要被剥夺了。

之后德国一位马克思主义者奥古斯特·倍倍尔在提出“资本主义世界之诸神的黄昏”论断时，也作了一个类似的阐述。

《资本论》中预言资本主义制度终将走上沃尔哈拉神殿的毁灭之路的提法并非马克思首创，套用瓦格纳的术语，这一提法实为19世纪文化的主流旋律之一。从小处来说，这种经济现代化导致社会秩序分崩瓦解的主题贯穿于整个19世纪的文学作品中。在西奥多·冯塔纳出版于1899年的怀旧小说《施泰希林》中，格罗布索夫当地一家玻璃厂即象征了勃兰登堡公地古老乡村秩序的逐渐没落和消亡，正如老容克贵族杜勃斯拉夫·冯·施泰希林所哀叹的：

> 他们……把（他们生产的蒸馏器）送到别的工厂去，然后他们就立刻用这些绿瓶子蒸馏器装各种可怕的东西：盐酸、硫黄酸、发烟硝酸……不管是亚麻布、棉布还是皮革，什么东西沾上一滴就会烧个小洞；什么都会被烧坏烧焦。一想到我们格罗布索夫人也参与进去了，欢

天喜地地为这场世界大火添柴加薪，啊，先生们，我就痛苦万分。

这类表现资本主义与伴随而至的道德秩序的分崩朽坏的文学作品也并非局限于德国。在狄更斯的小说《董贝父子》中，那些穿越伦敦的铁路象征着毁灭和死亡。在左拉的小说《金钱》中，一家银行的兴衰隐喻着路易·拿破仑第二帝国的朽败。莫泊桑在小说《漂亮朋友》中，也以类似的笔触描写了法国第三共和国时期一位有着漂亮外表的年轻人的卑劣行径——在这本小说中，一切人际关系都屈从于股票交易。

今天历史学家们仍在探讨一个核心问题，这也是1848年大革命失败后许多激进分子提出来的：为什么资产阶级倾向于专制贵族统治，而摒弃工人和手工业者的运动？（在理论上）他们与后者的利益是共通的。马克思在《路易·波拿巴的雾月十八日》中给出了一个答案：只要中产阶级的经济抱负不受阻遏，他们就乐意放弃他们的政治抱负，让旧政权掌握实权，以换取保护，免受日益壮大的无产阶级的侵害。这一剖析模式影响深远。此后即便那些非马克思主义的历史学家，也会沿用这种马克思主义方式对历史进行解读，其中一典型例子即是将19世纪70年代及80年代的“大萧条”与当时大部分欧洲国家（尤其是德国）脱离自由贸易主义而转向贸易保护主义联系起来。第一次世界大战（简称“一战”）经常被看做一种资本主义的“世界大火”，是帝国主义竞争不可避免的后果。根据死后影响颇大的德国历史学家艾克哈特·柯尔的见解，魏玛时期德国之所以两面受敌的原因是：普鲁士重农主义者要求提高关税，从而激怒了俄国；而重工业者渴望获得更多的海军战舰订单，从而激怒了英国；而这两派都想通过“社会帝国主义”战略来反击社会民主党的发展，从而同时激怒了这两个国家。虽然这种剖析方法尚有欠完善之处，但其影响至今仍可见一斑。

马克思主义模型的最大优势在其简单性。兰克曾劝导历史学家们应在每个时代的自身范围内逐段理解当时的历史，而利用马克思的辩证唯物主义方法论，历史学家们能够驾驭更大的课题和更长的历史时期。不得不提的是，在过去半个世纪内，最为宏大的两部历史学巨著均出自马克思主义者之手：伊曼纽尔·华伦斯坦的《现代世界制度》，以及艾瑞克·霍布斯鲍姆的四卷现代世界历史，后者至1994年才得以完成。在最后一卷的《极端时代》中，霍布斯鲍姆论证道，20世纪三四十年代，资本主义之所以能够免于自身的崩溃，全赖于斯大林时期苏联的经济、军事力量；而90年代苏联解体也仅仅是社会主义对抗资本主义的暂时性挫败。霍布斯鲍姆承认，国有制度和计划经济在苏联可能是失败了，但无可怀疑的是"马克思将作为一名伟大的思想家而永垂千古"；并且，"无限制的自由市场"学说同样被公认为是撒切尔主义的"经济失败"。更进一步说，人口和经济加诸全球环境的压力，也在催生着一场"无可逆转的危机"。此外，全球经济建立于企业对利润的无节制的追求之上，这与可持续发展亦相抵触。但所谓企业就是要以经济利益为目标，在全球自由市场上开展竞争。再者，国家之间贫富差距的隐患"蓄势待发"，而发达国家个人贫富差距的扩大也将导致国家最终收回对经济的控制："资源不再由市场分配，或至少对市场分配进行严格控制……这样才能预防即将到来的生态危机……人类的命运……将取决于公共权威的恢复。"

霍布斯鲍姆以19世纪40年代惯用的末世论调为他的著作做了结束语：

> 造就那个世纪的历史力量仍在推动着时代，资本主义发展过程中，经济、科技的迅猛进程将我们所处的世界俘获，这个世界被连根拔起，发生蜕变……我们知道，或者至少可以理性地推断，这不会永远继续下去……有迹象表明……我们到了历史性的危难时刻。经济、科技所产生的力量如今已经足以摧毁……人类生活的物质基础。人类社会体系自身……到达了毁灭的边缘……我们的世界面临着外爆与内爆的双重危机……等待它的将是黑暗。

这段话让人不难联想到《边缘之外》这出短剧，剧中彼得·库克和他的追随者周复一周徒劳地等待世界末日。

新的经济决定论

我们无须再去质疑金钱（或称经济）推动着世界进程这条基本原理，我们所要做的是摒弃《圣经》中对世界末日到来的假设，并将现代经济发展史重塑为市场经济胜利之路。

在《20世纪史》一书中，美国著名经济学家布拉德福·德龙所撰写的内容可能会成为新的经济决定论的关键性文本。这本书无疑是对《极端时代》的修正。德龙所述的20世纪从根本上来说是"自由与繁荣的故事"，而极权主义的极端行径像是两个全球良性增长时代之间巨大的错误历史转向。然而，书中的基本假设——经济变革是历史发展的火车头——与霍布斯鲍姆的差异不大。根据德龙所说：

> 20世纪的历史总体来说就是经济史：经济是事件与变革的主要竞技场，经济变革也是生活中其他领域变革的推动力……经济变革的速度如此之快，以致从根本上改变了其他领域的历史。也许是开天辟地第一次，制造与使用日常生活必需品及生活便利设施，以及生产、消费和分配领域的变革，成为整个世纪历史的推动力。

即便是20世纪中期的独裁政体，也都"起源于经济上的不满，并在经济意识形态中表现出来。人们互相残杀，死者无数，为的就是要决定该如何组织经济生活"。德龙甚至用经济理论来解释第二次世界大战（简称"二战"）："不分析希特勒那疯狂的偏执念头——德国人若要成为一个强大的民族，就需要更好的土地与劳动力比例，即更多'生存空间'——我们就很难理解二战为什么会发生。"但是，这种意识形态是错误的，是大萧条时期经济管理灾难性政策的畸形产儿。只是在20世纪最后的10年里，随着苏联解体和自由化市场在世界范围内得到承认，历史才得以继续1914年前上升的轨迹。

德龙宣称，现代历史主要的政治事件可以用经济理论来解释。这种观点有很深的历史渊源，也会得到广泛的公众支持。尤其是在美国，这种经济决定论几乎就是俗理成规。我将在之后的篇幅详尽地阐释这一思想的不同版本；在此阶段，概述一下三种典型的假设就足够了：

1. 经济增长促进民主化（经济危机则产生相反的效果）。这一思想可以追溯到社会学家赛穆尔·马丁·利普赛特自20世纪50年代后期以来的著作，而且在像罗伯特·巴罗等政治学家和经济学家所做的众多研究中也得到了广泛的支持。巴罗发现，"经济繁荣与体验民主的倾向之间呈明显的正比关系"。用另一位著名的美国经济学家本杰明·弗里德曼的话来说，就是"若一个社会中公民的生活水准上升，那么这一社会就有可能变得更开放、更宽容、更民主。而生活水准如果停滞不前，那么情况就相反"。大多数读者首先想到的最明显的负面例子是：大萧条、希特勒上台、法西斯的普遍兴起与二战爆发之间的因果关系——对此，数不胜数的教科书中皆有叙述。下面是该论点的一个典型例子：

> 欧洲经济危机的直接后果就是国内政治与社会紧张局势加剧，使得希特勒在德国当权，并鼓励了法西斯运动在其他地区的发展……但是，经济危机也是一场世界危机……特别是丝绸出口的损失给日本经济造成了灾难性的后果，日本农民及小农场主面临的窘境促使日本军队采取了新的扩张政策。

2. 经济成功保证竞选再次成功（拙劣的经济业绩则导致竞选失败）。根据一个政治学学派的理论，选民在选举时的取舍主要基于他们自己的经济体验和预期。用赫尔穆特·诺泼斯的话来说，就是"基于经济考量的投票……在民主国家的公民头脑中根深蒂固"。这使得很多政客把连任希望寄托在"富足感因素"上，即认为一个政府是否得民心，在于其经济业绩如何。这一理论的一个流行版本正好解释了克林顿为什么在1999年的弹劾案中没有下台，原因就是美国股市一路走高。1992年克林顿的竞选口号——"蠢货，经济才是硬道理"——成为该理论的一种简略的表达。

3. 经济增长是提升国际地位的关键（但是过于扩张的国际势力可能会导致经济衰退）。在《强国的兴衰》一书中，保罗·肯尼迪认为经济学为解读国际关系史提供了钥匙："世界军事强国之间平衡的变化都是继生产力平衡的改变而产生……胜利总是属于物质资源最雄厚的一方。"考虑到两次世界大战中获胜盟国所具有的绝对压倒性优势，这一假说初看起来具有说服力。即便是肯尼迪随后的话——所有强国最终都会因扩张无度而衰竭，因为它们日益增长的军事开支开始削弱它们的经济实力——也没受到很大程度的挑战。当人们忍不住嘲笑肯尼迪关于美国会在苏联解体后扩张无度和经济增长过速这样的警告时，他却言之凿凿地说，美国听从了他的建议，因为自20世纪80

年代中期以来美国一直在大幅度削减国防开支。他的分析也没有排除苏联因扩张过度先垮台的可能性。而《强国的兴衰》刚出版时，细心的读者可以推断出苏联将最先接近垮台的边缘这种论点。换言之，虽然马克思主义在1989年也许遭受了挫折，但经济决定论却没有。所发生的一切就是：戈尔巴乔夫的失败与克林顿的成功都是经济起的作用。

解开金钱关系

真的是经济决定一切吗？

在随后的章节，我们将重新审视经济与政治之间的关系（或用卡莱尔的话说，金钱关系）。这种关系不仅体现在社会主义的失败上，也存在于英美资本主义模式表面的胜利中。弗朗西斯·福山在他的新书中言称："在政治经济领域中"，历史"朝着明确的方向发展进步"。他所谓的"自由化民主"作为"科技发达社会的唯一选择"应运而生了。借用基因学术语，资本主义和民主果真是现代世界的"双重螺旋线"吗？抑或这两者之间是否仍存在不容我们忽视的摩擦因子呢？

首先要作一点说明。我不妨借用DNA来对人的天性作个简单而重要的提示：正如生物进化论学者所证实的，人类并不是经济人。亦如卡莱尔所知，人类并非仅受利润最大化驱使，"金钱很重要，但无论在天堂还是在俗世，它都不是万能的……金钱买卖关系并不是人类活动的唯一关系"。

经济理论在个人行为方面存在许多不同假设。新古典主义模型假设个人预期是理性的，即人们能够根据所掌握的信息作出经济最优决策。而其他模型则认为，个人预期很难作出快速调整，未来存在不定因素。实验研究表明，人们即使获得了足够清晰的信息，或有足够的时间研习，也很难对自身的经济利益作出妥善的评估。在面对简单的经济问题时，人们往往会受"有限理性"约束作出错误决定（即受成见和感情因素的误导），或者在基本的计算上出现错误（不会计算概率和贴现率）。心理学家还发现一种"短视贴现"的现象：人们在近期的低额收益和远期的高额收益之间，会倾向选择后者，然而当人们对收益急不可待时，他们会转而选择近期的低收益。远景研究学者发现人们有规避风险的天性，在确定的低额收益与不确定的高额收益之间，人们会选择前者；而在确定的小额损失和不确定的大额损失之间，人们会选择后者。

如果多数经济体制依靠信贷，那么它们在某种程度上也依赖信誉，但信誉可能建立于简单的轻信上。19世纪后期的法国，特丽莎·亨伯尔靠着一个小匣子度过了一段很是风光的日子。据说这个匣子里装有1亿法郎的持票人债券，而她是一个叫克罗夫的神秘的葡萄牙富翁（后又说是美国人）的私生女，她从生父那里继承了这笔财富。亨伯尔以这笔债券作抵押来借款，和她的丈夫在大军街上购置了一处豪华旅馆，又买下了一家巴黎报纸的控股权，并策划了让她丈夫当选为社会党派议员。1902年5月，当这个匣子最终被打开时，有1万人聚集在她家四周，但人们发现匣子里“除了一张旧报纸、一枚意大利硬币和一粒裤子纽扣外，别无他物”。

即使没有像亨伯尔的债主们那样失算，我们在作经济筹算时也常会受制于我们诸多的生理欲望：比如（根据新达尔文理论）根植于我们自身基因中的渴望繁衍的天性，我们在争夺配偶和食物时的暴力倾向，更不用说弗洛伊德所提出来的那些无法用生物进化论解释的情欲及各种病态行为。人是一种社会性动物，他的行为动机无法脱离他身处的文化环境。正如马克斯·韦伯所说，即便是追求利润的原动力也无法达到无欲的纯理性的境界。那种为工作而工作的渴望既出于经济需求，也是一种生活信仰。而在另一种文化环境下，人们可能会更偏好享受。又或者会为了赢得他人的尊崇而做出些“非理性”的经济行为，这是由于社会地位通常并不简单等同于购买力。

此外，人也是一种政治性动物。人们常以血缘、部落、信仰、国籍、阶级以及党派（也别忘了行业）为划分标准，将自己纳入某个群体中去，以满足人类两个基本需求：寻求安全感（群体可为个体提供生理上和心理上的安全保障），以及尼采所称的权力欲（它来自于统治弱势群体的满足感）。尚没有哪种理论对这种现象进行过充分的阐述，这不仅是因为人们可以维持多种的、重叠的身份，也因为人们通常可以容忍与其迥异的群体的存在，并且能与之合作互利。只有在某些特殊历史时期，人们才会接受一种排外的群体身份，而群体之间的竞争有时也会升级为暴力冲突。

本书的首要假设即为这些相互抵触的欲望——我们简单称之为性欲、暴力欲和权力欲——单独地或共同地压制着金钱动机（或称经济动机）。在某些情况下，政治事件和体制往往主宰了经济的发展，它们也是导致经济起伏不稳的主因（请注意我用了“往往”一词，因为经济动机有时也会占上风，或成为其他欲望的一个补充因素）。经济学家们对此心知肚明，却又讳莫如深。他们将这些干扰他们精心构筑的经济学模型的因素笼统地称做“外部冲击”，试图将其排除在外。但是将一场人为战争视为天灾地害显然无法让史学家们满意，作为任重道远的学者，他们既要研究市场关系，也要把这些“外部冲击”剖析明白。

诚然，政治学家们曾试图构筑一种政治变革的模型，本书在感谢经济学家们的贡献之外，也为这些政治学家们献上一份敬意。但是在史学家们看来，试图构筑并验证某个公式，以便解释战争的发生、民主的发展、选举的结果，其想法虽可敬，其可行性却让人怀疑。若能构建一些假说，并接受经验数据的检验，我们自然不会反对，它毕竟是揭示人类行为“定律”的最优途径。但是这种虚拟模型是否能经受得起经验数据的检验，我们深表怀疑。人类终究不是物理原子，他们有自由的意志，而这些自由意志并不总是理性的。在《地下室手记》中，陀思妥耶夫斯基嘲笑经济学家认为人类行为皆出于自身利益的假设，讽刺了人类行为先定论的观念：

> 你们好像肯定人会自主地放弃错误念头……肯定宇宙中存在自然规律，无论人的遭际如何，都与他的自由意志无关……人的一切行为都好像排列在对数表里，然后转到时间表中……这些对数表登记着详细的计算和对未来一切的精确预报……但是人们因为无聊，什么都干得出来……因为人……愿意以自己喜欢的方式行事，而不是按理性和自身利益的指令行事……人那自由的、不受约束的选择，不管是多么荒诞不经的奇思，有时那近乎疯狂的幻想——就是最有利的自身利益，它无法归纳到任何表格中去……一个人可能会故意地、有意识地去做对自己有害的、愚蠢的甚至白痴的事……就是为了证明自己有权利按照自己的意愿

去做最愚蠢的事。

历史也许是"宏伟的"、"多彩的"，但对陀思妥耶夫斯基来说，历史的鲜明特征就是非理性的暴力："他们斗啊，斗啊，斗啊；他们此刻在斗，从前在斗，将来也还会斗……所以你看，关于世界历史你说什么都行……但除了一件事，你不能说世界历史是理性的。"

本书的核心结论是，金钱并没有推动世界的运转，就如《罪与罚》中的人物不会按照对数表行事一样。而是政治事件，尤其是战争，造就了诸如税收机构、中央银行、证券市场、股票交易所等现代经济生活体系。此外国内政治冲突——不仅局限于开支、税收和信贷这类经济问题，也涉及宗教、民族等非经济问题——推动了现代政治体制的演变，尤其是议会和政党的演变。虽然经济增长能够促进民主化进程，但大量的历史数据表明，民主体制下的政策有时会损害经济的发展，而经济危机（如战争引发的经济危机）有时却能促进民主化发展。

本书分为14章，每章就经济学与政治学相关联的某个具体方面进行阐述。全书分为四大部分：开支与税收、偿债承诺、政治经济学、全球力量。前三章讲述与开支和税收相关的基本财政体制的政治起源。第1章论述了战争如何推动近代国家的财政体制的发展。人们普遍认为战争成本从长期来看呈上升趋势，这一章将提出不同观点，另外这章会着重阐述军事开支是财政革新的主要诱因这一观点。第2章回顾了税收及其他形式的财政收入是如何为了应对军事开支而发展起来的，以及间接税和直接税的比重是如何在不同的时期及不同的国家里发生改变的。第3章阐述了税收和代议制之间的关系。税收的提高往往关系着代议制的发展和民主化的进程，而税收征收的紧迫性也扩大了征税机构的规模。第一部分最后将对国家福利保障制度的演变作个简要概述，从中我们可以看出政府的主要职能是资源再分配，而不是国土防御。

本书第二部分探讨了公债体制的演变。第4章论述了国债发行的理论意义和实践意义。接下来的一章讨论了处理债务过重问题的各种方法，并从中针对债务拖欠和通货膨胀作了进一步详述，此外还会细述中央银行作为公债发行机构和货币管理机构的演变。第6章讨论了利率，特别是公债收益率，并分析了各国的公债利率产生波动与差异的原因。

经济学者现在可以明显地看出我从道格拉斯·斯诺以及其他研究政治体制与经济之间关系的学者那里借鉴的痕迹。我把基本体制框架设想成一个四方形，简单来说就是，18 世纪，在急需战争经费的压力下，四大机构演进而成了一个最优组合。首先，如图 1 左上角所示，是一个专业的征税官僚机构。相比那些把大部分税金留归自己的当地资产所有者和税款包收人，食俸的税吏无疑更有利于国家财政收入的提高。其次，在代议制下，纳税人允许在一定程度上参与议政，这也能够提高国家的税收收入，在这种体制下，纳税人代表可以用纳税来换取立法权，并要求国家预算需经他们同意才具备合法性。再次，国债体系使国家在开支需求骤增的危急情况下（如战争），在取得税收收入之前，先行筹足经费。借债的有利之处在于，它使战争成本平摊到一段时间内，从而抚平税收波动。最后，中央银行不仅管理国债发行，还会从它所垄断的纸币发行中征收铸币税。

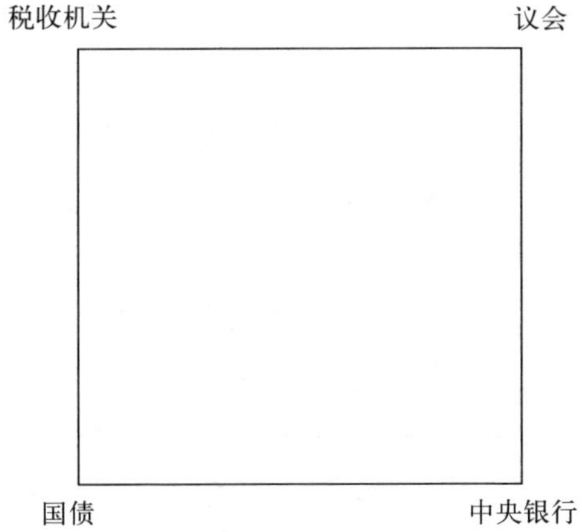

图 1　四角机制

虽然这四个体制各自都有着久远的历史根源，但直到光荣革命之后，英国才将它们的联合潜能发挥出来，当然汉诺威时期对这四角机制的运用还尚欠完美，但是当时英国的货物税税收署、议会、国债体制、英格兰银行所构成的某种程度上的四角机制，已比其他任何机制都要优越，尤其是优于法国当时的体制，法国当时的体制构成是：建立在出售官爵和税款包收基础上的私营化的财政收入体制，以最高法院为形式的代议制，散乱昂贵的国债体制，缺少中央货币管理机构。

英国的四角机制不仅在筹措财政收入方面优于其他机制，同时也为私营经济带来了始料未及的派生利益。概括来说，首先，若要建立有效的征收机构，必先开展正规的教育体系，以保证能提供充足的既能读写又能计算的公务员。其次，议会体制无疑有助于完善私人产权方面的法律制度。再次，以长期国债为基础的政府借贷体制的发展能促进私营部门的金融创新。政府大量发行债券非但不会排挤私人投资，反而可以拓宽和深化资本市场，为公司股票和债券的发行流通创造了新的机遇，尤其是在国家不再需要借债的和平时期更是如此。最后，中央银行基于对纸币发行和政府经常性项目的垄断，发展出新的职能，比如汇率管理和最终贷款人，这些职能降低了金融危机的风险和银行恐慌，从而稳定了整个信贷体制。如此一来，那些起初以战争融资为目的的体制也随之促进了整体经济发展。中等和高等教育的提高、法治的完善（尤其在财产方面）、金融市场的扩张以及信贷体制的稳定，这些都是工业革命在体制上的先决条件。

本书的第二部分探讨了三个假说，这三个假说把上文提到的财政体制与政治联系起来。第一个假说是早期古典经济学家和马克思主义者的观点：现代社会的根本社会矛盾存在于地主、资本家和工人之间（他们的收入分别来自于地租、利润和工资）。第 7 章对社会矛盾提出另外两种假说：一种假说认为现代社会的矛盾存在于不同的财政属别之间（国家雇员、纳税人、债券持有人、福利受益人）；另一种假说认为现代社会的矛盾存在于不同世代的各代人之间。而上文提到的实行四角机制的国家，它的一个明显的薄弱点就是这些不同群体将发生冲突。如果一个国家累积的债务过高，而又主要通过征收间接税来偿还债务的话，它很有可能面临较穷的消费者的政治反对，原因是它的财政政策产生了累退性的分配效应。而如果这个国家想通过债务拖欠或通货膨胀来削减债务，而它的国债持有人人数又较多的话，它同样也将面临严重的政治危机。

第 8 章着重论述了四角机制的国家第二个薄弱点：当权者总试图通过操控财政政策和货币政策（如果它掌握货币政策控制权的话），来提高自己的民众支持率。民主政府的支持率在多大程度上依赖于国家的经济表现？当权者真能操控商业周期以增加再次当选的机会吗？第 8 章对政治支持率和财政货币政策之间的关系进行了明确细致的分析，并驳斥了那种简单地认为当选与经济成功存在必然联系的观念。但显然，政客们仍抱着这种观念。

第 9 章从公共财政转向论述政党财政，这一章探讨了日益增长的竞选费用所带来的后果。政党，这个民主制度的关键构成，无法再依靠广大党员的会费，继而越来越依赖富有的个人或纳税人，这事关重大吗？腐败现象——“行为不端”——能从经济角度而不是从道德角度解释吗？在这一章中我将再次展示四角机制是如何遭受内部破坏的，这次是处于四角机制边缘但仍相当重要的机体——政党，一方面它的竞选机制是民主制度的体现；而另一方面，它的腐败也对四角机制造成了损害。

行文至此，我们主要探讨的都是国家内部的体制发展。本书的第四部分，也是最后一部分，把讨论提升到国际层面。第 10 章从历史视角对金融全球化进行考察，着重分析了国际债券市场的发展是如何将四角机制模式推广到别的国家的。从理论上讲，资本市场的自由化，若配以相应的国际商品、劳务市场的自由化，将促进三者的综合提高。但是以往的全球化经验表明，资本的自由流动常由于政治事件的影响而发生剧烈波动，而商品和劳务的自由流动则可能引起国内的政治反应。

第 11 章探讨了限制国际金融市场波动的两种方法：固定汇率和国际货币联盟。这一章特别提出了以下这个问题：在各个成员国仍然对自己的财政政策保留着自由决定权的情况下，这种金融联盟还能维持多久？

第 12 章转而考察民主全球化的问题，具体来说，就是经济增长和民主制度的普及之间的关系。如我们所见，人们往往认为经济增长和民主化是相辅相成的。但两者的关系真的比“双螺旋”模式更明晰吗？这个问题引入到四角机制里就是，议会这一角的民主化在多大程度上影响了其他角的体制乃至整个机制模型。

第 13 章探讨了种族和经济之间的关系，并提出一个问题：世界是通过超国家联盟走向统一，还是根据国家的自决原则走向分裂？

本书的最后一章将议题带回到开始之处，即战争。这一章把军事力量和财力联系起来。这里对经济资源和利用这些资源达到政治目的的财政机构作了区别。相比独裁政权，议会制政权的财政体制更具优势，尤其是四角机制，这也让议会制政权在国力潜能上领先于独裁政权。然而，民主国家往往缺少政治意志来充分调用国家实力。在没有外来紧急威胁的情况下，民主国家将资源从军事用途上转离，财政体制更多地被用于国内资源再分配（即建设福利国家，而不是战争国家）。民主国家这种非军事化的倾向使它更易受到生产率较低但短期摧毁力较大的专制国家的挑战。在这个意义上，英国的衰落以及当前美国地位的脆弱，其原因在于军事扩张不足，而不是军事扩张过度。

让我把我的论点简化为考试风格的问题吧，你将从书中的每一章找到对它们的解答。

1. 现代国家在多大程度上是战争的产物？
2. 是否存在税收的最佳结构？
3. 议会化和官僚化之间存在着怎样的关系？
4. 国债对国家起到怎样的作用，是削弱还是加强？
5. 为什么国家债务过高会导致债务拖欠和通货膨胀？
6. 国家借款时，是什么决定了借款利率？
7. 对于资源分配的矛盾，是从阶级的角度理解好呢，还是从世代的角度理解好？
8. 经济繁荣能够提高政府的支持率吗？
9. 政党应如何筹资？
10. 金融全球化意味着什么？
11. 汇率体制和货币联盟能够在多大程度上增进国际金融稳定？
12. 经济增长会导致民主化或相反的结果吗？
13. 世界在政治上变得更为分裂还是更加统一？
14. 民主强国是否会因为军事扩张不足而变得脆弱？

最后一个问题也可以这样问：为什么美国不太像100年前的英国？因为本书的一个重要结论就是，若没有一只帝国之手对经济全球化实行引导控制，任其发展下去是危险的，总有一天会因为放任自由而受到惩罚。

在对所有这些问题的解答上，本书质疑了新的和旧的经济决定论。经济与政治的关系是理解现代社会的关键。但认为两者之间存在简单的因果关系，尤其是认为从资本主义到民主有着简单的因果链的想法是错误的。这种关系的一个形式确实产生了资本主义民主的幸运结果，即西方的双螺旋发展。但是金钱关系也像DNA一样能发生突变：民主有时也能遏制经济增长；一场经济危机有时能削弱独裁政权；有时即使经济陷入困境，民主依然繁荣；有时经济的增长会加强专制统治。

不应把生物学的类比扯得太远。由于人类意识的复杂性，我们所知的人类历史不像自然世界，它几乎不存在线性的因果关系。正如卡莱尔所说："真实的历史……是个始终存在、时刻运转着的混沌状态，而一个又一个混沌体从无数元素中显化出来，而这种混沌体……就是历史学家要进行描述并做出科学测量的东西！"我仍然相信，历史是一个混沌的进程，用科学家的话来说，就是"在一个决定论的系统中随机运动"。经济与政治的因果关系确实存在，但这些关系如此复杂，任何想把它简化为具有可靠预测功能的模型的尝试都注定是要失败的。我应该强调，图1介绍的四角机制不是这个意义上的模型，它并不提出预言，它只是本书所描述的体制结构的简化版，整个现代历史就是在这个结构中产生的，但这个历史也是由有着自由顽强意志的个人创造的。英国在18世纪衍生出这套官僚机构、议会、国债和银行的独特综合体制，从而一举建立了帝国、实现了工业化。但是英国的强盛程度却是取决于一些可能会犯错的男人（最近也有女人）是如何使用或滥用这一体制。萨缪尔对此一如既往地表述精准：

> 历史学家们犯的普遍错误……就是以为在政治中也和在物理中一样，每个结果都有其相应的起因。在物质对物质的相互作用中，所产生的动能等于推动力的大小；但在生活运转中，无论是私人领域还是公共领域，这条定律都无法成立。自由意志的无常表现无法用数学来计算。

"nexus"（关系）一词来自于拉丁文"nectere"，为捆绑之意。这似乎是本书最理想的标题。说来也怪，本书缘起于研究国际债券市场。在研究过程中，我认识到债权人和债务人之间的关系只是我需要考虑的诸多关系之一；

而在许多方面，债券市场之所以有意义，恰好是因为它与这些关系有关，其中最重要的关系是，统治者与被统治者、候选人和选举人之间不明言的契约关系，以及国家之间契约关系。这些关系的弱化通常反映为债券市场走低，因为政治的不确定性会降低债权人和债务人对彼此的信心。

假如本书能让读者有一点受益，我希望他能够认识到，即使在债券收益率这么“干涩”的领域中，也能看出卡莱尔的“始终运转着的混沌状态”。

THE CASH NEXUS

第一部分

开支与税收

THE CASH NEXUS

第1章

战争国家的兴衰

钟声嘹亮，送走对金钱的愚昧痴狂；

钟声嘹亮，送走那战事纷繁的过往。

——丁尼生《悼念》

战争自古有之。自有史记载之初直至近年，战争一直都是财政变革的原动力。正如希罗多德所说："战争乃万物之父。"而在伯罗奔尼撒之战中，万物之中就包括雅典开支的骤增，提高税收并开辟新的收入来源变得迫在眉睫，于是雅典娜金像被推进熔炉，用来铸成金币。正是战争促成了这一切，个中的象征意义不言而喻。

这是一条普世的真理。"战争的支柱就是无限的金钱。"西塞罗在他的第五篇抨击安东尼的演讲中如是说。拉伯雷在他的《巨人传》中也附和道："没有货币储备而发起的战争，其力量就如吹一口气那样转瞬即逝。"路易十二在1499年入侵意大利前，特里布尔西欧元帅进奏道："陛下所需要的就是金钱，更多的金钱，无时无刻不在的金钱。"16世纪早期作家罗伯特·巴尔扎克也赞同道："战争的取胜，最关键的一点是拥有为其提供一切所需的雄厚财力。"查理五世大帝的妹妹玛丽告诉他："陛下是基督教内最伟大的君主，但你不能以基督的名义发动战争，只有充沛的财力才能保证战争的胜利。"一个世纪之后，红衣主教黎塞留也响应道："黄金与货币是政权首要的、必需的给养……

一个窘困的君主难以发动一场荣耀的战争。”

与战争的庞大开支相比，可立即调用的国库资金非常有限，而财政的发展史很大程度上就是为弥合这一差距所作的各种努力的写照。直到最近，战争与财政之间关系的密切性才有所减弱，而在此之前的许多世纪里，战争成本一直是影响国家预算最大的因素。直到 20 世纪下半叶，战争成本的角色才被福利成本取代，这无疑是一个重大进步：虽然懒散并非美德，但从道义上说，付钱让人无所事事总好过付钱让人自相杀戮。但这一进步的深远意义却尚未被充分认识到，对于西方乃至全世界大部分地区，把今日称为踏入非军事化的时代并非夸张之词。

人们普遍认为，从长期来看，战争成本呈直线或指数性增长，但这并不正确。诚然，从绝对值上说，军事硬件价格和国防预算金额不可避免地上升了。但从相对值上说，情况就不那么简单了。我们应该将军事开支与战争的规模、频率联系起来，与现役军人的人口占比联系起来；与军工技术的杀伤力联系起来，尤其要与经济总产出联系起来。将人口占比、军工技术、武器价格、经济产出考虑进来之后，战争成本在各个历史时期实际上呈较大波动，而这种波动正是财政革新的动力。

战争的强度

本章暂不去追究战争发生的原因，这个问题我们后面会谈到，我们现在只要知道战争的确在发生，而且频繁发生，而战争发生的频率是一个值得探讨的问题。

不少人都对军事冲突的频率作过统计，但他们每个人对战争的界定不同，且统计的时间段也参差有别。P · A · 索罗金统计出在 1819~1925 年发生了 97 场战争，而根据昆西 · 莱特的统计，1800~1945 年发生了 112 场战争，莱特的统计据其称仅限于“现代文明战争……涉及若干国家……这些国家在法律意义上被认定为交战国，或动用 5 万人以上军队的战争”。 而L · F · 理查逊将“造成伤亡的冲突”均统计在内，得出了一个高得多的数字：1819~1949

年发生过 289 次战争。鲁瓦德统计了所有“有组织、持续时间较长并且涉及至少一个主权国家的大规模战争”，得出一个更高的结果：1815~1984 年有 410 次战争。而密歇根大学的战争及相关课题研究中，对战争采用了较为严格的界定，它将多数小型殖民地战争或参战国家人口不到 5 万，以及每年阵亡人数不到 1 000 的战争都排除在外，基于此，他们的数据库显示，在 1816~1992 年共有 210 次国家间的战争以及 151 次国内战争。现代战争的最低统计数是列维得出的，仅 31 次，这是因为他只将涉及一个或数个大国的战争计算在内。

对于欧洲以外的战争，追溯得越早，相关史料也就越散碎，即使是最雄心勃勃的统计也会绕开古代和中世纪，但我们还是不妨回望一下。鲁瓦德基于他对战争较为宽泛的界定，得出 1400~1984 年共有 1 000 多次战争。与之相对的是列维的统计：1495~1975 年仅有 119 次大国战争。即使沿用列维狭义上的战争，其频繁程度也令人触目惊心：

> 1495~1975 年的 481 年中，75% 的年份都有涉及大国的战事……平均每 4 年就会爆发一起新的战争，每七八年就会发生一场大战（即牵涉到多个大国的战争）……在典型（中位数）的年份中……往往都有一场牵连大国的战争……

自 1495 年以来，没有哪个 25 年期间是完全没有战争的。

我们可以把这种对战争的统计延展到今天。斯德哥尔摩国际和平研究院（SIPRI）计算出：1989~1997 年，发生了 103 次“武装冲突”，其中 6 次为国家间的冲突；1999 年有约 27 次重大武装冲突，其中两次为主权国家间的冲突（即印度和巴基斯坦，厄立特里亚和埃塞俄比亚）。若采用列维的战争必须涉及至少一个大国的标准，则在越南战争（他所统计的最后一次战争）之后，爆发了 6 次战争：中苏珍宝岛之战（1969 年），中国对越自卫反击战（1979 年），苏联—阿富汗之战（1979~1989 年），福克兰群岛之战（1982 年），海湾战争（1990~1991 年），以及科索沃战争（1999 年）。

战争是否变得频繁了呢？有人可能会说战争频率降低了。若采用列维的战争必须涉及至少一个大国的标准的话，那么 16 世纪的 100 年中有 95 年发生着这样的战争；17 世纪这个数字为 94 年；18 世纪降至 74 年；19 世纪为 40 年；到 20 世纪，这个数字上升至 50 多年。换言之，“每年平均战争量”在 16 世纪最高，19 世纪和 20 世纪最低。但若采用鲁瓦德宽泛的战争界定的话，则结果为 1400~1559 年有 281 次战争，1559~1648 年降至 162 次，1648~1789 年再次下降至 145 次，而 1789~1917 年上升到了 270 次，1917~1984 年又回落到 163 次。而战争及相关项目的数据（将不牵涉到大国的战争和国内战争也计算在内）则为现代人的好战性提供了进一步的证据。我们会惊诧地发现，自 1816 年以来，世界每年都发生至少一场战争。1945 年之后，战争频率只在欧洲有所下降，欧洲范围战争占世界范围战争之比在鲁瓦德第一个统计期间（1400~1559 年）为 80%以上，之后持续下降，至鲁瓦德最后一个统计期间（1917~1984 年），该占比仅为 9%。

哪个大国最好战呢？若对列维的数据稍加修改并加以扩充的话，那答案就是法国了。自 1495 年以来，法国在 125 场大战中参与了约 50 场战争，奥地利略少些（47 场），随后是另一个前哈布斯堡王国——西班牙（44 场），英国位列第四（43 场）。而根据鲁瓦德那份更长的战争清单，在 1400~1559 年，最好战的国家是哈布斯堡王国和奥托曼帝国。在 1559~1648 年，西班牙和瑞典名列前茅，这期间的 83 年中，这两个国家都在打仗。1648~1789 年，法国无疑是头号战争贩子（141 年中打了 80 年），1789~1917 年，法国再次成为欧洲地区最好战的国家（128 年中打了 32 年）。而英国在 1815~1914 年参与的大都是欧洲以外的战争（99 年中打了 71 年），在维多利亚女王统治时期（即所谓的“不列颠和平时代”），英国共发生了 72 次军事战役，平均每年都有一次以上。

简单的战争统计数据只能告诉我们这么多，比如与之前和之后的时期相比，18 世纪的战争持续时间更长，并牵连更多的大国，从这点看，较其他时期而言，战争的重大性在其启蒙时期更为突出，这一点多少让人感到惊讶。从严重程度（即总阵亡人数）看，18 世纪的战争也高于 20 世纪，就更不必提与其他时期相比了。只有在密集程度上（每国每年的阵亡人数），20 世纪的战争才显得更为残酷。这反映出 20 世纪的大国战争相比 1815 年前而言更密集，同时，大国间的和平时期也比之前更长。虽然战争的平均持续时间从

18 世纪的 8 年下降到 20 世纪的 4 年半，但在战争年份中每年的战争次数却陡升了。

在对战争的这次长期回顾中，另有一点也很突出：1816~1913 年相对比较和平。虽然那段时期发生了约 100 次殖民战争（通常为英、法、俄三国所发起），但由于强大帝国军备上的绝对优势，使得这些战争的规模均相对较小。同样的小规模战争还包括不少国家的独立战争。与此同时，大国之间的战争也降到了历史最低程度。除了克里米亚战争外，1854~1871 年，大国冲突的持续时间鲜有超过几周。而 20 世纪末，这种模式又有回归趋势：反伊拉克的海湾战争只持续了 85 天，反塞尔维亚的科索沃战争只维持了 78 天。要说在过去的两三个世纪中战争的特点存在某种明显趋势的话，那就是战争的密度或强度增加了。

军事人口

如果我们来看军事动员程度的话，即军事人口占总人口之比，那么两次世界大战时期与近代其余时期之间的显著差异就一目了然了。从绝对值上说，20 世纪的军队达到了史无前例的规模，历史上最大规模的军事力量或许要算 1945 年的苏联了，其人数达 1 250 万之众。相比而言，英法百年战争时期的参战人数则很少超过 1.2 万人。而即便在今天，经过 15 年的裁军之后，美国军事人口仍达 140 万。

但这些数字很难告诉我们军事动员的相对程度。18 世纪，英国的军事人口占比最高纪录为 1780 年的 2.8%，其时英国不仅在和它的殖民地美国作战，同时还在与法国、西班牙以及荷兰交战。而在较为和平的年份中，英国的军事人口占比则降至不到 1%。18 世纪的法国，它的军事人口占比呈下降趋势：从 1710 年的 1.8% 降至 1790 年的 0.8%。奥地利军事人口在整个 18 世纪始终保持着 1%~2% 的比例，这个数字远低于普鲁士的比例。1760 年，普鲁士的军事人口占比高达 4.1%。而拿破仑的“战争革命”将所有国家都带进了军事高度动员状态，1810 年英国的军事人口占比超过 5%，普鲁士为 3.9%，奥地利为 2.4%。

相对而言，19 世纪军事动员程度较低。除了克里米亚战争期间的俄国，内战时期的美国，以及 1870~1871 年普法战争时期的法国和普鲁士，在 1816~1913 年并无哪个大国的军事人口占比超过 2%。在 1912 年前，除了 1855~1856 年、1858~1863 年、1900~1902 年，英国的军事人口占比始终低于 1%，并在 1835 年降到了 0.5%的低点。平均而言，1816~1913 年，奥地利和皮埃蒙德（意大利）的军事人口占比均低于 1%，普鲁士、法国、俄国的军事人口占比也低于 1.3%，而美国仅为 0.2%。即使在 1913 年这个普遍被认为是军备竞赛的年份中，也只有英、法、德的军事人口占比高于 1%。

一战期间，各国的军事人口占比达到了历史最高点。在战争动员高峰期，法国和德国的军事人口占比超过 13%，英国超过 9%，意大利超过 8%，奥地利和匈牙利的数字略高于 7%，俄国稍低一些。战争一结束，各大国纷纷大幅度裁军，平均而言，只有法国军事人口占比超过 1%，而英国该比例在 20 世纪 30 年代中期达到 0.7%的低点，1932 年的苏联为 0.33%，美国也恢复了它 19 世纪的军队水平。根据 1919 年的《凡尔赛和约》，德国被强行裁军，之后德国在提高它的海陆空军事力量上颇费了些时日，直至 1938 年，德国的军事人口占比才超过 1%。意大利由于入侵阿比西尼亚，军事人口占比在 1935 年达到 3%，但在二战前夕，该比例又回落至约 1%。

出人意料的是，在 1939~1945 年，没有哪个国家的军事动员程度达到法国在 1940 年的水平（军事人口占比仅略低于 12%）。德国的高峰值为 1941 年的 8.3%，低于英国 1945 年的 10.4%。同样值得注意的是，1941 年苏联军事人口的比例为 7.4%，低于美国的 8.6%。一战期间，德国将人力过多地投入军事，导致工业劳动力人口锐减，相比之下，二战期间劳动力的配置似乎更为均衡。

与 1815 年和 1918 年的两次战后时期不同的是，1945 年二战之后各国并没有采取快速持续的裁军行动。以苏联为例，它的军事人口占比从 1946 年的 1.5%反弹到 1952 年的 3.1%。美国该比例则从 1948 年的 0.9%跃升至 1952 年的 2.2%，而达到战后高点。英国军队因为朝鲜战争略有增长。法国该比例也由于殖民地独立冲突而攀升到 2.2%。

然而从整体来说，各国在“冷战”时期的军事人口占比在稳步下降。德国、意大利和奥地利在 1947~1985 年的军事人口平均比例要低于 1816~1913 年。即使是苏联，该比例也未超过 2%。此外，华沙条约组织的解散和苏联的解体导致各国的军事动员程度恢复到两次大战之间的水平，在某些情况下更低。1997 年英国军事人口占比为 0.37%，达到自 1816 年以来的最低点。而法国当前 0.65%的军事人口比例也成为自 1821 年以来的最低值。

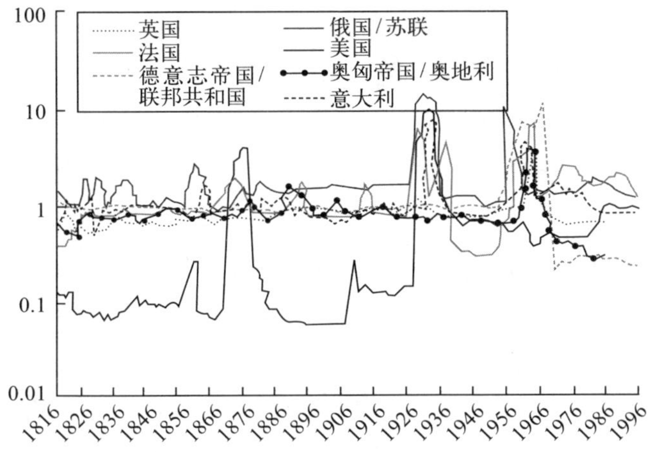

图 2　军事人口占比，1816~1996 年（对数标尺）

由此看出，军事动员比例是在一条相对稳定（从长期看呈下降趋势）的基线上做剧烈波动。近代战争，特别是世界大战，迫使军事人口上升，其涨幅虽大但不持久。正是由于战争的间歇性和非周期性的特点，导致它对财政和政治体制的发展产生了决定性的影响。

武器杀伤力的价格

然而军事人口需求的激增尚不构成军事预算的主要压力，军事预算的主要压力来自于军事技术的革新。自 14 世纪火药用于军事以来，火炮的射程、精准度以及杀伤力不断地改进。随着铁铸加农炮的发展，加上它的铁炮弹、火药粒以及带轮底座的改进，防御工事也针锋相对地做了相应的完善。事实上16世纪欧洲大陆财政紧张，部分就源于防御工事成本的增加。同样，18世纪早期火枪的改良和标准化既提高了战斗力，也增加了火枪步兵的成本。18世纪的火炮制造工艺也有提高，特别是瑞士工程师让·马里茨将内膛炮管引入法国，在19世纪50年代后膛装火炮出现之前，这种内膛炮管成为炮管生产的行业标准。同期英国的军事改良体现在海军装备上：战舰的包铜船底、短膛大口径臼炮，以及舵盘。

19世纪军事技术继续加快步伐。海上：蒸汽机的军事应用，亨利·帕克西汉的大口径火炮，随后又出现了鱼雷、潜水艇、诺登菲尔德和瓦维瑟尔的海军用枪，以及管道锅炉、涡轮机。陆上：米涅的新来复枪，德莱瑟手枪，科尔特手枪，改良后的克虏伯枪，阿姆斯特朗和惠特华改进的后装式火炮，更不必提铜弹夹（1867年）、钢炮（1883年）、马克西姆机枪（1884年）、弹仓步枪（1888年）和施耐德–克勒索的速射野战炮（1893年）。一战的熔炉又铸造出新的杀伤性武器，这些武器在1914年前是难以想象的，其中包括坦克、空中轰炸机、战斗机、手榴弹、战壕迫击炮，以及毒气。20世纪二三十年代虽说厌战，但武器装备的进程却未停顿，只要将1938年的飞机、坦克和1918年的相比便知分晓。二战期间军事技术的革新更是日新月异，各国在武器装备的创新和数量上争相赶超，对20世纪中期所有武器的速度、射程、精准度以及装甲无一遗漏地加以提高。如英国的喷火式战斗机在1938~1945年就改进了1 000次，将它的最高时速又提升了100英里（约161公里）。与此同时，无线电技术也带来了战地通信的革命（无线通信和雷达监测）。而到了战争后期，一批新的发明也相继而至：喷气式飞机、水陆两用车、导弹、火箭，当然还有原子弹。这种军备竞赛到了“冷战”时期仍在继续，原子弹被氢弹和中子弹取代，加之公众对美苏宇航员的持续关注，军备竞赛继而也成为了火箭和卫星的太空竞赛。

就绝对值来讲，军事硬件的开支从长期看确实无可避免地增长了。军备竞赛批评家在1982年叹道：“与二战期间相比，轰炸机贵了200倍，战斗机贵了100倍，航空母舰贵了20倍，坦克贵了15倍。”4年后，保罗·肯尼迪对此作了进一步的评述：

> 爱德华七世时的政治家们看到 1914 年前的战舰造价 250 万英镑时已然吃惊不小了，他们若看到如今一艘护卫舰将花去英国海军部 1.2 亿多英镑，更要目瞪口呆了……美国新式的B-1 轰炸机……100 架价值为 2 000 多亿美元……有人讽刺道，到了 2020 年，五角大楼的整个预算都会被一架飞机吞噬掉。

肯尼迪认为，20 世纪 80 年代武器价格的"上涨速度比通货膨胀高了 6%~10%，而每个新的武器系统都要比原有的系统贵 3~5 倍"。虽然"美国国防预算自 20 世纪 70 年代后期以来几乎涨了 3 倍，但到 1980 年末，现役武装部队在人数上仅仅上升了 5%"。在肯尼迪看来，"世界经济军事化"即将来临的警报绝非虚张声势。

即使将通货膨胀因素和军事人口的相关费用考虑在内，军事开支仍然呈上升趋势。1850 年，英国单位军事开支为每位服役军人 2 700 英镑（以 1985 年价格计）；1900 年，该数字涨至 1.29 万英镑；到了 1950 年，该数字为 2.2 万英镑；1998 年，该数字接近 10.55 万英镑。美国在 1900 年军事开支为每人 3 万美元（仍以 1988 年价格计），1950 年为 7.19 万美元，到 1998 年为 19.25 万美元（参见图 3）。开支上涨的绝大部分都投入到军事硬件的质量和数量上（而非用于士兵薪资和居住条件的改善）。的确，20 世纪的军事资本/现役军人人数之比呈幂数增长。

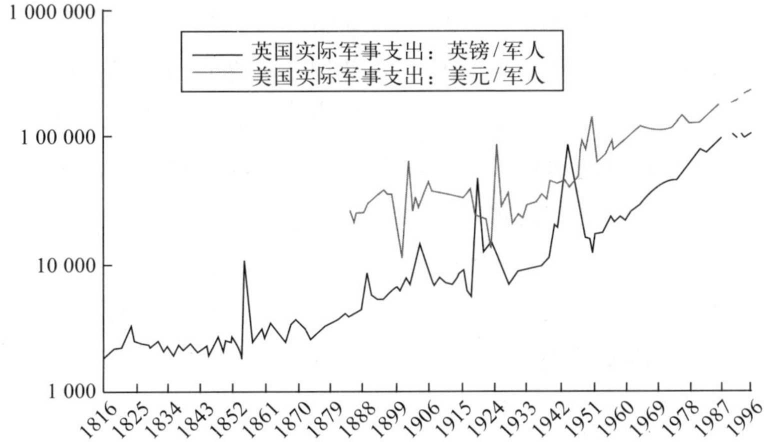

图 3　1816~1996 年英美的军事开支/服役军人人数之比

但是在评议日趋精工细作的武器装备时，我们也不能忽视一些事情，尤其是不能忽视武器杀伤力的提高。在采购某件新武器时，我们考虑的不仅仅是它的价格，也要考察它与原有武器相比杀伤力如何。

西班牙继位战（1701~1713 年）中死亡人数为 120 万人；一个世纪后，死于拿破仑战争的人数为 190 万人；再一个世纪后，一战导致 900 万士兵阵亡；俄国 1918~1921 年内战风暴中大约有 800 万人丧生（虽然大部分人死于战争引发的饥荒和瘟疫）。但与二战的死亡总人数相比，这些数字也就相形见绌了。二战中阵亡的军事人口是一战的两倍，这个数字还不包括平民的死亡人数。据最可靠的估计，二战中平民死亡人数高达 3 780 万人，这使死亡总人数达到 5 700 万人。换言之，二战中的大部分死亡是因为交战各方从海陆空各个方向将枪口对准平民而致。如果将各个小规模的殖民战争（如布尔之战）以及各个内战（如印度独立之后的那次内战）都包括进来的话，1900~1950 年的战争死亡人数接近 8 000 万人。

考虑到两次世界大战为时相对不长，因此它们的杀伤性显得更为突出。虽然德国三十年战争的持续时间是二战的 5 倍，但阵亡的士兵只为后者的 1/9，而平民伤亡人数比例更小。一战为期 4 年又 3 个月，但死亡人数却是 12 年拿破仑战争的 5 倍。另一种统计方法是计算各次战争中每年大致死亡人数，这个数字在三十年战争时为 6.9 万人，西班牙继位战时上升到 10.4 万人，七年战争时为 12.4 万人，而两次世界大战时该数字分别为 220 万人和 320 万人，若将平民死亡人数计算在内的话，则在二战期间，每年死亡人数达到 950 万人。概括地说，从 17 世纪到 20 世纪，战争的杀伤力提高了 140 倍，从拿破仑时期到希特勒时期的短短 120 年，战争杀伤力提高了 60 倍。

即便将世界人口加速增长的因素考虑在内，两次世界大战造成的伤亡也是历史上最为严重的。二战的死亡人数占世界总人口的 2.4%，一战死亡人数占比为 0.5%，相比之下，三十年战争的死亡人数为世界总人口的 0.4%，拿破仑战争和西班牙继位战的死亡人数为 0.2%。死于一战的人数约占 14 个参战国战前人口的 1%，其中 15~49 岁男性的死亡率为 4%，服役人口死亡率为 13%。就土耳其而言，它的死亡人数占战前人口的 4%，15~49 岁男性死亡率为 15%，服役人口死亡率为 27%。塞尔维亚遭受的创伤更为严重，它失去了总人口的 6%，1/4 的适龄男性死亡，1/3 的兵员阵亡。二战中，参战各国的死亡人数约占总人口数的 3%，其中德国、奥地利和匈牙利的死亡率为 8%，南斯拉夫和苏联的死亡率为 11%，而波兰这个受创最严重的国家，其死亡率高达 19%，这几乎是战前总人口的 1/5 了。某些国家的军队几乎全军覆没，波兰和罗马尼亚两国的军队阵亡率为 85%，南斯拉夫的军队阵亡率为 45%，而苏联和德国这两个经历了 4 年残酷激战的国家，相对应的阵亡率分别为 25% 和 29%，日本和中国在亚洲和太平洋战争中士兵阵亡率约为 25%。

当然，在两次大战之前的战争中，军队伤亡人数有时也相当惊人。虽然中世纪战争的统计数据不尽可靠，但从中我们也能窥豹一斑，其中黑斯廷斯战役（1066 年）、克雷西战争（1346 年）、阿金库尔战争（1415 年）、布莱菲尔德战争（1631 年）、吕增战争（1632 年）、纳斯比战争（1645 年）、奥斯特里茨战争（1805 年）、滑铁卢战争（1815 年）以及葛底斯堡战争（1863 年），军队伤亡（包括被俘）人数约为 1/4~1/3。在布莱尼姆战役中，军队伤亡率可能高达 43%。一战和二战中的某些战役与之相比情况如下：阿拉姆战役的军队伤亡率为 14%；在为期 6 个半月的斯大林格勒保卫战中，仅红军的伤亡人数就达 110 万人，而德军的伤亡人数也与之相当。在比较这些数字时，我们也要考虑到作战军队人数大幅增长这个因素。参加黑斯廷斯战役的作战人数约为 1.4 万，克雷西战争的作战人数约为 3.9 万，布莱菲尔德战争的作战人数约为 6.8 万，布莱尼姆战争中约 10.8 万人参加战斗，部署于奥斯特里茨战线的兵力为布莱菲尔德参战人员的两倍。滑铁卢战争中约 21.8 万人参加战斗，但这个数字与阿拉姆战役的作战人数（30 万），以及斯大林格勒保卫战的作战人数（数百万人）相比，也就相形见绌了。正如军事技术提高了武器的杀伤力一样，操练、纪律、通信和后勤方面的革新也促使军队规模扩大，战斗力更为持久。

那么为什么自 1945 年以来西方军队的伤亡人数趋于下降呢？越南战争中，美军阵亡人数 57 939 人；朝鲜战争中，美军阵亡人数为 37 904 人。阵亡人数在持续下降。海湾战争中，美军阵亡人数仅为 148 人（其中不包括“友军”的误射），这与 66.5 万人总兵力相比，实在微不足道。1999 年反塞尔维亚的科索沃战争中美军的阵亡人数为零。而两次世界大战与之相比的情况是：一战中美军士兵阵亡人数为 11.4 万人，二战中美军阵亡人数为 29.21 万人。而英国军队阵亡人数的下降趋势更为明显：英军在一战中的阵亡人数高达72万人，二战时为27万，而在朝鲜战争中仅有537名英国士兵阵亡。自1969年的“内乱”开始，共有719名英军士兵在北爱尔兰阵亡，另有302名皇家阿尔斯特警察部队的警察殉职。海湾战争中仅有24名英军士兵阵亡，这个数字不包括9名被友军误射的士兵。

西方军队伤亡人数下降的原因是由于1945年后战争的性质所导致：与西方国家交战的军队的装备均比较落后。上述死亡人数的下降趋势并不代表武器杀伤力的降低。如我们所见，20世纪后半叶世界上一些地区仍战乱频繁，据估计，1945~1999年，死于战争的人数约为1 500万~2000万，世界并没有变得更为和平，只不过绝大多数战争遇难者都为亚洲人和非洲人罢了。

此外，1945年以来的战争对于考察20世纪后半叶武器杀伤力性能并无多少参考价值，稍加简单计算，我们就能发现“冷战”之后武器的杀伤威力巨大。1992年1月，两个超级大国所部署的战略核武器的能量合计为52.29亿吨，这还是两国自1987年高峰期以来，削减了22%的核弹头后的结果，而且非战略性核弹尚未计算在内。若参照1945年投放在广岛的原子弹威力（即1.2万~1.5万吨原子弹造成10万人直接死亡，另导致10万人死于核辐射），那么以两个超级大国1992的核弹能力（仅为战略性核弹），即可摧毁387 302个广岛，或造成775亿人死亡。换一个角度看，参照广岛原子弹的地面破坏面积为4.7平方英里（约12.17平方公里），那么两国在1992年即能夷平180万平方英里土地（约446.2平方公里），这个数字远远大于印度的国土面积，若乐观地以为这个数字仅占地球陆地面积的3%，那就过于天真了，因为它造成的更大范围的污染难以想象。世界人口在1992年为50亿，就是说两国的核弹足以让人类灭绝15次。所以在对国防需求的成本变化进行评估时，也要将武器威力的惊人增长考虑在内。

另外在评估国防成本时也要考虑到武器的大规模生产将降低军事硬件的单价。由于政府是军事用品的最大购买者，而一些军火制造商在当地享有特权，所以军火市场竞争程度较低，这导致国防工业素有定价过高之名。20世纪80年代的英美国防工业品市场也是如此，当时的“成本加成合同”和军事将领的镀金水龙头引来众议。但从长远的、整体的角度看，认为军事用品价格增长高于消费品价格增长的观点就难成立了。二战即为一个绝佳的例子，展示了大规模生产如何大幅度降低枪炮、坦克、飞机乃至海军舰艇的单位成本。“冷战”后期新式飞机和潜艇的昂贵价格也只是由于订货数量过少所致。既然国防工业品的巨大需求将持续存在，那它的价格增长也应不会超过通货膨胀水平。

此外，苏联计划经济下国防工业品定价过低，苏联解体后遗留下大量廉价武器，这让沙哈拉的游击队、西欧的恐怖集团以及美洲的贩毒集团受益不少。在本书行文之际，二手的AK-47 步枪在美国 700 美元即可买到，全新的价格为 1 395 美元，这仅相当于笔者用来撰写本书的笔记本电脑的价格。只需美国当前国防预算的一半，即 1 600 亿美元，就可以为 15~65 岁美国男性每人发一把新的卡拉什尼科夫枪（或两把该款二手枪）。当然，发展中国家此类武器价格更为低廉。同样，一枚核弹头的成本（或确切地说千吨核当量的成本），在今天无疑比当年耗资 20 亿美元（1945 年的货币价值）的曼哈顿项目时期要低。如果将 1945 年的 20 亿美元换算成 1993 年的货币价格，那这个数字将为 10 倍，足够购买 400 枚三叉戟导弹。法国能够将它的核武器库从 1985 年的 222 枚增加到 1991 年的 436 枚，而它的国防预算的实际价值仅增长了不足 7%，也很好地证明了这点。从武器杀伤力的价格（即每块钱能购得的武器杀伤力）角度来说，军事技术从未像现在这么便宜。

消除距离

在评估军事成本时，另一个需要考虑的因素是与部队机动能力和给养相关的军队的地域行动跨度。马丁 · 冯 · 科雷维尔德在他的军队后勤经典研究著作中认为，在 17~20 世纪早期，军队的供给方式并没有真正的突破。从 1692 年的蒙斯战役到 1914 年的蒙斯战役，“军队只有不断地行进才能得到给养”，他们靠购买或偷窃当地物资维生。在这方面，铁路对战争的实际影响也远没有当时许多人以为的那么大。而 1914 年后，“军事器械……最终取代了原始兵器，成为军队的主要消费物资。结果导致战争……戴上了盘根错节的供给线的镣铐，束手缚脚，最终成为原地屠杀的机器”。演绎这种静态的、器械化的作战方式的极佳例子为帕斯尚尔战役，在为期 19 天的先期轰炸中，12 万名英军枪手射出了 430 万枚子弹，或者说扔出了 107 吨炸药，之后在步兵进攻战中以每平方英里 8 222 人阵亡的代价，拿下了 45 平方英里土地（据J · F · C · 福勒的统计）。

虽然二战中军队机动化有所提高，但弹药和军需品负担的不断加重，导致再好的军队也难以充分利用各种运输手段的最高速度。隆美尔 1942 年在北非意识到：

> 一支军队想要经受住战争的考验，首要条件就是要有充足的武器、汽油和弹药。事实上在正式开火前，军需官之间的交战已经开始，这也决定了之后的战事。没有枪，最勇敢的战士也难有作为，没有充足的弹药，有枪也是徒劳，而在运动战中，没有装足汽油的运输车，枪弹也无法得到运送。

正是未曾预料到军需“摩擦”问题，最终使德军在 1941~1942 年向苏联纵深推进时停住了脚步。而在 1944 年 8 月底 9 月初，虽然天气条件与基础设施状况大有改善，但英美盟军在向德国挺进时也因为军需问题而受阻。在当时的战争阶段，美国一个作战师每天要消耗 650 吨给养，在法国共有 22 个美国作战师，一天需消耗 1.43 万吨给养，但一辆军用卡车只能载重 5 吨，随着供给线从 200 英里拉长到 400 英里，挺进部队的供给从每天 1.9 万吨降至 7 000 吨。美军被迫放缓速度，导致它无法充分发挥兵力、火力及空中优势。

战争的最后阶段印证了把大量兵力分配到后勤而不是前线的重要意义（德国和日本一直以来都低估了它的重要性）。德军中战斗人员与非战斗人员的比例为 2 ： 1，在欧洲战场，美军相对应的比例却是 1 ： 2。在太平洋战场，日军的配置比例为 1 ： 1，而美军每个前线战斗员背后有 18 名非战斗人员为他服务。（图 2 中，战争后期，英美军事人口的高占比中包括了许多身着军装但远离前线的男女。）

而海空运输的进步很大程度上缓解了这个年经日久的供给难题。有人担心，蒸汽机的发明会给“大英帝国的海上优势以致命一击”，但结果却并非如此。蒸汽机使得英国即便面对空前的广阔疆域仍能实行有效控制。1815~1865 年，英国以每年 10 万平方英里的速度扩张。1860~1909 年，英国国土从 950 万平方英里扩大到 1 270 万平方英里，相当于地球陆地面积的 1/5。英国只有一支规模相对较小的军队，稀疏地部署在 20 个大卫戍区，若不是英国海军舰艇在数量、 速度、射程和火力上的迅猛发展，要控制如此广阔的疆域是不可能的。1857~1893 年，英国到开普敦的航行时间从 42 天缩短到 19 天，同时蒸汽船的总吨位翻了一倍。而电报的普及加速了信息的传递，伦敦和拉各斯之间建立起第一根电报线，其后 10 年间美国外交部发送到那里的电文数量增长了 4 倍。历史学家 J · R · 西利惊叹道："蒸汽机和电力消除了地域距离。"

与英国上述情形相似，美国在 20 世纪后半叶的全球霸主地位很大程度上有赖于它雄厚的海空军事实力，更不用提它的洲际导弹了。的确，"冷战"期间美国所保持的常备军人数与总人口之比，要比维多利亚时期的英国高出许多，而且英军也没有陷入过类似越南战争这样的持久战泥沼（虽然布尔战争曾一度有这样的趋势）。但是 20 世纪 90 年代，美军逐渐成为维多利亚时期英军的角色，即对手实力远不及自己，"沙漠风暴"战争就像是恩图曼战争在今天的重演。战舰和飞机执行了美军在海外的大部分军事行动。1999 年美国反塞尔维亚的科索沃战争中，有一则报道很好地印证了这点：飞行员驾驶"隐形"轰炸机从美国密苏里州诺伯诺斯特基地起飞，对贝尔格莱德狂轰滥炸之后，还能及时赶回家吃比萨看球赛。这类飞机造价为 22 亿美元，看起来极为昂贵，但是与美国国民生产总值相比，比（英国 1906 年建造的）无畏战舰（每艘造价 250 万英镑）便宜许多，而两者的作用却是类似的。想到西班牙在木质战舰的年代要维持它对南美的控制是多么困难时，我们可以再次认为军事科技降低了战争成本。

战争成本

现在我们可以从长期角度来分析战争的财政负担了。当然，要区分国家预算中的民用开支和军用开支远非易事，我们是否应该将诸如公路或铁路这样具有战略意义的基础设施都算入军事开支中呢？退伍老兵的养老金和阵亡将士的家属抚恤金又当如何呢？无论是分析奥古斯都时代的罗马还是纳粹时代的德国，这个问题都会浮现，正确的界定应当如何，这个问题仍尚无定论。

然而很清楚的一点是，军事开支在国家财政中所占比例在不同的地区或不同的时期存在很大差异。例如，从色诺芬书中可推断出，伯里克利时代的雅典城邦 1/3 的开支都用于军事，而这一比例在伯罗奔尼撒战争时期无疑上升了。公元 14 年，古罗马帝国军事开支占比大约为 45%~58%。早期阿巴斯阿里发帝国将约 1/3 的政府收入用于军队。

现代早期，欧洲各国财政的军事开支差异极大。15 世纪勃艮第的军事支出仅占财政总开支的 2%，而 17 世纪末的奥地利军事开支占比高达 93%。若将欧洲各君主国有案可查的数据做个平均，可以得出欧洲平均军事开支占比从 15 世纪的 40% 下降到 16 世纪的 27%，但在 17 世纪又升至 46%，到 18 世纪则升至 54%。17 世纪各城邦的军事开支占比通常低于汉堡（汉堡该比例为 59%），这是由于汉堡选择自卫，而其他城邦则是向帝国支付贡纳金以求得保护。对早期现代国家军事开支（以银的吨位计）的抽样分析证实，各国的军事开支占比的高峰期都出现在战争时期。以伊丽莎白时期的英国为例，它的军事开支占比从 1560~1585 年的 20% 上涨到 1585~1600 年的 79%，其原因就是 1585 年后与西班牙交战。17 世纪荷兰共和国预算的 90% 都用于荷西八十年战争、英荷战争以及九年战争。同时期，奥地利—奥托曼之战将哈布斯堡帝国的军事开支占比推升至 98%，而到了 1716 年，这一比例降至 43%。

对大国来说，战事频繁和财政尚武的局面一直持续到 19 世纪早期。以英国为例， 1685~1813 年，军事开支占中央总开支的比例在 55%~90% 波动。1760~1800 年的普鲁士，它的军事开支占比在 74%~90%。法国的军事开支占比在大革命前后的时期下降了，而在 1810 年上升到了 75% 的高值。即使美国政府也在 1810 年将总预算的一半用于军事目的。我们看到，能够在短时间内以最低的经济代价筹措到数目如此庞大的资金，是保证战事取胜和维持国内稳定局势的关键。

在 19 世纪，各国的军事开支占比有所下降。从 1820~1910 年每个年代末的数字可以看出，美国的军事开支平均占比约 54%，普鲁士为 49%，英国为 34%，法国为 33%，奥地利为 29%。其原因如前面章节所述，是由于 19 世纪战争的持续时间比之前的要短，战争成本也更低。虽然 1880~1990 年奥地利和德国的军事开支比例也有所下降（德国从 82% 降至 52%），但我们不能将其理解为国防开支的削减。这两个国家的军事支出比例下降主要是由于其非军事项目开支增加所致（关于这点之后章节会作细述）。如果我们将英国预算项目中列在“民用”科目下的殖民地开发费用也算进军事开支的话，就可看到它的军事开支占比自 1836 年低点（19%）之后即呈长期上升趋势。虽然格莱斯顿政府的口号是“紧缩开支”，但自克里米亚战争之后，这个比例从未低于 30%，并在 1883 年之后呈持续上升趋势，在布尔战争与一战之间的这段时间，这个比例始终保持在 40%以上。

在 20 世纪，各国的军事开支先有增长，之后再次回落。两次世界大战期间，财政支出的军事支出程度之高，军事开支与非军事开支之间差距之悬殊，让人难以置信，而这恰恰也是战争的本质。可收集到的数据表明，各国财政军事支出程度回归到现代早期的高度。在 1917 年战事高峰期，俄国的军事开支占中央政府预算的 96%，英国为 90%，德国为 86%，意大利为 83%，法国为 71%。即使美国的军事开支占比也开始史无前例地上涨，并在 1919 年达到 62%的峰值。但两次世界大战之间的间歇期中，无论是从绝对值还是相对值上看，各国都削减了各自的国防预算。1923~1934 年，英国国防预算占比始终保持在 1/5 以下，并在 1932 年降到了 15%的低值。1928~1931 年，德国该比例降至 1/10 不到。即使是墨索里尼时期的意大利，在入侵阿比西尼亚之前，也维持着不到 1/5 的军事开支比例。较为讽刺的是，1920~1935 年，法国的军事开支占比位列欧洲榜首（平均每年为 30%），不幸的是，这笔资金没能充分投入到新式飞机和坦克上，虽然有精心构筑的防御工事，但缺乏足够的空中力量和装甲部队的军队，是无法抵御德国 1940 年的闪电战的。

二战前后，各国无疑出现了剧烈变动，但由于军事开支和民用开支之间界限模糊，我们无法将这种剧烈变动加以量化。根据英国颇为古旧的预算制度，其国防“配额”占总开支比从 1932 年 15%的最低点上升到了 1938 年的 44%，在 1944 年达到峰值 84%。德意志第三帝国接手政权时，军事开支占比不到 1/10，但从 20 世纪 30 年代起，纳粹在重整军备上究竟花费了多少一直难以确定。在对 1933~1938 年的德国军事开支的估算上，曾任帝国银行行长西亚尔玛 · 沙赫特认为是 345 亿马克，民主德国历史学家库克金斯基的估计为前者的两倍。希特勒在战争爆发时为威慑敌国，声称已为军事开支投入了 900 亿马克。对该数据（不含为日后提高军事力量的工业投资）较为可靠的估算为 480 亿~490 亿马克，这个估算基于曾任德国财政部部长的史威林 · 冯 · 克罗西克伯爵的证词。若按这个估算值折算军事开支占比，可得出德国的军事开支占比从 1/10 上升到 1/2 之多。战时该比例数据同样较为模糊，但基本为 3/4（1940~1944 年）。日本的军事开支占比起点较高（1931~1932 年为 31%），并早在 1937~1938 年就已达到了 70%。

轴心国战败之后，各国军事开支的下降趋势因为“冷战”而并未维持多久。英国军事开支占中央政府预算之比在 1949 年降至 21%，随后在 1954 年升到 38%的战后高点，同年也是法国军费预算的高峰年。殖民地纷纷独立造成英法的“萎缩之痛”逐渐褪去，到苏伊士战争时，英国的国防预算已经开始下降，而法国的国防预算也在奠边府之战后迅速下降。到 1968 年，英法两国的国防开支占比为 1/5。英国国防开支下降的趋势在撒切尔执政期间也未停止，其占比从 1975 年的 10%略微上升到 1986 年 11.8%，但在 1990 年又回落到 10.7%，而在 1997~1998 年，该比例仅为 7%，这也是自玫瑰战争以来英国历史上的最低点。

但是，上述任何一组数据都无法告诉我们军事开支在经济上的相对重要性。确实，由于无论是中央还是地方，国家开支的性质都起了深刻的变化，故而这些数据难以告诉我们任何有意义的事情。比方说，为了使 1870 年后英德两国的数据具备可比性，我们要将德国各州的开支加入联邦政府的总开支中去。另一种办法是，将国防预算与（包括各级政府的）公共事业支出相比，得出两者的比例关系。表 1 给出了过去 100 年里各国的军事开支占各级政府公共事业支出之比，从中我们可以看出英、法、德的军事开支占比均从 1/4 左右降至 1/20 左右。

表 1　国防支出占公共事业支出比例（1891~1997 年）

年份	法国（%）	英国（%）	德国（%）
1891	24.9	26.7	26.3
1900	27.2	48.0	25.2
1913	28.8	29.9	26.6
1925	21.4	12.5	4.4

（续）

年份	法国（%）	英国（%）	德国（%）
1935	20.5	12.6	24.8
1953	25.9	28.5	12.5
1962	15.3	16.7	15.9
1971	11.9	11.4	9.7
1997	5.5	6.6	3.3

比之上述的将军事开支与公共事业开支相比，将其与经济产出相比更为重要，这个比例反映了“军事负担”这个概念。举个典型的例子：戈尔斯米粗略估计雅典的公共开支约为国民生产总值的 20%，而奥古斯都时代的罗马相应比例却低于 5%。因此，从相对经济角度说，古希腊的军事负担可能要高于古罗马，前者的军事开支占国民生产总值之比可能为 7%，而后者的该比例可能为 2%~3%。这种将军事开支与国民生产总值或与国内生产总值相比的方法，即使在今天也存有技术困难，其中国民生产总值的估算虽相对可靠，但仍不尽完美，可是除此之外，也没有更好的办法来计算军事开支的相对值，以便在国家之间、地区之间进行比较。

军事开支占国民生产总值之比会因该国是否处于战争时期而大幅起落，这点相当关键。以 15 世纪 20 年代美第奇王朝的佛罗伦萨为例，和平时期军事开支占国民生产总值之比为 3%，战争期间为 20%。18 世纪英国的国防开支占比在 4%~18% 波动，具体视国家是否处于战争状态而定。1778~1782 年，英国国防开支占比达到峰值，该比例高于法国同期数据。据估算，1776~1782 年，英国国防开支在绝对值上几乎是法国的 2.5 倍，但这个差距没有考虑到两国的相对经济规模，事实上，以国防开支占国民生产总值之比这个相对值来看，英国高出法国更多：英国为 75%，法国仅为 15%。因此，相比法国，英国的军事负担要沉重得多。换个角度说，英国在军事危机时能够调动较高比例的国家资源投入战争。

如图 4 所示，19 世纪各国军事开支占比很少达到 18 世纪英国的水平。1850~1914 年，英国军事开支占比最高也仅为 11%，它发生在克里米亚战争的第一年，而在布尔战争期间，英国这个比例也没超过 6%。除 1866 年的意大利外，欧洲其他各大国的国防开支占比均不超过 5%（若德国统一前普鲁士的国民生产总值可以查到的话，那 1866~1871 年，它的军事开支占比基本可以肯定超过 5%）。1870~1913 年，英国和奥地利的国防开支占比仅为 3.1%，德国为 3.2%，意大利为 3.3%，法国为 4%。

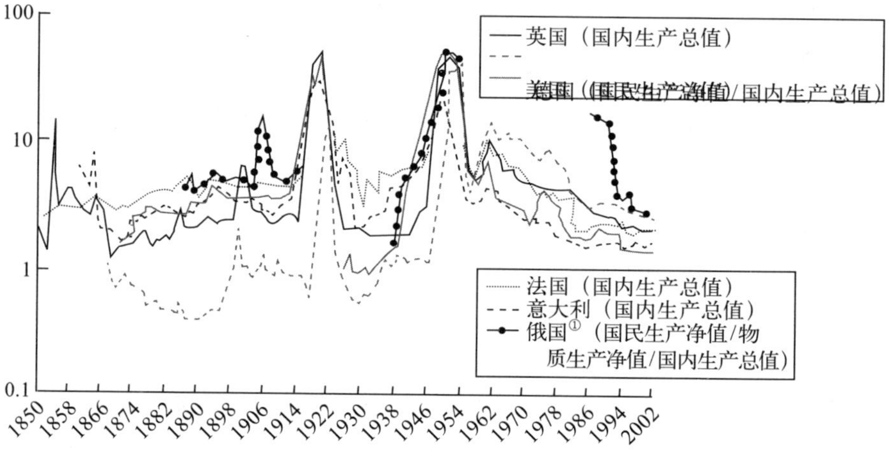

图 4　军事支出占国民生产总值比例（1850~1998 年）

诸多著述对一战前的军备竞赛以及帝国主义的海外大肆扩张进行了不尽其详的描述，事实上，这段时期军备开支实际数据却是出人意料得低。尤其让人惊讶的是德国这个当时以“军国主义”臭名昭著的国家，若以军事支出占国民生产总值之比这个标准去衡量的话，德国的“军国主义”程度反不及它的邻国法国和俄国。但倘若把欧洲的数据与美国相比，那么“军国主义横行欧洲”这个提法就容易理解了。平均而言，1870~1913 年，美国的军事开支不到国民净收入的 1%，这在一战期间也并未改变，只是在大战最后一年，美国的国防开支才上升到国民生产总值的 5%，1919 年达到 15%的峰值后迅速下降，并在 20 世纪 20 年代的大部分时间内都维持在 1%。而欧洲再次与美国形成鲜明对比，一战期间，英、德各自军事开支占比在顶峰期均达到了 50%以上，意大利以 35%紧随其后。

---

① “十月革命”后为苏联，苏联解体后为俄罗斯。——编者注

在两次世界大战期间，英国徒劳地试图回归到战前开支模式上，而其他国家却无此意图。20 世纪 20 年代起，意大利和法国的军事开支增长速度均高于经济增长速度，两国的军事开支占比分别在 1935 年和 1939 年达到了 5%。当然德国的军费预算因《凡尔赛和约》削减到几乎与美国持平，但希特勒上台后，资源的配置出现重大转移，军事开支占比从 1933 不足 2% 增长到 1939 年的 23%。

对于欧洲各大国来说，它们二战期间的军事开支相对值并不比一战时期高出多少。而美国与之形成鲜明对比，自 1943 年起，它的资源配置开始向军事开支倾斜，并首次达到与欧洲同等水平。“全球化的崛起”自然也无法再让美国恢复之前的军事简约模式，在朝鲜战争期间，美国的军事开支占比更是超过了它的主要盟国，无须说，这是“冷战”的必然结果。

在对俄国（苏联）进行分析时，我们遇到了最大的困难，这也是图 4 中数据出现断裂的原因——信息不足，部分是由于沙俄时代数据支离零落，更主要的原因是苏联“净物资货品”的财会制度特征，它将劳务服务排除在统计范围外，另外上文提到的武器装备定价过低也导致了信息不准确。一战前，俄国无疑是经济军事化程度最高的大国，1885~1913 年，它的军事开支占比平均高达 5%，其中，1904~1905 年日俄战争时期，这一比例更是翻了一倍。1915~1917 年，俄国的军事负担也很可能高于其他参战国。苏联时期的数据有些模糊。在新经济政策和斯大林的集体经济时期，苏联的军事开支或许相对较低，但它在 1935 年后开始急剧上升，达到高于英国但低于德国的水平。二战的高峰期，苏联的军事开支占比高达 60%，但仍略低于德国。1945 年后，虽然苏联在防御开支方面变得更加困难，但苏联公布的官方数据显然过低。1975 年，美国中央情报局根据新的价格数据，对苏联的军事开支作了重估，将其占国民生产总值之比从原来估算的 6%~8% 提高到 11%~13%，10 年后，国际战略研究所对此估算出的结果为 16%。同期美国的相应比例为 6%，即使在朝鲜战争期间，美国的军事开支占比也低于苏联 20 世纪 80 年代的水平。

最后，图 4 显示“冷战”结束后，各国军事开支都出现了迅速下降。斯德哥尔摩国际和平研究所一份最新统计（1999 年）显示，俄国的军事开支占国民生产总值的比例为 4%，美国为 3.2%，法国 2.8%，英国 2.6%，意大利 2%，德国 1.5%。这组数据若没有让人回想起 19 世纪，至少也能让人想起 20

世纪 20 年代。美国、俄国（苏联）、德国和英国的军事开支占比自 20 世纪 20 年代后从未出现过如此低的水平，虽然德国是被迫为之。法国和意大利的军事开支也是自 19 世纪 70 年代后的最低水平。

西方国家的"非军事化"

与其他时期相比，20 世纪末西方国家的非军事化局面看起来相当明显。西方人如今基本都能避免战争，的确，他们所能经历的暴力事件无非是酒后拳脚或是被抢劫。如果他对战争怀有兴趣，也只能通过影像得到满足：或许是电视中偶尔飞来飞去的子弹，又或许是电影中对过去战争或是未来战争的不断模拟。20 世纪上半叶，许多人都经历过战争，而他们的儿孙则只能通过观看影视来体会战争。1999 年，数千名美国演员在诸如《拯救大兵瑞恩》此类空洞却热门的电影中佯装死亡，事实上，只有少量的美国士兵在实际军事行动中丧生，且都是死于意外而非敌人的枪口。

然而把当今非军事化归因于越南战争后的主流思潮是不对的，如图 2 和图 4 所示，非军事化只是和平时期的常规现象。此外，英国和美国有个长期传统，即通过资本来代替劳力，降低军事化程度。

历史上，战争最吸引人的两个地方就是战友情和激动人心的战斗。但随着 20 世纪军事技术的进步，这两种体验也日趋微弱，在二战东部战线上这点达到了谷底：平均 1/3 的阵亡率既无法维持战友关系，也失去了战争的刺激，有的只是求生的挣扎：

> 人成了野兽，只有消灭对方才能保存自己。在战场上无所谓的英勇……战斗蜕变成最原始、最兽性的形式，谁若不能耳听八方，不能眼疾手快，谁就会被送入地下……在这里，战斗不是在鲜花遍地的田野中高喊着"乌拉"冲向敌人。

在这场战争中，女医护人员用牙齿咬除炸碎了的肢体，饥饿难耐的战俘被迫成了食人生番。这不仅是一场总体战，也是一场极权战，战场上人类生命的价值几乎不名一文，而在战争中必不可少的战俘集中营里，生命的价值更是荡然无存。

美国和英国为降低人员伤亡，采取了将战争器械化这一手段，把资源转移到大炮、坦克、战舰以及最重要的飞机上。1940 年，这一点在各方面都得到了体现，当时英国将军队从敦刻尔克撤走，随后依靠一支仅由 1 400 名飞行员组成的战斗机队来威慑德国，与德国继续作战。此后，轰炸机又取代战斗机成为英（美）国的进攻战略，采取空中轰炸降低了同盟国的伤亡，也造成了轴心国平民的大量伤亡，广岛原子弹将这点推到了极致。一旦建立了制空权，地面部队将只需付出较低的伤亡代价。

由于当前的“军事革新”是通过电子通信的改进来实现的，因此它只是漫长的军事进步的一部分，却不具革命性。军事仍需要资金这一点长期以来都没有改变，无论是运用在总体战中的大规模武器，还是导致军事预算上涨的“智能武器”均无例外。本章已多次提到，战争的资金筹集要在相当短的时间内完成，而资金的数额也会因为经济增长情况及武器杀伤力的强弱而变化极大，但是为战争融资的基本需求自近代以来都是国家体制变革的主要动力，也是随后事情的起因。

THE CASH NEXUS

第2章
可恨的税收

在那个时候，恺撒·奥古斯都颁布旨意，要向全世界的人征税。

——《路加福音》

在至关重要的1789年，一位革命者在给另一位革命者的书信中写道：“在这个世界上，除了死亡和税收，没有什么事是确定无疑的。”即使在《新约》中，税收也起着作用：正是为了向恺撒缴纳赋税，玛利亚和约瑟夫才去了伯利恒，若没有税收，基督也不会诞生在马槽里。

提高财政收入的需求如我们所见，通常是为支付战争费用或为战争作准备，而提高财政收入有多种渠道。在某些制度中，如封建君主制和社会主义制度，很大一部分的财政收入来自国有资产，无论它是王室领地还是国有化的垄断企业。因此从理论上说，常规意义上的税收并非必不可少：国家完全可以依靠国有资产来创造收入。这种形式的收入可以是另一种形式的税收，如通过皇家农奴的额外劳作，或国有企业商品的高定价来取得利润。另外通过出售国有资产来应付突然增加的费用开支这种快速简易的方法，也极具诱惑力，但这种做法意味着国有资产的逐渐缩减。中世纪出售王室领地的做法，与今天将国有资产私有化的做法可谓异曲同工。税收因此是必不可少的，虽不是非征收不可的。

在议会仅由富有的高社会等级群体组成的体制下，税收上较为倾向于间接税，此类税的主要构成是对进口货物征收的关税，以及对消费的征税。从某种程度上说，对消费征税比对资产和收入征税在经济上更可取。但长期以来，通过间接税很难征收到足够的资金，这是因为：第一，危机时期贸易和消费往往会萎缩，相应地，国家也无法取得税收收入；第二，间接税通常具有累退性，对它的过度依赖可能会导致政治动乱。鉴于此，大部分国家或早或晚都会被迫开征直接税，如财产税和所得税。

18 世纪奥地利总理文策尔 · 安东 · 冯 · 考尼茨 · 里特伯格曾说：

> 想设立名目来榨取百姓钱财，无须多费思量。但若要想对君主和国家都合情有利，他首先要以同样的热情去提高百姓的财富，好让他们能够承受这额外的负担。

税收的哲学也是中庸之学，博弈之道：在取得税收收入最大化的同时，也要对经济施以最小的遏制，因为那是一只下金蛋的鸡。

祖传家业

国有资产长期以来都是政府的一个收入来源。古雅典在罗莱恩拥有银矿，古罗马 1/6 的财政收入来自国有土地，文艺复兴时期的热那亚在弗齐亚拥有铝矿。

欧洲的大君主制国家起初有着大片的王室领地，这在一段时期里也是君主收入的主要来源。英国 14 世纪议会的一句口号就是“国王应自食其力”，它是针对国王“征税”之举的驳斥。这几乎也是欧洲通行的观念，在法国，国王被要求自力更生，西班牙亦是如此，但很少有国王能做到。出售资产套取现金，或者封赏土地给忠仆，这种做法极具诱惑力。

这在法国尤为突出。到 1460 年，法国王室领地收入仅占王室收入 3% 不到，尽管这在 1520 年时上升到 1/10 左右，但在 50 年后又回落到 4% 左右。到 1773 年，王室领地收入不到王室总收入的 2%。即使被大革命收没的贵族领地和教会领地对充实国有资产贡献也不大，因为不久之后，这些土地也被用来出售募集资金，拿破仑时期，仅出售教会土地所得收入就占常规收入的 12%。

在一段时期内，英国国王的情形要好于法国国王。15世纪70年代，约翰·福特斯鸠爵士估计爱德华四世的收入为境内土地产出的1/5，但到了他的统计末期，这些收入已不够支付王室开支。亨利七世在增加领地收入上卓有成效，故而只在1504年向议会要了一次税收。他的儿子没收了修道院的封地，王室收支得到短暂的改善。不久后，为了筹措与法国和苏格兰开战的战争经费，这些土地很快被出售。到爱德华六世末期，7/8的王室土地被出售，这让继任者——他的姐姐伊丽莎白一世难以为继。王室缺乏独立的经济来源导致了16~17世纪议会力量的加强。英国内战后，尽管复辟的王朝收回大量土地，但它从此依靠议会提供追加拨款维系。1760年，乔治三世将王室领地收入移交给了议会，自此，英国王室的收入主要靠税收和其他捐资。

往东来看，王室领地持续的时间较长。1630年，瑞典王室领地包括银矿、铁矿和铜矿，王室领地的收入占王室总收入的45%。丹麦王室领地收入占其总收入的37%，然而到了1662年，丹麦王室领地收入占比降到仅为10%，到18世纪，瑞典王室领地几乎荡然无存。普鲁士的王室领地持续时间或许最长，也最具企业家精神。1740年，普鲁士王室领地收入占王室收入约46%，其后50年中只略微下降，即使到了1806年，其占比仍达到30%。而在19世纪，普鲁士国有铁路网的开发和其他产业更令其有所增长。1847年，普鲁士王室收入的1/3来自国有企业，10年后其占比为45%，到1867年，该占比已过半。这种上升趋势在德国统一后仍在维持，企业总收入占王室总收入（包括常规性收入和非常规性收入）之比从1875年的48%上升到1913年的77%。虽然这只是企业的总收入而非可支配的净收益，但即使扣除成本费用之后，净收益数额仍相当可观：1847~1857年，该金额占常规性支出和非常规支出合计的16%；1867年，占总支出的25%。然而德国统一后，净收益占比也逐步下降，从1875年的6%降至一战前夕的2%不到。英国的情况则相反，它的铁路系统几乎完全靠私人投资。

普鲁士的情况并非独一无二，18、19世纪的其他德国州也颇具企业家精神，如乌尔登堡和黑斯-卡塞尔等州，而后者的产业收入主要来源于雇佣军，1702~1763年，雇佣军带来的收入支付了一半的政府开支。兰德格拉斯·威廉三世曾说："这些军队就是我们的秘鲁。"到世纪之交，他的儿子成了世界首屈一指的富翁之一，罗斯柴尔德家族仅靠为他管理投资组合中的一部分即走上金融巨头之路。俄国也有过富庶的王室领土资源，此外在19世纪还拥有庞大的铁路系统和重工产业。1913年，铁路系统的净收益占公共收入的8%左右。即便是19世纪被称为“守夜人帝国”的英国，从邮政、电话和电报等垄断产业中获取的收入也为总收入的20%。法国与之相较就相形见绌了，它的国有产业收入占比从1801~1814年的10%，跌至波旁王朝和奥尔良王朝时期的3%，随后在1848~1914年跌到不足2%。

国家垄断同样也体现在对某些商品的生产和销售上。中国唐朝在758年开始对盐业实行垄断，780年朝廷收入的一半都来自盐业。同样，威尼斯、热那亚、锡耶纳、佛罗伦萨、法国和奥地利也都引入盐业垄断。盐业也通常与某种税负相关联，俗称盐税。俄罗斯同样也对盐业实行垄断，但1895年后，它对伏特加的垄断带来的利润更为丰厚。一战前，俄罗斯总收入的1/5来自它对伏特加的垄断。18世纪，法国对烟草的垄断为它带来7%的收入。俾斯麦为了不再依赖他所创立的议会，曾有几个半途而废的计划，其中之一就是要对烟草进行垄断。国家对酒业实行垄断至今仍相当普遍。美国国家和地方政府收入的约5%来自国家公共事业和酒类专卖店。国家博彩业也是如此，这些被垄断的行业有个共通之处，就是满足某种恶习的需求。这种垄断所获取的利润本质上是对饮酒者和赌博者课收的税负。就像这些恶习本身一样，这种垄断利润也难以令人放弃。戈尔巴乔夫所犯的一个重大错误就是他在苏联发起的反酗酒运动，伏特加消费的下降导致这项来源的收入大幅下滑。

国家对基础设施的投入有时被描述成开发性的，以填补私人投资在重要战略板块的不足。事实上，大部分国有企业的目的更为狭窄，即创造财政收入。在非民主政权的国家，这样的国有企业的确能够盈利，或至少收支相抵。但在许多民主制的国家和20世纪的计划经济国家，这种国有企业很快成为暗中贴补穷人的渠道，成为吸收剩余劳动力的海绵。隐性失业、经济停滞和生产力下滑，意味着国有企业在1914年后通常成为国家资金的接受者而非创造者。有个例子很好地说明了这一点——德国铁路从一战前国家的重要经济来源变成魏玛共和国和第三帝国的庞大的就业机构。1921年1月到1923年11月，德国在铁路上的开支构成了国家30%的赤字。铁路的亏损主要由于冗员，以及票价定价过低。纳粹时期，这种政策仍然延续，期间铁路雇员增长了近 100 万人。这与战前的普鲁士形成鲜明对比。

英国的国有化企业是又一个悲惨的例子。英国的产业国有化早在 1945 年之前即已出现：丘吉尔在 1908 年将泰晤士码头收归公有，而林业委员会、中央发电局、英国广播公司、伦敦客运局以及英国海外航空公司都是两次大战之间的产物。1945~1951 年，国有企业又延伸到煤矿、航空、公路、铁路、煤气、电气和钢铁业。无论这一举措背后的动机如何（避免失业和减薪的目的无疑优先于提高生产力和创收），它所导致的亏损是巨大的。1982 年，资本核销和补助估计达 400 亿英镑，投资于国有企业的 940 亿国家资金给财政部带来的平均回报却是 –1%。仅英国利兰汽车生产厂 10 年间就耗去纳税人 30 亿英镑。基于这些数据，撒切尔政府考虑将国有企业私有化也不足为奇了。这些国有资产的出售所得金额约 1 000 亿英镑，这笔收入原不应记做经常性收入，但通常政府都会这么做，以便粉饰它的财政状况。英国前首相哈罗德 · 麦克米兰抱怨说这是家业贱卖，但这话没什么实质意义。财政部没有压低私有化公共产业的股份价值，而多数产业私有化后取得了高效益，这也使得这一政策被争相效仿。

无一不征税

征税最简易的方法就是对易监控的交易进行征税，这在一定程度上解释了为什么自古以来进口关税一直都是国家的一个收入来源的原因。古雅典对所有进口货物统一征收 1%的关税，古罗马也有类似的关税，在奥古斯都朝时期，它占国家收入的 1/4。中古时期的英国对各种进出口货物征收每英镑 16 便士的从价税。这笔税金的征收起初要征得商人会议的同意，但之后逐渐成为王室常规性收入，即为customs一词的来历（英文custom既指关税，也含习惯、惯例的意思）。1249 年后，国王开征羊毛出口特别税，这之后也成了惯例：1398 年，羊毛税的终身征收权以及对酒和其他货品的捐税也都归于国王（桶税和磅税）。

但对贸易征税也有不足之处。如果对商品的征税过高，就可能降低贸易量从而减少税收收入。14 世纪英国对羊毛出口征收的高关税或许就是该行业逐渐衰败的原因。另一方面，高进口关税鼓励走私。18 世纪，“走私贸易”猖獗时，约 2 万人涉及从事非法贸易，即使像英国这样一个岛国，想要防止大规模的逃税也是不可能的。更重要的是，进口关税歧视原比国货便宜的舶来品。自由贸易主义认为，关税不仅是消费者的负担（这是“自由贸易”得民心之处），也是对境内缺乏竞争力的厂商的庇护，从而总体降低了国际经济的效率。低关税能够提高贸易量这一实用观点，以及经济是神授的，并具备自我调节机制这一新教的鲜明观点，使得不少英国政治精英由 19 世纪 20 年代的托利党人转而成为拥护自由贸易主义者。结果，关税大幅削减，而当贸易下降、军事开支上升时，罗伯特 · 皮尔爵士不得不征收和平时期的所得税来平衡预算。

欧洲大陆国家也在不同程度上仿效英国的自由贸易政策，这一贸易自由化进程在 1870 年达到巅峰。然而 19 世纪 70 年代工农业品价格的下跌（很大程度上是由于铁路和海运费用的大幅下跌所致），很快促成了贸易保护主义的复兴。自 19 世纪 40 年代，“曼彻斯特主义”就受到弗雷德里希 · 李斯特等经济学家的指摘，李斯特认识到，德国新生纺织厂若没有保护性关税就无法与先进的英国纺织厂竞争。但贸易保护主义复兴更重要的原因在于关税的政治用途，提高关税可以取得诸如农场主之类的利益集团的政治支持。1878 年，俾斯麦恢复了对工农业品进口关税的征收，并在 1902 年达到战前高峰。征收关税不仅有利于俾斯麦自身所处的阶级，即拥有土地的容克阶级，也有效地分裂了敌对的自由党。根据国联数据，一战前夕德国平均关税税率上升到 12%，法国上涨到 38%，英国仍为零。欧洲大陆对小麦关税税率的设定分别为德国 36%，法国 38%，意大利、西班牙和葡萄牙的税率更高。而俄国和美国却是对进口的制造品课以重税，拉美亦如此。1861~1871 年，美国进口关税税率从 14% 上涨到 46%，最后在 30% 趋于平稳。1902 年《福特利–麦克康伯关税法》授权新成立的关税委员会根据个案逐一征税，当然一旦税率设定，无论相对价格如何变化，它都将保持不动。

一战后，贸易保护主义仍保持上升态势。在主要的工业经济国家中，关税收入占进口货物总价值之比从 11%（1923~1926 年）上升至 18%（1932~1939

年）。大萧条的一个重要原因就是 1929 年 10 月~1930 年 6 月美国《斯穆特-霍雷关税法》审议迁延日久，该法案对多达 22.1 万种货品设定了税率。即使往日提倡自由贸易的英国也选择了贸易保护，它在 1932 年 3 月实行了 10% 的从价税，并在 1932 年 6 月实施全国范围的贸易保护（“帝国优先权”）。和 19 世纪一样，贸易保护主义不乏伶牙俐齿的辩士，1933 年 4 月，凯恩斯在都柏林的一次演讲中宣称他“赞同那些减少而非增加国际经济交流的主张”。经济学家和政治家们也慢慢才认识到贸易保护是一场“拖穷邻国”的伤人损己的游戏。当然，在一个贸易保护主义盛行的世界里，征收关税无疑比单方面实行自由贸易要妥善，但更明智的做法是先通过双边协定，再在二战后通过关税与贸易多边总协定共同消除关税堡垒。亚当 · 斯密在 18 世纪就教导我们，降低税率可以促进贸易，增加税收收入，这一点在经历过痛苦之后才再次被认识到。

当然，从逻辑上讲，没有理由将跨境贸易与境内贸易区别对待。历史上，各国也对国内交易实行过征税。古雅典对出售奴隶征税，古罗马也有类似的 4%的征收，并且对解放奴隶也征税，销售其他货物的税率则为 1%。而中世纪的法国，1360 年 12 月的法令革新了王室财政，自此开征了盐税，并对除酒以外的大部分商品征收 5%的税，而酒的税率起初为 8%，后改为 5%。文艺复兴时期的佛罗伦萨在城门征收类似的盐税，其财政总收入的 1/5 来自于此。哈布斯堡 · 卡斯特尔王朝征收 10%的销售税。俄国在对伏特加实行垄断前，对烈酒征税成为它财政收入的主要来源，1815 年其占比约为 1/3。

历史上鲜有国家达到像汉诺威王朝时期的英国那样对国内货物横征暴敛的程度，这一点更是由于该政权处于第一次工业革命时期而愈加受到关注。约翰逊博士编撰的词典中将货物税简明地定义为“对货物征收的一种可恨的税种”。事实上货物税起源于斯图亚特王朝：查理一世对布匹、淀粉、肥皂、眼镜、金银线以及扑克牌征税；1643 年，议会又对烟草、葡萄酒、苹果酒、啤酒、皮草、帽子、皮革、花边、亚麻布以及进口丝绸征税；继而在 1660 年，又对盐、藏红花、啤酒花、铅锡、铁以及玻璃征税。在之后的 100 年里，该税收收入成为英国王室的主要收入来源。为了筹措资金支付对法战争的开支，小皮特还把帽子、手套、女用无指手套、香水、店铺以及女仆都纳入了征税对象名单内，此外还包括砖、马、打猎。到了拿破仑战争后期，英国物品几乎无一遗漏被征税。在1820年的《爱丁堡评论》上，西德尼·斯密斯讽刺道：

> 好大喜功的必然结果就是，对吃进嘴里、穿在身上、踏在脚下的每样事物征税；对悦耳的、悦目的、手感好的、香味扑鼻的、美味可口的每样事物征税；对热、光、动力征税；对地面上的一切、地下的水征税；对舶来品、对国产品征税；对原材料征税，对辛勤劳动换来的新增价值征税；对纵人之口腹的调味汁征税，对助人康复的药品征税；对装饰法官的貂皮征税，对吊死犯人的绞索征税；对穷人的盐征税，对富人的香料征税；对棺材上的铜钉征税，对新娘的饰品征税；无论我们是在床上还是在车上，无论是躺着还是站着，都必须缴税。小学生抽打着交了税的陀螺，青年人调教着交了税的马，用的是交过税的马笼头，走的是交过税的道路；某个濒死的英国人把交了7%税的药水倒入交了15%税的汤匙，躺在交了22%税的印花棉布床上，在一位药剂师的怀里断气，这名药剂师为了能合法地让病人寿终正寝曾用100英镑买了从业执照。这位死者的所有财产接着立即要交2%~10%的税，检验遗嘱要付费，安葬在教堂墓地要付费，他的美德刻在交了税的墓碑上传于后人，然后他就去见列祖列宗，再不用纳税了。

这种对消费征税的依赖多大程度上促进或阻碍了英国经济增长，仍是个有待讨论的问题。汉诺威王朝的税收体制无疑鼓励了出口（出口不仅不用交税外，在某些情况下还享有国家补助）。但将大笔资金从消费者那里转移到不纳税的食利者手中，这是否有利于促进宏观经济却令人怀疑。值得关注的是当时对西班牙和荷兰财政政策的批评者（包括亚当·斯密）认为，过分依赖消费税会抬高劳动力成本并遏制国内贸易。

17世纪瑞典首相阿克塞尔·奥克森斯蒂尔称间接税“既能取悦于上帝，又无害于人间，也不会引发叛乱”。一些现代政治学家也赞同此观点，他们认为相比直接税，消费税更为“隐性”，因此它的政治敏感度也更低。然而没有哪个国家能长期完全依靠间接税，在一个过于累退的税收体制下，势大而富有的高等级阶层与弱势贫困的中下层人民之间的利益冲突必然会导致社会动乱，经历过佛罗伦萨暴乱的马基雅维利对此深有体会。事实上，对间接税的抗议在现代欧洲早期频繁发生，1590~1607 年，反抗西班牙的荷兰暴动、德国农民起义、匈牙利农民起义、奥托曼帝国境内大大小小的骚乱，其导火索之一就是对税制的不满。1630 年，巴斯克在国内发生多起抗税事件后，不得不撤销了新盐税。1647 年，巴勒莫和那不勒斯也发生过对新征货物税的抗议。

抗税运动最频繁的国家莫过于旧政权下的法国了。不断上涨的税捐和地租成为对农民收入的双重压榨，终于在 1548 年引发吉耶纳地区纳皮多农民反抗盐税的暴动。各种名目的 5%的消费税也因为民众的抵制不得不在 1602 年和 1643 年两次被废除，而直到 17 世纪 60 年代，在多菲内和吉耶纳地区，也只能借助武力才能征得此税。1648 年，反抗马扎兰大主教财政新举措的抗税运动最后引发了法国全面大起义。现代法国早期其他抗税运动包括：1624 年库尔希省农民暴动，1635 年吉耶纳地区反对葡萄酒销售税起义，1639 年诺曼底农民反对取消盐税免税权的起义，1675 年布里多尼地区反抗印花税运动，无怪乎历史学家们把税制问题看做是法国大革命起因中的一个关键因素。而造成 1789 年前税制累退特征的主要原因在于直接税体系中各类减免和豁免规定（见下文），而不是税负负担的总体水平。

正如埃德蒙 · 伯克所言，“既想施以重税又想讨好人民，就像既想坠入情网又想保持清醒一样，无人能够做到”。如此一来，汉诺威王朝的横征暴敛引起民愤也不足为奇了。1773 年一群暴民包围议会，高呼“废除奴役，废除税负，废除木鞋”，这才暂时性地取缔了罗伯特 · 华尔普尔博士的税收法案。汉诺威王朝时期，英国有趣的地方在于此类抗议从未像其他地区一样演化为大规模叛乱，这也部分验证了“对穷人的必需品应相对轻徭薄赋”这个道理，当时英国的白酒、葡萄酒和烟草的税捐要高于啤酒、蜡烛、肥皂、淀粉和皮革，而且也仅对麦芽、马匹和牛油这些农产品征税。而 18 世纪对小麦、面粉、面包征收“大众税”（“公平”价格）时，遭到反对的是自由市场，而并非财政政策。

英法两国在 18 世纪不同的经历，说明造成社会动荡的原因不是间接税税负的轻重，而是应税商品的范围。19 世纪，对面包课税仍是引发城邦贫民动乱的一个关键因素。揭示面包税深远政治影响的一个有力例证是，它在威廉王朝为德国民主党争取支持上所起的关键作用。关税收入在1913年只占公共部门收入的10%，而且根据现代算法，贸易保护的效果只不过将面包价格提高了不到8%，约相当于普通劳工家庭收入的1.5%。但是“昂贵的面包”为“军国主义”买单的说法（即谷物关税收入用以组建德皇家海军部队），成为政党争取选票的有力武器，它也是1912年德国社会民主党竞选获胜的重要原因。同样，1900年后，张伯伦关税改革运动受挫的原因，也在于谷物法废除之前人们通常将关税与面包的高价联系起来。1905年的自由派会议上，老太太们被抬上讲台追忆19世纪40年代，提醒选民们自由贸易前那万恶的日子。

而对法律操作或其他程序的征税，即通常所称的“印花税”，却很少招致争议。这是由于就其属性而言，此类税别的税负通常由富人承担。法国后来对印花税尤为倚重，到1913年印花税和注册税税收达到其总收入的1/5。但也有一则反例，1765年的印花税法案规定对美洲殖民地的法律文件、报纸、卡片以及骰子征税，这一法案在招致强烈反对后只得被仓促取缔。从中我们也可以看出，引发争议的是一项税制是否合礼法，而并非它对人们所构成的财务负担。

现代政府从历史中汲取经验学习成长。在20世纪末的西欧，增值税的发展为国家提供了一种获利丰厚的间接税税种，消费者对此税欣然接受，企业也乐于执行。1979~1999年，英国增值税税收收入占财政总收入之比翻了一倍，达到16%。在笔者行文之际（2000年），55%的消费者开销都被纳入17.5%税率档的增值税征税范围内。在法国，增值税尤为重要，它占国家财政收入的45%。增值税受到的抵触较小的原因有如下几点。第一，政府对政治敏感性商品采取谨慎的减免措施。例如，英国食品和水的增值税税率为零，处方药、书籍以及报纸的税率也为零，此外，房租、学费、赌注和丧葬费免征税，家用燃料课以低税。第二，谨慎地分阶段提税。第三，提税与其他税种的减免挂钩。1972年英国推出增值税时税率仅为8%，1979年新上任的撒切尔政府在推出降低所得税税率这个深得民心的政策的同时，也把增值税税率提高到15%，其表面目的是为弥补前者造成财政收入的不足。1991年，英国将增值税提高到当前水平，而这一次是与取消民怨沸腾的社区费一起推出的，作为一揽子计划“出售”给公众。当英国政府考虑对家用燃料征税时，原打算分阶段提税，故而暂以8%的低税率问世，但随着梅杰政府在下院的多数席位减少，这个税率也再难提高了。

正因为增值税的灵活性，因此它并非（人们有时所认为的）一种累退性税种。然而，老旧的、累退特征明显的货物税在英国至今仍然存在，它表现为对烟草、酒类以及燃料的高课税。一加仑汽油价格中，货物税和增值税合计占了88%，一盒香烟该比例为82%，一瓶烈酒该比例为64%。这导致间接税的整体税负在英国略呈累退性：1995年，以一个不到平均收入水平的两个孩子的父亲来说，他所承担的增值税及其他间接税占其收入的13.5%，而对于一个高于平均收入水平的两个孩子的父亲，其相应比例为12.8%。换言之，1993年，对于社会中收入最低的1/5的人口，他们所支付的间接税占其可支配收入的30%，而收入最高的1/5人口所支付的间接税仅占其可支配收入的15%。烟草的累退性尤为突出，这不仅是因为对于低收入人群而言，香烟的开销占其收入的比重更大，也因为低收入人群抽烟情况更为严重。别的国家当然也对烟、酒、车驾征税，但很少有国家如此惩罚性地征收。美国对于这些朴素的享乐所征收的税收收入仅占财政收入的2.6%，而英国的相应比例为12.2%。

英国对烟草、酒类以及燃料课以重税已不再仅仅是为了增加财政收入，更多是出于对健康和环境的考虑抑制此类商品的消费。但不幸的是，高课税虽然抑制了消费，但也鼓励了走私，同时还相对减少了国家的收入（以烟草的税收收入为例，其占税收总收入之比从1947年的15%降低到1990年的3%不到）。另外我们也不应夸大增值税的作用，所谓“黑色经济”之所以存在，很大程度上是由于小企业试图逃避增值税以及对企业征收的其他税费。据欧盟1998年估计，英国黑劳力市场创造的经济价值相当于其国内生产总值的12%。一份详尽的奥地利经济研究表明，逃避间接税日渐成为黑色经济增长的主要原因。正如进口关税上述种种，消费税和增值税所能征收到的资金是有限度的，尤其是在人力和物资高度流动性的今天，2000年抗议燃料涨价即是一个明证。

"挑拣水果"：直接税

直接税最简单的形式即为人头税，它要求人人纳税。人头税是14世纪和17世纪中期英国财政的一大特色。1701~1789年，法国封建旧政权也征收人头税（1695年首次推出）。而从彼得大帝时期到俄国革命，人头税也一直是俄国税制的基本构成。

人头税的弊端在于它是累退税制，它占穷人收入的比重远高于富人，因此人头税有时也会激起抗税动乱，这在英国尤为显著，正是由于人头税——除乞丐外，15岁以上成年人均须缴纳1先令——引发了1381年的农民起义，也正是由于社区费的推出，导致玛格丽特·撒切尔的首相之位在1990年遭受致命一击。

因此，人头税经常只是对部分人群征收。雅典的人头税只限于国外出生的居民。早期阿巴斯王朝则对非穆斯林征收人头税，这个政策在之后不得不废弃，因为越来越多的非穆斯林面对这明显的"鼓励"政策而改信伊斯兰教。神圣罗马帝国也在犹太人居住区征收人头税。

一种能明确免除穷人税收负担的直接税是土地或地产税，即按一定比例对个人或团体所拥有的不动产征税。它曾是盎格鲁-撒克逊人抵御丹麦人入侵的重要经济支柱。同样，12、13世纪的英国和法国为筹集十字军东征以及战争经费，设立了"税捐"制度，它允许土地所有者缴纳土地税作为象征性地为国王履行服兵役义务。法国的"租税"，是一种按土地收入的估算来设定纳税额及附加的土地税，在1780年前，它一直是法国最主要的直接税。16世纪苏莱曼大帝对奥托曼治下的埃及所征的税收中有60%来自于土地税。德川幕府时期的日本，土地税税负高达土地产出的40%，并可能达到国民产值的1/4。印度莫卧儿帝国在阿克巴统治末期，土地税税负高达国民产值的1/6左右。

从多方面讲，土地税是农业国家的一个天然税种，对于法国重农主义者来说，对土地净收入征税是唯一必要的税。奥地利的约瑟夫二世也曾梦想以此来改革哈布斯堡王朝的财政。而商业化国家也对土地征税，但实行区别征收，如荷兰联邦对农业用地按租价的20%征税，对建筑用地却只征12.5%，而商业利润免税。一战期间，劳埃德 · 乔治也主张对土地价值征税，并征收资本利得税，但他的目的是在全国土地估价完成后重新分配土地。

土地税存在两大弊端：第一，相比金融资产和其他动产拥有者，土地所有者遭受到歧视对待；第二，它要求征税评估员能够精准掌握土地所有权的归属和每位所有者拥有的土地生产力。这第二点尤为困难，因为在对土地所有权进行清查期间，又有多少土地已经易手？即使在意大利城邦国，这点也难以实现。15 世纪，佛罗伦萨对房地产所有权进行普查，并定期更新（1427~1495 年更新了 8 次），打算据此征收房地产税，但最终放弃，改为简单地按 10% 征收。沃尔西大主教曾试图对英国的财产进行彻查，即 1522 年的“大剥夺”，但因遭到贵族的反对而被迫放弃。由于 18 世纪的农业革命，作为 1692 年英国土地税（约为地租的 1/5）征税依据的土地测评统计表很快就过时，但它衍生出来的“配额”却一直沿用到 18 世纪 90 年代。用亚当 · 斯密的话来说，土地税要求“对千差万别的土地的状况和产出的变动情况投入持续的、费力的关注”。法国封建旧政权的财政改革家们曾梦想对土地进行一次清查，但考虑到要动员 3 000 多名土地勘测员，便打消了念头。最终得到落实的土地清查是由拿破仑在 1808 年发起的，得出的结果为 1 100 万名土地所有者和 126 亿块土地，但历时 42 年的清查结束后，这个结果已然过时。此后，根据清查统计表所征的土地税由于无法跟进土地生产力提高的情况，不仅导致税收流失，在级差上也有失公允。到 1914 年，土地税税收只占财政收入的 2.3%。

绕过这个问题的一个办法就是在土地被继承的时候征税。劳埃德 · 乔治曾笑言：“死亡是对富人征税的最佳时机。”古罗马就有这种继承税（英国俚语“死亡税”或许更为生动），该税税率为 5%，占财政收入之比亦为 5%。虽然普遍观点认为死亡税是 20 世纪英国的发明，但早在 1853 年“继承税”就已将征税范围扩大到房地产。无论对其是褒是贬，自由派财政部长威廉 · 哈库塔在 1894 年推出的“死亡税”被认为是现代版死亡税之先河，事实上他的前任保守派乔治 · 戈申在 1889 年即已规定了对所有价值 1 万英镑以上的不动产征收 1% 的税款。正如评论家所预言的，厉害的还在后头呢。到劳埃德 · 乔治的“人民预算”时代，提高死亡税已成了所有左倾财务部长的惯例。即便那些欧洲大陆的保守派，也都转而倾向于继承税。德国政府在考虑提高财政收入中直接税的比重时，首要提案即是要征收继承税。此间，这两国都遭受到了贵族阶级激烈而徒劳的反对。

虽然20世纪这种针对富人的继承税在税率上已经高到惩罚性的地步，但由于富人不多，或者说不雇会计的富人不多，故而征得的税款亦不多。今天，继承税税收收入在英美的财政收入中仅占不到1%。两国的保守派党人开始呼吁废止该税种。

代替继承税的一个主要办法就是对收入实行广泛征税，而最简单的形式是不论收入来源，对每个人都课以同样的税率。亚当·斯密四条税收要义的第一点即是：国家的每一分子都应力所能及地贡献国家，在享有国家保护的同时，应就各自收入比例缴纳税负。将这点稍加变化，便成了法国革命者《人权与公民权宣言》中的一条：税负应就每个人的支付能力均等地分摊给所有公民。这并非新观点，在古代，按收入的1/10征税很常见。8世纪阿巴斯即有这种1/10的税，还有14世纪英国神职人员的什一税以及议会的1/10税（后改为1/15），此外1/10税以不同的名称出现在威尼斯、18世纪的法国（后改为1/20）。英国在1692年首次对收入征税，其时税率为20%，但皮特首相在1798年出台的按1/10征收的所得税，才被认为是税收历史上的里程碑，它为当时的财政收入新增了1/3的资金，这也是赢得对法战争胜利的关键。

事实上，皮特首相的所得税政策在1801年即被废止，他的继任者阿丁顿在次年战事重开时出台了一份修正版的所得税政策，但当1815年战争结束时，这项政策便即刻被投票否决了。那位海军军官在1791年道出了许多人的心声："这是个肮脏的、雅各宾式的、暴发户式的小官吏的无耻行径——一个真正的英国人就不该有隐私吗？他辛苦劳动的成果就该被官僚小吏一分分地夺走吗？"直到1842年，皮尔首相才出台了和平时期的所得税政策，但只是临时措施（由于议会的反对，至今仍为临时措施）。虽然格莱斯通和迪斯雷利首相反复保证要废止这个"不公正、不平等、窥伺隐私的措施"，但这一措施始终屹立不倒。更甚者，自1876年以来，所得税税率以持续上升的态势遍布世界各地。英国所得税的标准税率在它1846年最低点时仅为1%，一战前夕，所得税税率接近6%，战争结束时这一税率上升到30%，二战前夕也仅降到29%，到1945年已上涨到50%。所得税的标准税率在战后也只是缓慢下降，到 1972 年仅略低于 39%，而 20 世纪 70 年代所得税基本税率虽有所削减，却代之以高收入档税率的提高。直到 1979 年玛格丽特 · 撒切尔执政，才开始真正致力于削减所得税税负，但基本税率在行文之际（23%）仍高于一战时期。

对所得税进行调整的方法有多种，例如可以设定一个起征点免除穷人纳税的税负。13 世纪的英国，动产低于 10 先令的户主即可享受这样的税收豁免。1334 年，处于直接税起征点以下的人口占总人口比在 1/10~1/2 间波动。皮特所设定的起征点为年收入 60 英镑，而皮尔推出的每英镑征税 7 便士（3%税率）的所得税政策，免除了年收入低于 150 英镑的人群。此后，对起征点的提提降降成了维多利亚时期财政大臣乐此不疲的工作。1853 年，格莱斯通首相将起征点降至 100 英镑，并将其称为“英国收入的赤道线”。1874 年迪斯雷利将它拉升回 150 英镑。另一个部分豁免的方式为津贴，它为特定群体的收入新增了一个减免渠道，有效地提高了他们的起征点。例如 1909 年，劳埃德 · 乔治规定父母享有每个孩子 10 英镑的津贴。

当然，贵族政体同样给予富人税收豁免。实际上，现代早期的多数时期，税收豁免既能为中下层人民所享有，同样也是高社会等级阶层的特权。这也是法国租税的主要弊病，它之所以不得人心，就是因为它大量的豁免加重了其他纳税人的负担。而且这样的豁免权一旦确立，便再难取缔。宗教改革时期，天主教国家曾试图增加神职人员的税额，结果导致了 1532 年卡斯特尔市神职人员罢工。1561~1786 年，法国神职人员纳税额占国家开支的比例从 15%跌至 1%。1749 年后，法国试图提高贵族阶级的税负，同样招来怨声一片，就连卡隆在他的财政改革计划中也提出贵族不必缴纳租税。不仅贵族和神职人员可以不必缴纳租税，治安官、王室成员以及城邦高等级阶层也可享受豁免。普鲁士的地主们将税收豁免看做是象征地位的特权，即使是加诸他们的法定税负，他们也试图逃避，而身为地方税吏，他们逃税也相当方便。

相反，无论左翼政府取得过怎样的政绩，他们没能做到的一点就是没有保留维多利亚时期豁免工人阶级缴纳所得税的先例，因而遭到反对，其中主要的原因有：两次世界大战的巨大开支，迫使政府必须广辟税源；工人阶级收入上涨并远超出生存基准线；以及通货膨胀效益，变相地降低了起征点（所谓的“收入档次渐移”）。英国的所得税纳税人从 1913 年到 1918 年翻了

3倍，从113万人涨到了354.7万人，同时工薪阶层纳税人人数占比从零涨到58%。在德国，代扣工资方式的所得税在直接税收入中占比持续上升，而中产阶级却拖欠税款，利用通货膨胀降低其应纳税额的实际价值。减低补贴或让通货膨胀降低补贴仍是提高所得税的最简单手段，这也是英国为二战融资采取的办法，不过英国之后又将因降低补贴而多征的税款再次返还给纳税人（虽然是用贬值了的英镑返还的）。自二战以来，起征点一降再降，1949年，一个有两个孩子的父亲，若他的收入处于体力劳动者平均收入水平，则无须缴纳所得税，而20年后，当他的工资达到平均收入的53%时，即要纳税。20世纪八九十年代，保守派在执政期间没有采取任何措施阻止这一趋势，1979年，一个有两个孩子的父亲，若他的收入达到体力劳动者平均收入水平的35%，即要缴纳所得税，到1995年，这个比例已降至30.7%。

区别不同来源的收入，便可课以不同的税率，比如投资收入所得的应税税率高于工资所得。差别对待的一个早期例子是玛丽一世推出的补助金政策，它规定土地收入每英镑征收4先令补助金，而其他形式的财产收入则每英镑征收2先令8便士。当阿丁顿首相在1803年改革所得税时，将收入划分为五大类，今天美国税务局仍在沿用，具体如下：（1）房地产收入；（2）农业收入；（3）年金国债；（4）个体经营者及其他；（5）薪资、年金和养老金。虽然阿丁顿当时并未打算按类进行差别征税，但税收体制却已到位。早在1853年出现的商业经营费用的税收抵扣政策，即已反映了对应得收入和“非应得”收入（如投资所得）应区别对待这一理念。但直到1907年，阿斯圭顿首相才推出差别税率，他规定对应得所得每英镑征收9便士，对非应得所得每英镑征收1先令。两年后，劳埃德 · 乔治又将非应得所得的税负提高了两便士。在20世纪80年代前，对投资所得实行惩罚性征税一直都是20世纪英国的惯例。

收入也可以分等级，以便按照收入的高低课以不同的税率。累进性所得税的一个早先的例子是短暂的法国户税，它的目的是要达到平均每户3法郎的税负水平，但依照每个家庭的收入高低征1~9法郎不等。18世纪让 · 路易 · 格拉斯兰将这个设想落实，他主张实施一种从零税率到税率为最高收入的20%的直接税。大革命时期，罗伯斯庇尔接过了这个观点：“那些收入不超过生存基准线的公民可以免去税负，其他人应根据财力按等级承担公共开支。”人们常把级差征税与雅各宾主义相提并论，这种联想很久之后才逐渐淡化，这也不仅发生在法国，格莱斯通首相在级差征税中看到“鲜明的共产主义倾向”，他认为：“这可能等同于充公。”

但格莱斯通自己也承认：“级差征税的原则已经在税收豁免政策中得到体现。”而且他本人在 1853 年推出的所得税政策也反映出级差征税的理念，他规定对 100~150 英镑的收入征收更低的税率；1863 年，他又规定给予收入低于 200 英镑的纳税人 60 英镑的补贴，迪斯雷利在 1874 年进一步完善了这一政策。而突破性的所得税政策是 1909 年劳埃德 · 乔治的“人民预算”，这一政策对更高收入课以更高税率，它推出三种不同税率：2 000 英镑以下的年收入税率为 3.75%，2 000~3 000 英镑的年收入税率为 5%，3 000 英镑以上的年收入税率为 5.83%，此外，对 5 000 英镑以上的年收入加征 2.5%的附加税。劳埃德 · 乔治 1914 年的财政提案（被否决）设想再调低收入档，加大级差，并对继承税也进行级差征税。1939 年，附加税的税率为 41%，到 1945 年附加税税率提高到 48%（收入超过 20 万英镑），直到 20 世纪 80 年代，这些税率才有所下降，其中较高收入的税率降到 40%。

到 20 世纪，不仅对个人所得征税，对公司所得也开始征税。在英国，一战再次成为了分水岭，当时推出了额外利润税，它是对战前和战时的利润差额征税。二战时期也采取了同样的措施，而此时税率达到了 100%，但在战后实行了 20%的退税。1965 年，工党对公司利润推出了公司税，以及对资本增值的资本利得税。

所得税征收的一大困难是估算问题。国家是否应该效仿法国 1914 年前的做法，根据“客观”标尺来测估收入呢？或者国家是否应相信公民自己申报纳税，假设大多数人不会过分压低自己的收入呢？如果不是的话，国家调查权限的范围又该是多大呢？法国采取测估纳税，不仅对土地，而且对企业、个人、动产、门窗都加以测算，但被证明代价过高，每样事物的“客观”标尺都落后于经济增长。例如，18 世纪 70 年代，法国的 1/20 税即依赖本地的测估进行征收，但只有 1/5 的教区乐意配合。

与法国不同，美国和英国发展出个人申报纳税的体制。这个制度在美国沿用至今，每年个人报税单数量超过 1.2 亿。而在英国，由于二战的巨大开支，以及体力工人的收入增长，结束了英国的纯申报纳税制度。自从1944年出台了“发薪时扣除所得税”政策（PAYE），英国的雇主开始对雇员的工资实行代扣代缴。即便如此，所得税的征税成本仍高于关税和货物税，1992~1993年，关税和货物税的税收收入仅比税务总局低了16%，但征税成本仅为后者的一半，即只占税收收入的1%，相比之下，国税局雇用了一倍多的人力，征税成本占税收收入的2%。造成这个问题的部分原因是所得税政策中各种规定繁杂，这也是财政部长们希望讨好某个利益集团接二连三地对所得税政策修修补补的后果。1989年，工党议员弗兰克 · 菲尔德估计，若废除所有减免规定，所得税标准税率降为12%~15%将成为可能。

毫无疑问，所得税是现代财政政策的重要杠杆。19世纪90年代到20世纪70年代，多数国家的所得税都在持续上升（见图5），然而所得税在不同国家的重要性不尽相同。19世纪下半叶，德国各邦州都仿照英国开征所得税，但德意志帝国本身直到一战结束才获得了所得税的控制。（德国经济学家古斯塔夫 · 施莫勒在1909年很认真地说：“德国人民若有这么一个可灵活调节的收入因素……该有多么雀跃。”）在美国内战时期，美国推出联邦所得税，但战后被废止，并在1893年被最高法院认定为违宪。不允许国家打探个人隐私这个根本性原则导致法国直到1914年才推出所得税。在今天的英、美，所得税占财政收入的1/4，德国的比例为36%，法国则仅为17%。

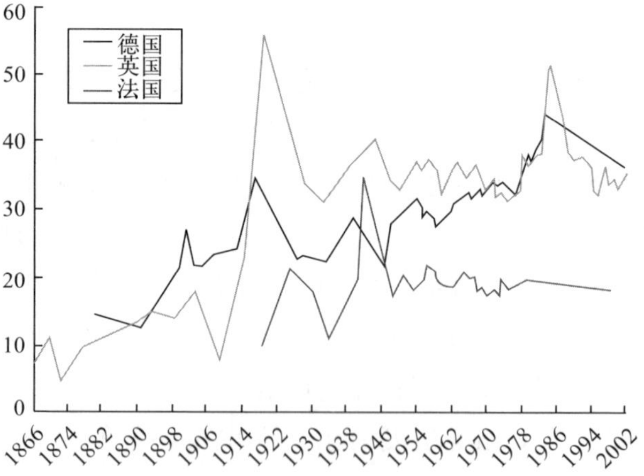

图5　所得税收入占税收总收入的比例（1866~1999年）

税收政策呈现报酬递减是在最近时期才出现的（而且比维多利亚时期“充公主义”反对者预期的要严重得多）。到 1947 年，英国标准所得税税率为 45%，附加税率为 52%，若把总收入超过 2 000 英镑需缴纳的特别税（投资收入超过 5 000 英镑时的 50% 税率）考虑进来，那么落于高收入档的投资所得的有效税率为 147.5%。20 年后，这一情况并无改变，此类所得的有效税率为 136%。20 世纪 70 年代中期，詹姆斯 · 卡拉执政时将最高税率提高到 83%，从而对投资所得生成了 98% 的最高边际税率。能如此抑制经济增长的反面政策，再无出其右者。和间接税的情况一样，这种惩罚性的高税率对于逃税不是杜绝而是鼓励，更不用说它促进了多少避税艺术。战后时期过高的所得税率（无疑抑制了社会各方面的进步），直接或间接地影响了广大人民，终于在 20 世纪 80 年代的英、美产生了强烈的政治反应。

当然我们也不应对撒切尔政府和里根政府过于责难，毕竟他们在改变各自财务体制上能力有限。遏制通货膨胀的高成本使得全面减税十分困难，而降低税率的净效益未必能达到预想的效果。的确，英国的税收边际税率在 1978~1995 年从 53% 降到了 44%。但一个处于平均收入水平的两个孩子的父亲在 1978 年所支付的所得税和国民保险占其总收入的 20.9%，12 年后该比率为 20.8%，税负几乎没有减轻，而该比率在梅杰政府时更升至 22.5%。总体而言，保守党执政时期对那些低收入者（收入为平均水平的 3/4）相比高收入者（收入超出平均水平 50%）略为不利。更为突出的一点是直接税税率和总体税负一直变化不大。另外还应该记住一点，纳税额最高的 1% 人群缴纳的所得税税额占比，在撒切尔执政时期从 11% 上升到 15%，这也是低税率带来高收入的明证。

姐妹花

直接税和间接税之间的平衡关系在历史的不同时期和不同国家都不尽相同。在 14、15 世纪，间接税几乎构成了英国王室全部税收收入，但到 16 世纪 50 年代，其占比仅为 1/10。在 16 世纪中叶，间接税占比只有 5 次超过

50%，而在共和国时期，其占比仅为 20%。直到 18 世纪 50 年代，间接税的占比才回升到 70%~80%。在 19 世纪上半叶，虽然关税税率持续下降，但这个比率没有太大变化，自由主义理论主张的降低税率能够提高税收的这一观点得到了广泛验证。而和平时期所得税的引入，更证明了如果没有直接税，自由贸易政策也无法维持帝国主义的扩张。

格莱斯通有个精妙的比喻，他称直接税和间接税就如“一对漂亮的姐妹花，她们被引见给繁华的伦敦社交界，每个都妆奁丰厚” 。格莱斯通在他整个职业生涯中都梦想着废除所得税，但他自己也不得不承认：“不管是否出于道义……还是作为财务大臣，我一直认为对这对姐妹花应致以同样的敬意不仅是符合规范的，更是一种必要的职责。”但在他执政期间，直接税的收入占比一直处于相当低的水平。1832 年他进入议会时，仅关税和货物税就占了税收总收入的 70%，1875 年，该占比仍为 64%。直接税的收入占比只是缓慢攀行，从 1868 年的 1/3 升至 1910 年的 57%，1920 年，一战及后继费用将这个比率抬升至 70%，直到 1975 年，这个比率才再次刷新，之后直接税税负开始下降，在行文之际，直接税收入占英国财政收入的一半。

在旧政权时期，法国的直接税占比较高，其税收收入约为财政收入的 41%，这个情况一直持续。到第一帝国末期，法国直接税收入占比为 43%。之后情况开始翻转，这部分是由于那些靠测估来课征的税收缺乏弹性。从 1815 年到 1913 年，直接税占比持续下跌，从波旁王朝复辟时期的 34% 下降到第二帝国时期的 24%，到一战前夕，该比率为 13%，而间接税收入占比则从 22% 上升到 55%。正如有人评价的那样：“平等意义上的公正原则在法律上不断被强化，但在现实中却不断被违背。”在两次世界大战的影响下，直接税又有所恢复，1920~1945 年，直接税的收入占比从 26% 上升至 52%，但在 1950~1975 年，该比率则为 37%，1997 年也同样是这个数字。

虽然直接税的高潮已经过去，但是否已经达到一种新的平衡状态尚不清楚。普遍观点认为，英、美选民降低直接税的意向自 20 世纪 80 年代之后开始减弱，此外还有观点认为英国选民如果觉得提高所得税能够改善公共服务，他们就愿意支付更多。现实情况是，由于国际间技术移民的壁垒已经消除，相应的，国家间的税收竞争也日趋激烈，因此 20 世纪 70 年代惩罚性的高边际税率也不太可能重现，但我们也不能说降低直接税税率，其税收收入就不会增加。而对于非直接税来讲，它的优势在于征税成本低，并且不容易引起人们反感。相比税率为 70%的所得税，人们为了规避 70%的烟草税选择移民的可能性更小。但另一方面，过高的间接税会助长走私和黑色经济。所以现代财政部长应该像格莱斯通一样，对姐妹花致以同样的敬意，虽然两者对纳税人来说都没有吸引力。

税吏诗人

本章开篇那句关于税收无可回避的警句摘自 1789 年 11 月本杰明 · 富兰克林写给勒 · 罗伊的书信。但如果没有不得民心的税收政策，富兰克林可能就不会成为新共和国的全权大使[①]；如果没有和税收相关的政治问题（下章会对此进行阐述），勒 · 罗伊可能会在绝对君主制下度过余生。而同时代中，苏格兰诗人罗伯特 · 彭斯的性情和观念原本也可以使他成为一名革命志士。罗伯特 · 彭斯出身低微，作为一名共济会成员、宗教怀疑者、民族主义者、酒鬼、放浪之徒，他曾一度是苏格兰的丹东[②]。早在 1785 年，他便写下不羁的诗句歌颂“自由的……光辉盛宴”，法国在 1789 年之后发生的一系列事件使他更加政治化。到 18 世纪 90 年代中叶，彭斯把威廉 · 麦克斯韦尔博士视为“最亲密的朋友”之一，麦克斯韦尔曾参与过路易十六的死刑执行，但彭斯将这件事嘲讽为“把一个作伪证的笨蛋……交到了刽子手手中”。怀着平等主义者的热情，彭斯在他的《不管那一套》中为革命时代献上了一首传世颂歌：

不管那一套，
不管那一套，
四海之内，
皆兄弟。

---

① 从 1757 到 1775 年，他几次作为北美殖民地代表到英国谈判。

② 丹东（Danton，1759~1794），法国革命领袖。——编者注

而彭斯激进主义思想一个鲜为人知的例子是他对货物税给予了民粹主义式抨击。写于1792年的《魔鬼抓走了税收员》，很好地反映了广大人民对英国政府无孔不入的税收机构的态度：

> 我们要发麦芽，我们要酿酒，
> 兄弟们，让我们高歌欢庆；
> 感谢黑魔王，
> 带走了收税员。

但彭斯的革命潜质最终没能开花结果。假如彭斯出生在法国或移民到殖民地（他也曾动过这样的念头），他也许就会投身革命。彭斯没能成为革命斗士的一个原因很简单，他被招安了，他自1788年起成为了货物税的税收征管员，起薪为年工资50英镑，外加罚没货物的提成。这个职位对于一个怀有雅各宾之心的人来说实在是有悖本性。1792年12月，彭斯遭到检举，罪名是革命暴动时期他在登弗里斯的戏院有"政治不满言行"，为此，彭斯不得不写信检讨，向苏格兰货物税征管委员会委员罗莱特·格莱汉姆屈膝认错。他承认自己在法国大革命初期曾是一个热忱的拥护者，但他誓言从今后将三缄其口。如此，他再也不能高唱革命颂歌了。

如我们所见，英国汉诺威王朝税收制度的强大之处在于，它上有代表社会高等级阶层利益的议会的欣然批准，下有俯首帖耳（或者说沆瀣一气）的官僚机构的配合执行。即便是在检讨书上，彭斯依然斗胆进言："体制性腐败已经遍布执行机构和下院各处。"但重点是，为了自己的货物税征管员一职，彭斯不再表露这个观点，他也被这种"体制性腐败"吸纳进其中了。

彭斯这种两难境地折射出的税制、代议制（或无代议制）以及行政执行之间的关系，也是我们接下来要讨论的问题。

THE CASH NEXUS

第3章

平民与贵族：代议制与政府

在民主国家里，自由的代价是重税；而在专制国家里，对不自由的补偿是轻税。

——孟德斯鸠

在历史的多数时期，直接税的征收要取得社会中富有阶层的配合。而纳税人会将他们的部分收入作为换取代议权的筹码，因此直接税税基的扩大经常与代议权的扩大相联系，参与议政的一个重要组成就是税制的立法权。在这种模式下，民主化进展便与所得税及财产税纳税人规模的扩大密切相关，“无税不成代议权”这句话简洁明确地概括了这种钱权交易。

而提高直接税收入的另一种策略，就是国家出资建立专职的公务机构来执行征税工作，这个公务机构虽然也体现一定的参政权，但参与行政显然不同于参与立法。如果说纳税人参与立法很好地体现了自由的话，那么征税机构的发展一般来说却会削弱自由。

本章将论述增税、代议权的扩大以及公务机构扩大三者之间的相互作用。虽然它的初期为政治学家们所熟知，但之后的发展却令人耳目一新。税收、代议权和政府机构的相互作用并不会促使其逐步走向议会化，或者按照赫伯·特巴菲特所讽刺的“辉格党模式”发展成“后历史的”平衡，而是会产生多种结果，但并非所有结果都令人满意。

本章要引入一个重要的衡量指标，即选举人与纳税人之比，特别是与所得税纳税人之比。假如该比率大于 1，即存在没纳税但享有代议权的人，那么执政党将容易受到来自非纳税选举人的政治压力，要求其增加非军事化开支。公务人员和纳税人之比也十分重要。民主化与公务员的增加通常联系在一起，这并非偶然，但它们在推翻了旧体制下带有排他性的恩惠制度（即 19 世纪改革家所称的旧腐败）后，取而代之的却是一种新腐败，它表现为在民主政治体制下，用公务职位来换取选举人的支持。起初为优化国家筹资能力而成立的官僚部门，进而也成为一项繁重的开支。

选举人范围的扩大和公务人员的增长都会推高非军事开支，这是德国经济学家阿道夫 · 瓦格纳早在 1863 年就认识到的“国家活动成长规律”。同时，由于预算更多地被用做收入再分配的工具，故而资金从一个群体转移到另一个群体的特征也更为明显。除公务员就业外，当过度的救济政策扭曲了劳动力市场时，资助失业者的开支也趋于上升。国家的税收收入（选举人付出的）与公共开支（选举人希望从福利国家得到的）之间的差距被制度化了。正是这些相互作用的过程，促使奥地利伟大的社会学家约瑟夫 · 舒伯特在 80 多年前就开始诊断“税收国家的财政危机”。

税收和代议权

早在古雅典时期，税收和代议权的联系就已经构成民主制的核心，虽然民主的定义千差万别。伯里克利统治时期的雅典希望有产阶级能承担公共节日费用和战争经费开支，并在公元前 418 年推出了一种财产税，用以支付伯罗奔尼撒战争的费用。这样做的必然结果就是民主的出现（当然只是有产阶级享有），这个税收决定由成年男性公民参加的群众大会表决，并由一个 500 人组成的理事会负责执行。

相反，非民主政权则倾向于无须经过公众同意的收入来源。例如在普鲁士，19 世纪之前，统治者都保留着王室领地作为其收入来源，这也是维持君主权力的政治策略之一，如冯 · 斯坦男爵所说：

> 王室领地的收入是君主王国的经济基础，因此也是建设独立的对内对外政权的基础，因为王室领地是国王在物质上独立于各阶层群体的基础。因此只要王国存在，王室领地也将永远存在。

但如我们所见，相比经过公众同意的税收收入而言，这种不经过公众同意的收入缺乏灵活性。为此，孟德斯鸠的那句话可能要被改述为：恰恰是自由（代议制政府意义上的自由）为重税开启了大门。但果真如此吗？

英国拥有持续时间最长的征税需经公众同意的传统。这一传统始于百年战争，之后凡为筹集对法作战经费而征收的额外税款均需征得国会同意。可以说，是爱德华一世开创了召集王室的俗家和教会土地承租人以及郡县城镇代表一起开会的先例。14 世纪之后，先是贵族，后是平民，开始呈交“冤情表，在其中他们含蓄地（偶尔也会直白地）将冤情指向‘贡捐’”，希望通过某些补救性法规来返还部分“贡捐”。1306 年，重要时刻来临了：王室取缔了一项“贡赋和摊派税”，作为交换，国会批准拨付给王室一项综合津贴。到了 14 世纪中期，多数正式的法案只能由国会制定这个观念已经得到普遍认同。

16、17 世纪英格兰宪法发展的关键在于君主在体制上依赖于国会所控制的税收来源：什一税、1/15 税，以及津贴。伊丽莎白一世统治时期，王室控制的其他收入来源（如领地和关税收入）相对减少，致使继她之后的斯图亚特王朝统治者地位极其脆弱。诚如詹姆斯十六世和一世所说：“能陷我于危机的唯一疾患和消耗就是这折磨着我的亏空，只有去除了它，我才会感到自己彻彻底底地和那些耶稣降生以来的其他任何君主国王一样幸福。”而诸如对贸易“征税”、强制性借贷、出售垄断权或贵族头衔以及征发等创新，往往会激起议会和司法的反对。然而 17 世纪 40 年代的议会胜利并非注定，若不是查理一世和苏格兰的战争耗资巨大又徒劳无功的话，其开辟的议会外财源（尤其是向内陆各郡加征海防税，也就是“造船费”）很有可能取得成功。17 世纪 30 年代后期，“造船费”已经为其带来 3 倍于议会津贴的收入，并（如一位议员担心地指出的）很有可能成为“永久性供给”。正是由于查理一世没能稳定住他的多个王国，才使得议会获得了胜利。早在 1628 年，《权利请愿书》就清楚地陈述了这一点：“今天，若无议会一致同意，不得强迫任何人捐赠礼品、提供借贷、缴纳贡赋或其他税捐。”1688 年的“光荣革命”在宪法上确定了这一点，它赋予议会开征新税和审计政府开支的权利。

法国的局面则完全不同，这很大程度上是由于法国贵族不愿为国王出资，也不愿给他出谋划策。早在 15 世纪末，约翰 · 福蒂斯丘爵士就将法国的完全征税权（君主可以随意征税）和英国的有限征税权（君主需经过议会同意方可征税）作了比较。虽然腓力五世曾利用参议大会来增税，但由于未能取得和平时期的津贴，故而这一做法未能保持。法国各阶层在 1355 年和 1356 年再次集会，尽管国王约翰二世被俘，但他们却没能筹集到足够资金去支付赎金。1789 年之前，他们只召集过 4 次会议（分别为 1484 年、1560~1561 年、1588 年和 1614~1615 年），显贵会议召开过两次。只有最高法院才享有反对权并加以执行，此外也可以靠拒绝登记新的皇家贷款（如他们在 1784 年和 1785 年所做的那样）对财政政策施加一定影响。

1786 年，卡洛恩建议法王路易十六召开一次显贵会议，批准他的王室财政改革计划，它主要是征收一项新的土地税，这时卡洛恩实际上唤醒了长期搁置的代议制原则。虽然卡洛恩只打算让显贵大会充当“橡皮图章”，但事实证明他召集神职人员和贵族代表大会是个失策决定。显贵代表们立即反对削减他们的纳税豁免权，并要求成立一个永久性的审计委员会来监督王室财政，更重要的是，他们要求召开国会。当路易十六明令布连恩不顾反对推行改革计划时，却发现最高法院拒绝登记新税种。路易十六将巴黎最高法院流放到特鲁瓦，但布连恩还是被迫取消了这项土地税。1784 年 11 月 19 日，重组的最高法院召开皇室会议，路易十六在会上试图强行登记新贷款，他傲慢地说了一句今天已过时的话——“朕意即法律”，但此时代议制的模式已经铸成。1788 年 5 月，最高法院宣布，征税必须得到国会同意，而且国会必须定期召开。1788 年 8 月 8 日，布连恩被迫宣布国会将于次年 5 月召开。

在英国的美洲殖民地，税收和代议制两者关系的革命意义也显现出来。英国统治者未经美国人民同意就将税收强行加于他们，面对这种情况，美国人民积极寻求独立，当然他们并非第一个也不是最后一个寻求独立的民族（例如，西班牙推出财产税，引发了 1640 年葡萄牙的独立革命）。但是美国的例子最为显著，一定程度上其原因是英国决定向 13 个美洲殖民地征税和 9 年后的独立宣言之间的因果关系，被反复灌输给每个美国小学生。

激怒波士顿茶党的并非税收的数额，而是英帝国减少帝国其他地方的税收：东印度公司进口茶叶到英国，之后把茶叶出口到美洲，英国则减少它的税收。这里涉及到一个宪法问题，那就是殖民地在这些事情上有没有发言权。辉格党人卡姆勒勋爵于 1766 年 2 月雄辩地道出这么一个原则：“税收和代议制密不可分……一个人拥有的东西，完全是他自己的；任何人未经他和他的代表的同意都不准剥夺；任何蓄意剥夺即是蓄意伤害；任何剥夺行为都是抢劫，抹杀了自由和奴役之间的区别。”殖民地人民将此精辟地浓缩为：“没有代议的税收就是专制。”然而对于殖民地人民而言，提出代议问题的同时对他们征收外贸税，从一开始就带有革命性。亚当 · 斯密提出了一个反事实的主张：给予美国人代议权，让他们当大英国的州长，而作为回报，就是将英国所有税种都推广到 13 个殖民地去。这看似合乎逻辑，但并非殖民地人民所求。他们的目标是加强地方会议的权利，而且最终使他们拥有西敏寺议会同等的立法权，第一次大陆会议明确地表达了这一点。但那违背了议会主权原则，而这一原则不仅在威廉 · 布莱克斯顿爵士的《美国法律评注》中被神化，而且也得到了英国大部分国会议员的肯定。汤森在 1767 年提出茶税旨在提高国家收入，用以支付北美政府官员的独立薪水，换言之，就是使英国任命的州长更独立于殖民地人民的集会。

不纳税的代议制

代议制当然是个程度问题：在汤姆 · 佩恩所设想的民主共和国，与并无投票权的英国臣民在西敏寺享有所谓的“虚拟代议制”之间有天渊之别。然而，一个有产者议会里的虚拟代议制总好过绝对君权下没有代议制。但它在实践上是否也具成效呢？

政治理论家有时会认为：“相比君主专制，代议制在增加税收方面更有优势。”如我们所见，这也是孟德斯鸠的观点。诚然，对于 18 世纪的英、法两国而言，此话不假，但代议制和税收之间的对等关系并非必然。一个代议制大会若不同意政府开支的优先项目，那它即会严重阻碍国家的税收。17 世纪，弗朗西斯 · 培根说，英国人是“欧洲所有国家中对自己的家产最有支配权的人”，他本可再添上一句——“因此也是税负最轻的人”。而证明代议制在增加税收方面更有优势这一理论为假的最极端的例子，是 18 世纪的波兰：由于代议制的存在而导致没有税收。议会里的贵族们把自由理解成挣脱税收的自由，以致这个国家的财政收入以及相应的军事力量停滞不前，最终带来致命后果。

法国的例子更是自相矛盾。法国推翻了君主专制，并取得了征税需经议会两院批准这一原则性胜利，但这并没有提高公众对税收的接纳程度：国民议会推出的新税种（土地税、动产税、个人税以及营业税）均以失败告终，主要原因是多数人不纳税。英国议会有时也在财政收入上缺乏责任心：拿破仑战争刚结束，所得税即刻被仓促废止，“英国上院高墙内欢声雷动”，虽然此时即便继续征收所得税也不足以弥补战争造成的巨大财政缺口。而下院也莽撞地通过了一项动议，即将所得税相关一切账簿和记录销毁，万幸（或者说不幸）的是，那些副本已送交至国王处备存。

1832~1918 年的英国历史，可以看成选举权和直接税“网”互相辅助、共同发展的历史。1884 年之前，英国的选举权事实上都是建立在租金价值上的（从本质上说，就是使财产的租价超过一定金额的土地保有人、承租人和户主享有投票权），而承担地方上的税收也意味着可以享有地方和国家政策的投票权。无论是支持者还是反对者，选举权改革提案通常与贡献财政的标准紧密相关。格莱斯通认为：“选举权和纳税贡献之间应有密切关系，如果选举权将穷人排除在外，那税收上他们也不应承担责任。”简而言之，“国库空虚或过于挥霍”必然会产生扩充选举权的要求。格莱斯通的头号政敌迪斯雷利在 1867 年甚至还提出“花哨的选举权”的改革提案，即所有缴纳 20 先令所得税的纳税人均可享有选举权。这并非什么玄妙复杂的政治数学计算。1860 年，一个支持格莱斯通、抨击帕默斯顿那耗资巨大的海外扩张政策的广告牌上写得很清楚：

> 纳税人……你们还要让自己被帕默斯顿主义蒙蔽多久？还要在和平

时期被那些战争贩子掠夺多久？财政大臣在向你们求助……让我们改革下院吧，这次要搞个彻底。

换言之，选举权改革就是增加纳税人参政人数和加强其权利的途径。

然而，选举人人数的增长速度要远远高于所得税纳税人人数的增长速度。1832~1914 年，享有选举权的成年男性人数比例从 18% 上升到 88%（虽然其中有 1/3 的人仍非正式地被排除在外，这是因为选民登记制度要求选民在选区长期居住）。但所得税纳税人数量占总人口的比例却并无提高，仍处于相当低的水平。虽然有无税不参政的说法，但是很大一部分人参与议政却不缴纳所得税。在这种情形下，1884 年改革法案的推出迫使直接税上涨也就不难理解了：1867~1913 年，直接税收入占财政总收入之比从 8% 增长到 36%，所得税标准税率从 1876 年的每英镑 2 便士提高到每英镑 14 便士。

当时的人们便已经清楚地认识到民主化程度提高将导致直接税上涨这一重要因果关系。乔治 · 汉密尔顿谈到 1884 年改革法案致使更多的选举人要求增加海军经费开支："选举人数的增长很大程度上摧毁了曼彻斯特派主张的节俭的旧财税政策。由于海军军费这项新增开支主要从直接税收入中列支，而近来新近被赋予选举权的人们并非所得税纳税人，故而增加海军费用于其并无害处；此外，撇开这种个人金钱利益的考虑，感情上，工人阶级也颇为皇家海军舰队感到自豪。"首相索尔伯茨也持相同的看法，他认为 1884 年的改革法案稀释了下院中所得税纳税人的代议权，从而来自非纳税人的议员代表要求增加开支的压力加大。索尔伯茨警告他的财政大臣，海军舰队的经费不准全部从所得税中列支，他敏锐地观察到："困难时期完全依赖财产税这种做法十分危险，由于财产持有人的政治地位相当薄弱，因此这种做法容易养成恶性的财政习惯。"不仅保守党有此担心，自由党的罗伯特 · 罗威在对 1867 年的改革法案进行的辩论中，也预见了选举权范围的扩大与纳税人精英阶层之间的利益冲突。而边沁、托克维尔和约翰 · 斯图亚特 · 密尔这些前辈也对此忧心忡忡。到 1913 年，这几乎成了普遍观点，用伯纳德 · 玛力特伯爵的话来说："在现代民主国家……由较贫穷阶级构成的选举权多数可能会控制政策，使其倾向于该阶级利益，而国家收入则主要来源于少数富有人士。"

由于一战期间，所得税纳税人人数的增长速度超过选举人人数的增长速度，因此选举人人数与纳税人人数之比从原来的 7 ∶ 1 降至 6 ∶ 1。但是在两次世界大战之间的间歇期中，选举权改革降低了女性参与选举的年龄限制，致使选举人人数与纳税人人数之比超过战前水平：到 1935 年该比例达到 8∶1。《现代英国财政开支历史》的编著者说："选举权范围的扩大，提高了这样一些人的政治地位，他们认为应增加公共开支以服务于他们的利益，而必要的国家收入可以通过累进税制从其他人（富有人士）那里获得。"在这种情况下，出人意料的是在经济大萧条时期，增加公共开支的压力并不大，我们随后再谈其中的奥秘。二战之后，选举人人数与纳税人人数的比例从战后高于 2 ∶ 1 降低到一个稳定水平，约 1.7 ∶ 1，换言之，即选举人人数超出纳税人人数的 70%。这个比例自 20 世纪 60 年代以来无大的变化。这意味着英国的民主制度赋予 1 800 万非所得税纳税人选举权（虽然他们缴纳一些间接税），这与福利国家普遍选举权和普遍缴纳所得税应紧密相连这种说法不符。除了那些收入低于所得税起征点的工人阶级外，这 1 800 万人中还包括失业者、其他福利的享有者、养老金领取者、丧失劳动能力者和学生。鉴于这个群体的规模，20 世纪 80 年代保守党仍成功地全面地降低了直接税税负，这一点或许有些令人吃惊。

从纳税而没有代议权演进到不交所得税却享有代议权这一现象并非英国特有。19 世纪的很多国家都依据直接税的纳税额来确定选举资格。1824~1830 年的法国对选举资格限定了最低纳税额，而享有选举权的纳税人也只能推举其中 40%的人为其代表。19 岁以上男性中只有 0.5%的人享有选举权。1830 年的革命也没有改变这一状况。在路易 · 菲利普的"资产阶级君主制"时期，依然对选举资格规定了最低纳税额限定，只是这个限定稍有降低（此时 19 岁以上男性中 1%的人享有选举资格）。当人们抨击基佐选举资格的门槛过高时，他的反应很简单："把自己变富些。"同样，1913 年之前，在意大利选举资格都设定了最低纳税额准线，只不过该准线在 1882 年有所降低，并且在 1919 年前都只适用于 19~29 岁公民。在 1918 年前的普鲁士，下院的三级选举权制度也是基于直接税的缴纳情况进行划分，该制度依照纳税人缴纳的税额，将他们分为三级，处于第一级别的人数少于其他级别，但每个级别的议会代表人数相同。德意志帝国的大部分邦州也采取相似方法对选举资格加以限制，只有在联邦，成年男性才普遍享有选举资格。图 6 说明欧洲对选举资格的限制如何从 19 世纪中期开始减少。值得注意的是，1914 年之前，在民主化进程上，英国落后于法国和德国，而意大利落后于英国。而一战之后，税收和选举资格直接的联系就此中断。

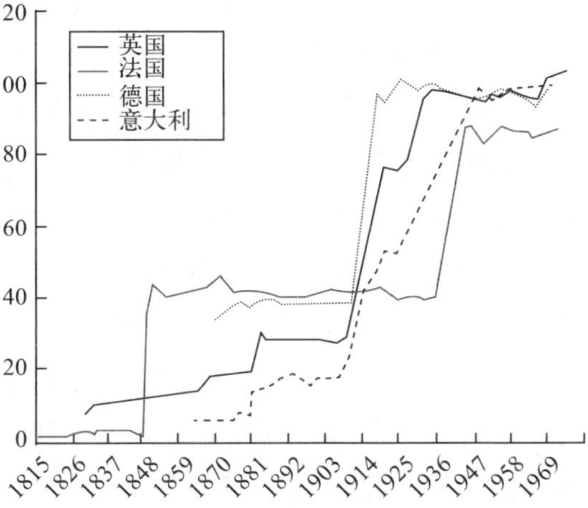

图 6　选举人占 20 岁以上人口的比例（1815~1974 年）

在大部分现代民主制国家，拥有选举权的人数和纳税人人数之间存在很大差异，英国的情况并非特例。战后美国拥有选举权的人数与纳税人人数的比例在 1.6：1 到 1.8：1 之间波动。但是很多拥有选举权的人（多数为非纳税人）并不行使推选其代表的权利，直到 20 世纪 60 年代，参与推选议会代表的人数才超过了所得税纳税人人数。1990 年，只有 6 100 万美国公民参与投票，而所得税纳税人人数接近 1.14 亿人（几乎翻了一倍）。如今，很多美国人倾向于纳税但不行使代议权，与他们殖民时期的祖先不同的是，他们放弃选举权大都出于自愿。

卡夫卡的城堡

将纳税和代议权之间的关系理解为财政民主化的范例是不对的，这是把历史上的辉格党理论嫁接到了财政领域。许多近代独裁政府都是在没有赋予公众代议权的情况下施以重税的。举个明显的例子，在一战之后，法西斯政权下，不经议会批准也可以征税。但在这种情况下，若要高效征税，就必须建立一支征税大军，即官僚机构。

起用公职人员最早出现于法庭，这是一个主持公理或行使统治者其他权利的机构。在近代早期，法庭的费用十分高昂，不仅欧洲如此，例如16世纪的日本，日本幕府绝大部分的开支都用于法庭，而法庭、后宫和马厩几乎构成了印度王的全部花费，但这种机构很少会涉及像税收这样乏味的事务。

现代意义上的官僚机构是指其官员以薪资为收入并执行统治者命令的机构，它的出现和代表大会一样，也不是直线发展的。在中世纪早期，由于教会垄断了对书记员起草、执行文书的培训，导致俗世民众受教育程度偏低。而俗世的非正规教育也产生了大量希图晋身公门的外行人，但这个群体的涌现并非现代官僚机构出现的分水岭，这些备受历史学家称赞的“新人”，其晋身公门的动机只是为了获得稳定的收入（不管是以薪资还是职务特权形式），而不是韦伯所说的达到行政合理化目的。事实上，许多君主都将政府公职当做国家财产，简单地将它们卖给出价高的人，某种意义上这些职位也创造了财政收入。

这种公职出售有两种形式：将某些税卖给所谓的“税款包收人”，和将某公职卖给个人。税款包收在英国也有，从伊丽莎白一世到长期国会，某些关税即采用税款包收形式。而法国的税款包收情况更为突出。17世纪上半叶，三大税款包收（即盐税包收、贡金包收及关税包收）的收入占了间接税收入的80%。1681年，考伯特将国内货物税、关税以及烟草专卖权合为一体，打包租赁给一个由40个包税人组成的名为“包收人总会”的辛迪加组织，它的租赁合约每6年重议一次。税款包收的主要弊病在于：一切由包税人操作，包税人雁过拔毛，一半的税收收入都到了法国政府手中。18世纪，法国曾尝试对此改革，引入规范制度（即政府支付给包税人薪水和奖金），却由于既得利益阶层的强烈抵制而告失败。包税联合会被斥为“一个巨大的地狱般的机构，它掐住每个公民的脖子，榨取他们的血汗”。

法国旧政权所依赖的另一种财政手段就是卖官鬻爵，它曾被称为“第二种公债”，这是由于对公职投资获得的收益相当于投资政府公债的利息收入。到1660年，约有4.6万名公职持有人，这些公职的资本金约为4.9亿里弗。在思考詹姆斯二世于1688年被推翻这件事上，路易十四的顾问得出了这么一个结论：

> 如果英国国王的官员人数和法国一样多的话，那么革命就不会发生。因为拥有这么多的政府官员，就意味着拥有这么多和王权休戚相关的维护者，没有这个王权，他们也将一无所有，一旦这个王权被推翻，他们也就损失了购买这些官位的大笔资金。

而采取出售公职这种方式的一个问题，就是它的财政成本超出了它的收入。虽然只有少数公职持有人可以获得薪资，但他们仍构成了王室的巨大财政负担，它只能靠某些针对公职持有人的税收（公职税）来稍加缓解。早在1639年，向公职持有人支付的年薪便已经超出了当期出售公职取得的收入。到考伯特时期，王室出售公职所得为200万里弗，但需要支付830万里弗的薪水。虽然考伯特成功地废止了2万个公职，但他节余下来的资金又在17世纪70年代对荷作战中消耗殆尽。而1770年莫普的再次努力也只将公职削减了5%。

现代官僚机构体制的雏形出现于英国，它取代了税款包收方式和公职出售方式，成为征税的主要手段。英国货物税税收署制定了一套“审核录用、职位培训、绩效晋升、固定薪资和养老金、流程标准化”的征税体制，它吸引了不少需要糊口的人，比如诗人罗伯特·彭斯，而他不久就发现他不得不为薪水而工作。与此同时，其他税种的征收也逐渐中央集权化。到了查尔斯二世后期，税款包收已经被废止，财务署成为核算所有中央政府部门收入和开支的唯一部门，后又被财政部所取代。这场改革几乎是一场富有戏剧性结局的“行政革命”。

17世纪70年代，查理二世所征得的税款是他愚昧父亲半个世纪前历经千辛所征获税款的2.7倍。50年后，新成立的汉诺威政权的税收收入达到8倍，18世纪70年代达到11倍，远远超过查理一世的收入。拿破仑战争之后，英国政府征得的税款是两个世纪前财政窘迫的斯图亚特王朝的36倍。

正是在这种体制上欧洲大陆其他国家落后于英国，而非它们的绝对经济资源不及英国。根据一个粗略的统计，在英国，每个“财政官员”服务于1 300人，而法国相应的人数为4 100人，荷兰为6 200人，普鲁士这个普遍被认为比英国还官僚的国家相应人数却是3.8万人。从1690年到1782年，英国的财政机构数量增至3倍，货物税税收署被形象地称为“万眼魔王”。如博舍所说，法国大革命一定程度上是向官僚财政过渡，而不是向“腐败的”财政（或叫企业化财政）发展。这个转变实际上在1789年之前的奈克和布连恩时代就已经出现。大革命中36个税款包收人被逮捕，其中28人在1794年5月8日被送上断头台，其中包括伟大的化学家安东·拉瓦锡，他把税款包收所得的收入用于他的研究。

拿破仑战争结束不久，多数国家由于各方面压力开始裁减公务员人数。减少间接税不仅符合自由和放行原则，也是精简税收机构的一个方法。尽管有不少著述描述19世纪中期国家的现代化发展，但是从数据上来看，多数国家为“守夜人国家”仍是事实。1891年，英国政府部门职员人数不到劳动力总人口的2%，欧洲大陆国家的比例略高些，但相差不大。1871年意大利相应比例为2.6%，1881年德国为3.7%。即便是著名的哈布斯堡王朝，相对于它膨胀的人口而言，这个比例也相当低。但自世纪之交后，每个国家的公共部门都呈持续增长趋势，到20世纪20年代，意大利的公职人员占劳动力人口的比例已经达到5%，英国为6%，德国为8%。

马克斯·韦伯在他的巨著《经济与社会》中，将现代官僚机构描绘为可敬的理性的机构：“有规范、有方法、有目标以及实事求是构成了它的品质。”可就在他著书之际，对官僚机构的幻想在日益破灭，公共部门不但在战争和通货膨胀期间极度扩张，更存在着日益加重的烦琐程序和腐败现象，它与理性的品质背道而驰。现代的官僚机构更接近于卡夫卡的《城堡》，它们所有的房门都一模一样，房门背后是从不露脸的文员，灰色的走廊上是随意堆砌的谜一般的文档。曾一度被赞誉为具备普鲁士美德的公务员成了懒惰和自私的象征。在1927年维也纳激烈的政治暴乱中，伊利亚斯·卡内生动地回忆了一位神智错乱的政府职员在着了火的司法大厦前的情景：

> 他不断挥舞着胳膊，一遍遍地喃喃着：

“文件烧着了！所有的文件！”

“烧文件总比烧人好！”我告诉他，可是他对我的话置若罔闻，他所能想到的只是文件……他很悲痛。我发现他很滑稽，即使是在这种情形下。但我同时也很恼怒。“他们在开枪射人，”我愤怒地说，“你还在关心那些文件。”他望向我，好像我不存在一样，只是不断地哀叹着：“文件烧着了！所有的文件！”

文件由工具变成了目的。

希特勒对官僚机构也颇感忧虑。1942年1月，希特勒在与希姆莱共同进餐时，勾勒了一个初步计划，即通过简化德国税制，“将官僚机构的数目降低到现有水平的1/3”。

关于直接税，最简单的办法就是将上一年的纳税额作为再次征收的基础。纳税人将被告知：“你的应纳税额和上年一样。如果你今年的收入减少了，请照实汇报。如果收入增加了，你应该立即缴纳相应增加的税额。假如忘记上报增加的收入，将严惩不贷。”……把事情简化，申报税的难题自然得到解决……

如果我向财政部说明这件事……他们会思索片刻后告诉我：“领袖先生，您说得对。”但过了6个月后，他们会忘得一干二净。

和普遍观点一样，希特勒也认为官僚机构能够自我繁衍。“让人烦恼的是简便易行的税制不合这些行政绅士的脾胃。要是真简化了，那上大学还有什么用？哪里能找到法学工作？没工作做了嘛。”但希特勒在促进党政机构间的竞争时，其实也促生了庞杂的官僚机构，正如他自己承认的：

原本只是想在萨尔兹堡创建一个希特勒青年团，可突然之间他们就需要一栋500个房间的大楼了……我创设了宣传部，目的是要为大家服务……如今哪个政府没有自己的宣传部呢？戈林想从我这里讨命令，要我授权给史都卡和莱茵哈特（财政部长和内务部长），好让他们去重组行政工作达到精简机构的目的。可是我拒绝了，为什么要委任他们去达成这个目的呢？事实上，财政部和内务部自己才真是机构臃肿。

但公共部门的膨胀不仅仅局限于极权国家。到 1950 年，由于大规模的国有化，英国公务员占总劳动力人数的比例已经高达 10%。图 7 显示这种增长趋势在发达国家或多或少都有存在，只有一个国家有明显的相反趋势。在经合组织的 17 个国家中，12 个国家的政府雇员人数在 20 世纪 90 年代达到顶峰后几乎没有下降。在瑞典、挪威和丹麦，公共部门雇员人数比例已经超过了 30%。在法国、芬兰和奥地利，该比例也超过了 20%。葡萄牙、西班牙、意大利和德国的公共部门雇员的占比超过 15%，瑞士和希腊紧随其后。与之不同的是美国，它的政府雇员人数的高峰出现在 20 世纪 70 年代，而英国、爱尔兰、比利时和日本的高峰出现在 80 年代。只有英国政府雇员人数在达到高峰之后有所下降：1983 年它的政府雇员人数占比达到战后最高峰，即 22%，1999 年该比率下降到 13.6%，这个数字甚至比美国还低。在这些发达国家中，只有日本和希腊的公共薪资开支较低。

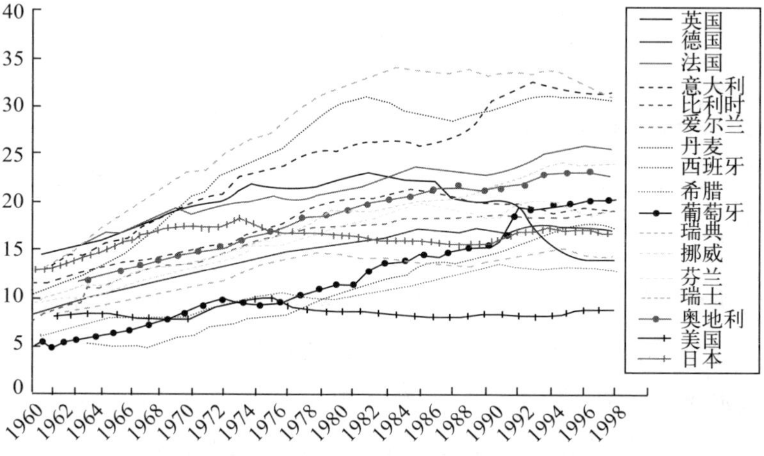

图 7　政府雇员人数占就业总人口的比例（1960~1999 年）

暂不论公职人员人数保持高水平所产生的宏观经济成本是什么，一个最直接的财政问题是：公职人员的薪资该如何确定？它既缺少像私营部门那样用来衡量生产力的相关信息，通常还受到来自公共部门的联盟及其他团体的压力，他们要求以高于通货膨胀率的水平增加工资。公共薪资开支数目令人瞠目。1992 年，英国公共部门薪资开支占财政支出的 1/3，美国为 1/5。工资的小幅增长会对财政产生极大的影响。一个现代民主政治的自相矛盾之处就是国家倾向于用增加公职人员工资来回应人们对公共部门的批评。举一则英国的例子，增加国家健康中心护理人员的工资就意味着要削减医院、床、设施和医药方面的预算，从而进一步恶化了病人的护理条件，当然，护理人员的生活水平得到了提高。

服务型国家

各国长期以来都能通过税收从国民收入中取得大量财富，如果认为高纳税负担只是20世纪的产物，那是不对的。18世纪后期，阿巴斯哈里发王朝的财政收入高达国民生产总值的1/6~1/4。16世纪末，威尼斯的税收收入为国民生产总值的14%~16%，而它的联合省在1688年的相应数字约为1/4。据计算，法国的税收收入占国民生产总值之比从1450年的18%降到1525年的10%，但在随后的17世纪里，又快速地升到1683年的31%，并在1789年达到38%~40%的高峰。伟大的经济史学家亚历山大·格尔申科隆估计，俄罗斯在1710年的税负约为整个谷物产出的2/3，这一课征强度此后没再出现，直到斯大林时期才又恢复。

英国崛起成为世界强国的历史同时也是它税负逐日加重的历史。伊丽莎白一世时期的王室收入占国民产值之比从未超过2%，若把官方和地方时而强制性的贷款也计算在内的话，该比例也不过为5%。据早年的政治经济学家查尔斯·丹文奈特估算，即使是到了1698年，英国人的税负也比他们毗邻的欧洲大陆国家人民要轻：荷兰人和法国人的纳税额支出占其收入的1/5，而英国人的相应比例为1/8。而在18世纪，英国的税负开始快速上升，其税收收入占国民收入之比从17世纪80年代中期的4%上涨18世纪战争时期的17%~20%，即便如此，它的税收收入绝对值也低于课税不足的法国，不要忘了法国在18世纪80年代的国民产值为英国的两倍多，英国在军事上之所以能对迎比它更强大的法国，主要在于它的高税负，1788年，英国税收收入占国民产值之比是法国的两倍（分别为12.4%与6.8%）。法国只要能够提高税收收入，它的财政危机也就能够避免了。

如第一章所述，在大部分历史时期，国家的财政开支增加以及进而的税收加重主要是由于战争，在和平时期，国家开支和税收往往会大幅下降，也正是这个原因，说明了为什么多数国家在19世纪的纳税负担降低到了历史最低水平。与之不同的是，20世纪出现了棘轮效应①。在两次世界大战过后，各国的公共开支都未能回归到战前水平，无论从绝对值上看，还是调整了通货膨胀因素，或是平摊为人均公共开支或与国民产值相比，都是如此。按20世纪90年代的物价水平计算，1913年英国的公共开支为153亿英镑，10年后为275英镑，而二战后从未低于600亿英镑。此外，无论是实际价值还是平摊为人均，虽未发生大战，但1945年后的公共开支仍逐年增长。即使相对于国内生产总值，其趋势也呈上涨势态，直到20世纪八九十年代才趋于平稳。同样，美国联邦政府的公共开支占国内生产总值之比在20世纪50年代为16%，60年代为18%，70年代为19%，80、90年代为22%。美国公共开支的高峰出现在1992年（36.6%），2000年为32%。欧洲的公共开支占比上涨得更高：英国的峰值为45%（1993年），德国为50%（1995年），法国为55%（1996），意大利为57%（1993）。发达国家最高的公共开支比在斯堪的纳维亚地区：瑞典1993年的该比例为71%，丹麦为60%。这不同于前几个世纪，那时如此高的公共开支水平只在战争时期才会出现。

对于这种高公共开支的现象，一般的解释为向“福利国家”迈进。但是“福利国家”这个由曼彻斯特大主教威廉·坦普尔在1928年首次提出、现已经成为陈词滥调的名词，它确切的意思是什么呢？假如我们所说的福利国家所指的是旨在减少收入不均——不论是给低收入者的直接补助还是为穷人提供低廉的服务，那都不是现代的新事物。早在公元前5世纪的雅典，几乎有一半的成年男性都接受过国家某种形式的补贴。在奥古斯都时代的罗马，国家开支的10%用于救济下等贫民。然而，中世纪和现代早期，多数财富转移都是从纳税人流向相对富裕的群体，如律师、士兵、武器制造商以及金融家。

① 棘轮效应指人的消费习惯形成之后有不可逆性，即易于向上调整，而难于向下调整。——编者注

在莫卧儿王朝时期的印度，皇帝和 122 位贵族，虽只是 1.1 亿人口中的一个极小部分，却占据了国民生产总值 1/8 的财富。尽管如此，西方社会对贫困群体的态度却是摇摆不定的，它有时会在危急时刻提供公共救济，但更多的时候是把关怀穷人的责任留给慈善机构或自助机构，把这个边缘群体交由国家处理。

民间的扶贫救助所取得的成就不常被人提及。1914 年前，在维多利亚时代的英国，“友好社团”是谨慎储蓄的大户。在 1914 年前，登记和未登记的慈善机构、“友好社团”、工会以及其他救助会和自助机构的开支总数，一直都高于《济贫法》下的年度预算，它也让中央政府的社会福利开支相形见绌。早在 1803 年前，即有 9 000 多家互助社团或友好社团，其成员超过 70 万人。到 1877 年，注册的友好社团成员人数上升至 275 万人，而之后 40 年不到的时间里，其成员人数增加到 660 万人。此外未注册的社团成员还有 200 多万人。1911 年，英国推出国民保险时，该保险制度所覆盖的人群中有 3/4 的人已是友好社团的成员。即便在那之后，私营保险的发展速度也比国民保险更为迅猛。二战前夕，私营保险机构所签订的保费超过国家的医疗保险、失业保险和养老金的总数。而自助机构就不只是维多利亚式的悲天悯人的情怀，它对于很大一部分劳动人口来说是很现实的。而它的直接后果就是人们对国家的“多管闲事”产生怀疑，特别是对不明就里却要干涉他人生活的做法产生反感，例如，某位隆顿矿工在 1912 年接受费边主义者 R · H · 托尼采访时说：“强迫我们这些大老粗按他们认为合理的方式生活。”对于服务型国家抱有反对态度的不仅是像希莱尔 · 贝洛克这样的自由主义者。

此外，即使没有国家的推动，对那些困难人口的民间援助也是源源不断的。捐赠给慈善机构的“自愿纳税”为教育、保健等多种援助目的提供了丰沛的资金。在英国，1910 年注册的慈善机构的总收入为 1 300 万英镑，高于当地政府的救助开支（1 230 万英镑），这个数字还不包括小型慈善机构以及教区教会和新教徒教会所募集分发的款额。对遗嘱的抽样统计显示，1899 年前，平均有 13% 的遗产被捐赠给慈善机构。

然而，20 世纪初，由于社会主义理论、自由主义学说中的“新”自由批判，以及保守派对布尔战争中暴露的“国家效率”下降的担心，要求加强国家干预的呼声日渐高涨。1914 年前，无论是左翼政党还是右翼政党，对公共开支的上涨都负有责任。在英国实行义务教育和对爱尔兰农民的补助是由索尔兹伯里的保守派政府提出的，他认为后者是“我们不得不为英国与爱尔兰国会合一所付出的代价”。但是真正的分水岭是在自由党所执政的 1905~1915 年。自由党推出了学校就餐制和学校义务医疗检查制，并且采用了德国俾斯麦创建的制度，对 70 岁的老年人发放非分担养老金，对于那些低收入者，他们推出医疗和失业国家义务保险，保费由雇主和国家共同承担。

和许多欧洲大陆体系一样，英国的国民保险建立在现有的友好社区和保险公司的基础上，不能认为它是失败的。当然，国民保险并不将家属包括在内，而且财政部对支付和福利发放也进行严格控制。但另一方面，从 1912 年到 1938 年，国民保险所覆盖的人数上升了 4 倍。由此，对老年人、病患、贫困人口的资助成了整个公共支出中不可或缺并且持续增长的一部分。

地方政府的公共开支也有所加强。1834 年的新《济贫法》对 19 世纪英国地方政府的开支作出了严格规定，它有效地吓退了一切开支，却无法阻挡贫困交加的人们对微量救济金的索讨。而 19 世纪 80 年代起，情况有了转机。1885 年，皇家委员会授权伦敦地方政府对首都地区的住房条件进行改善，1902 年，地方政府又承担起提高教育的职责。从 1870 年到 1913 年，地方政府的开支增加了 5 倍。而在德国，联邦政府授予各州政府更大的自由度，致使它们在教育、福利、医疗和住房方面的开支逐步增加，到 1913 年，上述方面的开支总额几乎占了公共部门开支的一半。

众所周知的是，一战不仅提高了国防开支，同时也扩大了政府非军事领域的事务范围。在英国，一些新的部门相继出现，除了军需品部和空军部，还新建了食品署（1916 年）、劳工部（1916 年）、卫生部（1919 年），以及其他为兵役和重建而设立的临时性部门。虽然战后筹建“英雄住房”的宏伟计划由于资金紧张而落空，但国家此时也已经无法再回到战前状态。以新建住房来说，1921 年、1922 年政府修建的数量多于私营部门，之后几年私营部门反超，而到 1941~1959 年，政府修建量再次领先。两次大战之间的间歇期，空前的失业率迫使政府无可避免地应付各处开销，战前的义务保险计划无力支撑如此严重而持续的失业状况（在那些经历着极度通货膨胀的国家，它们的资金已经贬得一文不值），政府只得向失业者发放失业救济金，或者提供公职让其就业，但后者的成本更为昂贵。在大萧条时期，正统的政府竭尽所能地避免一切公共开支，但在救济金和各种形式的公职方面，却无力作出重大让步。

然而在战争期间，专制政权在这一方面似乎更具雄心，部分原因是它们并不怎么认同正统财政，他们认为正是这些正统财政毁灭了魏玛共和国之类的早期福利国家。尽管在1938年前，军备重建已经在经济上占据了主导地位，纳粹另外又推行了增添工作岗位的政策，而这些新增的工作岗位并非军备重整的附属产物。到1934年底，德国在新增岗位上的开支已经高达50亿马克，并且在一条4 000公里高速公路的修建上投放了更多的资金，修建这条公路所动用的人力最高峰时达到了12万名工人。希特勒在1933年这样说道："每个措施将（依照标准）接受评价：它会产生怎样的后果？它是提高了就业机会还是加重了失业情况？"如大家所知，20世纪30年代中期，该政权的基础设施投资政策和军备重建投资政策取得了全民就业的成果，虽然历史学家们仍在讨论着增添平民就业岗位政策和军备重建政策的相对重要性。

即使在希特勒上台前，福利保障就已经成为纳粹党的首要考虑问题。1931年，戈培尔将以柏林为基地的纳粹人民福利协会纳入其羽翼之下，1933年5月之后，该协会遍布全国，并逐步吞并了私营慈善机构，1939年，它覆盖了全国一半人口，在成员人数上仅次于德国劳工阵线。当然国家社会主义的福利概念有其鲜明特征，它将"非本族人"排除在外，并鼓励激进主义思想，以繁荣希特勒所渴望的"种族社群"。另一方面，纳粹的福利政策也有着"现代"方面的困扰：从工资单中强行扣除冬季援助、鼓励生育的儿童津贴，资助倡导"从娱乐中得到锻炼"的乘船巡游和假日野营。

因此，福利国家概念既非威廉·贝弗里奇的发明，也不是工党1945年那份著名报告中的首创。福利国家在经济政策上的主要观点，即推行累进税制、国家保险、公费教育以及重要产业的国有化，在20世纪40年代前即已出现。财政政策应在保障充分就业上起到推动作用这一观点，在得到凯恩斯的《就业、利息和货币通论》认同前，就已时不时运用于实践中。1945年后英国福利政策的创新之处在于，它实现了全民保险，从而免去了入息审查。但在这种体系下，政府必须考虑到通货膨胀因素以及医疗保险和失业保险的理赔需求，对国民保险缴纳金进行经常性调整，否则投保人名义上所能获得的理赔额将超出他所能得到的实际保险金。缴纳保费与获得理赔的脱节构成了英国福利系统的重大缺陷。

英国最初的国民保险实际上是累退性质的，这是由于它的缴纳金（和获益）都采用统一比率所致。1959 年出现第一次转变，养老金和国民保险缴纳金开始采用与收入挂钩形式，作为对现有国民保险制度的补充，这个措施增强了该体制的累进性。第二次转变出现在 20 世纪 80 年代，当时的保守党切断了收入与国家养老金的联系。相比其他许多欧洲国家而言，这一做法大大降低了英国政府在国家养老金上的负担：20 世纪 90 年代中期，养老金的削减所节省下来的资金超过英国国内生产总值的 3%，但收入与国民保险缴纳金之间的联系并未切断，而且进一步地把国民保险缴纳金推向另一种形式的个人所得税。虽然撒切尔政府降低了所得税税率，但它却将雇员的国民保险缴纳金比率从 6.5% 提高到 9%。对于那些收入只达到平均水平一半的人来说，国民保险缴纳金几乎就像所得税一样成为沉重的负担。在 1949 年，所得税收入占税收总收入的 1/3，国民保险缴纳金占比为 1/10，而到 1990 年，该比例分别为 28% 和 18%。即便国民保险缴纳金达到如此高的水平，但倘若没有财政部的另行拨付款，国民保险基金不得低于国家保险金支出的 1/6 这条规则也将不保。

同样，英国国家健康中心的经费来自税收收入，而它“免费使用”的设定将人口老龄化（更不必说日益精密的医疗设施）所导致的费用增长全部加诸政府财政。据英国政府估算，20 世纪 80 年代，若要维持人均医疗花费水平，国家每年在这方面的实际开支必须增加 1%。在 90 年代，这个数字接近于 2%。而英国两党政府在紧缩公共开支的压力下，也无法满足国家健康中心费用增长的需求。在实际效果上，国家健康中心只是公共开支的一个调配（若称之为规划未免抬举了它），它的设定目标就是控制公共医疗支出水平，将公共医疗支出占国内生产总值之比保持在低于欧洲和北美的水平。

从战争到福利

总体而言，第 1 章到第 3 章论述了从征战国家到福利国家的演变历程。战争的高额成本促成议会制和行政机构的建立，但在 20 世纪，它们有了自己新的发展方向，即将资源从战争开支转移到平民就业，以及用于国民财富再分配。

阐述这一演变历程的一个简单方法就是将 1898 年英国政府财政状况和 1998 年进行比对。1898 年，英国政府公共开支约占国内生产总值的 6.5%；1998 年，相应比率为 39%。1898 年，财政预算最大项目是国防开支（36%），其次是偿还债务（21%）和公民政府（20%），而教育、艺术和科学的预算仅略高于 10%；1998 年，最大项目的公共开支为社会保障（30%），其次为医疗（17%）和教育（12%）。1898 年，两个最大的开支项目，即国防开支和偿还债务，现在分别占总支出的 7% 和 9%。税收收入方面也发生了重大变化。1898 年，财政收入的最主要来源为国内货物税（29%），其次是关税（19%）、所得税（15%）和遗产税（13%）；1998 年，财政收入的主要构成是所得税（26%）、国民保险缴纳金（16%）以及增值税（16%），遗产税收入不到财政总收入的 1%，而关税只占 0.5%。

由此可以看出，将预算用做资源再分配的一个工具，这种做法古今无异：1898 年高占比的偿债预算项目所起的资源转移作用并不比 1998 年的社会保障项目低。但不同的是转移的性质发生了变化：它从一个为战争融资而形成的累退性质的再分配体系，转而成为一个以弥合财富差距为首要职能的再分配体系。

看到福利开支正迅速增长，我们可能要问：“人们的纳税能力是否有个上限？”正如美国总统凯文 · 柯立芝所说：“没有什么比花公众的钱更轻而易举的事了，这些钱似乎不属于任何人，将它出手相赠的做法实在很有诱惑力。”但即使是最倡导国家干预的社会民主人士，也会对此划定一个上限。工党内政部长罗伊 · 詹金斯就曾在 1976 年说过这样的话：“我认为你不可能将公共开支再提高 60%，而同时又保持这个拥有充分自由选择权的多元化社会价值观。我们目前已靠近于社会民主政治的边界。”

事实上，政治家们无须为自己划定某个边界，因为经济的现实约束已然存在，它说明了为什么国家的公共开支和公职人员的增长不能超出某个限度，即公共开支不得超过国民产值的一半，公职人员不得超过就业人口的1/3。如若不然，其中一个负面效应在前文做过论述，即报酬渐减发生前，超过课税强度所能达到的上限，不仅会降低税收收入，而且也会阻碍综合经济的发展。我们现在看另一个变量，即经济学家们所说的“跨时预算约束”：政府借款额的上限。

THE CASH NEXUS

第二部分

偿债承诺

THE CASH NEXUS

第 4 章
月球环形山：国债

破产绝非儿戏。

——卡莱尔

假如你曾沿着曼哈顿第六大道至第四十三街行走，抬头便可见一块13位数字的大横牌，我上次见到它是在1999年10月17日，上面的数字为：

5 601 723 423 979

这个数字之上有四个字“美国国债”，数字前面是美元符号，下面还有两个统计：“平均每户73 191美元”和“每秒增长10 000美元”。

这块横牌只是历史的一段小插曲，它是那场关于美国公共财政激烈争论的遗留物。公共财政曾在20世纪80年代晚期和90年代早期在美国政治上扮演了重要角色。1986年，罗纳德·里根财政政策的批评者在《纽约时报》上发表了一则文章，警告人们日益膨胀的国债将导致“共和国的灭亡”。保罗·肯尼迪将1985年国债总额（1.8万亿）看做是美国信贷过度扩张的征象，并悲观地补充道：“历史上除了美国，在和平时期如此增发国债的大国仅有18世纪80年代的法国，而它的财政危机也导致了国内的政治危机。”

假如美国国债每秒1万美元增长速度数据可信的话，那么到2001年初美国国债将会达到14位数：10万亿美元。而克林顿总统却能够在2002年2月宣称，以他最新的财政预算计划，到2013年美国国债将全部偿清，这也意味着国债的增长速度为每秒－1 000美元。美国国债危机究竟是怎么回事？要回答这个问题，就必须把第六大道的那13位数置于更广阔的历史和经济背景下来考察。

若以长远角度来审视国债，则会发现只要国家金融机制能够对国债管理得当，一座表面沉重的债务大山或许并非不妥。这些金融机制，尤其是长期国债机制，其发展的曲折之路正是解读现代历史的关键之一。

国债的起源

私人债务可以追溯到公元前2000年，而国债的历史却短得多。古希腊、古罗马都没能正式形成国债，而阿巴斯王朝的哈里发时期，虽然巴格达的中央金库会根据税收收入的预期进行短期借贷，并向贷款人非法支付利息或以授以非现金形式的特权作为回报，但真正意义上的国债体系也未建立。由于在现代社会中国家的信誉通常被投资者认为要高于私人信誉（有时也不尽然），故而国债在近代得以迅猛发展。许多信贷机制早在国债之前便已出现：在中世纪早期，虽然高利贷（利息）在天主教、新教和伊斯兰教中被认为是罪孽的，但规避《反利息法》的方式不断推陈出新；自12世纪起，热那亚人已经开始使用汇票；14世纪出现了第一批可转让票据，即经背书即可转让给第三方的票据。然而正如我们所见，在现代早期，君主所承担的风险溢价通常高于商人。

由于税收收入在一定程度上的可预见性，促使它成为了中世纪意大利最早的公债体制的基石。12世纪威尼斯的公债依靠的是国家对盐税的垄断，其税收收入专门用于债务的还本付息和赎回。13世纪，以税收为基托的强制性贷款的不断增加，进一步深化了国家的负债程度。16世纪出现了对用于偿还债务的税收进行管理的专门机构。在15世纪的热那亚，盐税收入本身被拍卖出售给购买人，圣乔治准公立银行对其负责监管。佛罗伦萨也出现过类似的体制，由于国家对强制性贷款的倚重，由专门机构负责监管的公共债务也逐渐增长。此处一项重要的进步是追索权可以让渡，它不仅可以自由转让给本邦公民，经许可也能够转让给外邦人员。1536 年，负责为教皇管理债务的专门机构成立。

而北欧各邦国的国债体系基于永久年金债券、有期年金债券和终身年金债券发展出不同的道路。无论是哪种形式的年金债券，投资者都是将资金借予邦国政府以换取持续的收入流。永久年金债券的收入流名义上是没有期限的，即国家按债券票面价值的一定比例永久支付年金，当然投资者也不能收回本金。而有期年金债券则是在特定期限内支付利息并偿还本金，之后债券即到期。终身年金债券则古今类似，均以投资人或其他指定人的寿命为期限支付年金。自 14 世纪后期起，科隆发行可赎回的永久年金债券，利率从 5% 到 5.5% 不等。这种可赎回的债券通常被称为“货币购买”或“应付款出售”，而且经常以城镇之类的不动产作为担保；利息则被称为“赠品”以规避那些反放贷的法律。同样，荷兰的各邦国也发行终身年金债券和永久债券。1568 年，荷兰联邦税务总长开始发行债券，由于它比各邦国的债券更易转让，因此对那些希望在债券到期之前将其变现的投资人而言也更具吸引力。而在之后的世纪中，由于荷兰税收收入的绝大部分由各省掌握，因此它的国债发行大都也是省区性的，其中又以霍兰德省的国债为主。

与之不同的是，中世纪的君主国倾向于向富有的银行家族借贷来弥合他们的收支赤字。锡耶纳和佛罗伦萨的银行贷款给英格兰的国王，托斯卡纳的银行贷款给罗马教廷，南德银行贷款给哈布斯堡王室，瑞士和意大利的银行贷款给法国王室。西班牙国王起初向热那亚的银行告贷，而后又转向葡萄牙的银行。当经常需要为对外作战筹措战争经费时，向国外金融家们借贷也是必要的，但我们要记住一点，向银行贷款并不比向公众募集能够筹得更多资金，比如爱德华三世那笔 30 万英镑的借款。直到 15 世纪后期，在加泰罗尼亚（西班牙东北部地区）才出现类似于意大利和日耳曼邦国的国债体系，这种体系设立专门机构对指定用途的财政收入（用于偿债的收入）负责监管，从而保证投资人能定期取得利息。

16 世纪，其他欧洲君主国也磕磕绊绊地模仿城邦国的国债体系。例如法国 the Paris Hotel de Ville 包税机构发行了利率为 8% 的永久年金债券，所筹资金上交国王，作为回报某项皇室收入指定给这家机构。对于投资人而言，其好处在于可以直接从包税总长的金库中收取利息，而不必通过其他不太可靠的王室财政机关。公债发行量在17、18世纪有了显著增长：到18世纪80年代，内克尔估计国债发行额为34亿里弗（法国古时货币单位），而这只是保守估计。西班牙国王推出双种国债，即短期高息国债和长期低息国债，而后者的利息费用从国家的常规性财政收入中列支，这种债券到16世纪60年代时，已经发展成可转让债券，并衍生出永久债券、终身债券和可赎回债券等多种形式。与之相仿，16世纪40年代，荷兰哈布斯堡王室的终身年金国债和永久年金国债的利息费用也从货物税和财产税收入中列支。

17世纪，从意大利扩展至全欧洲的一项重要创新是公立银行的诞生。此处，我们首先要区别原本由不同机构行使的两个不同职能：国债管理和货币管理（此处货币管理中不包括铸币，铸币通常委托给铸币厂）。考虑到结算系统在大规模商业发展中起的关键作用，区别这两种职能尤为必要。虽然在热那亚和美第奇家族的佛罗伦萨都曾有过公立银行的先例，但真正意义上的公立银行是成立于1587年的里阿尔托（威尼斯一岛屿）银行，它通过接收存款、实现转账、承兑汇票，改革了威尼斯的货币流通和支付系统。成立于1619年的基洛银行把威尼斯的部分短期国债转换成带息可转让债券。阿姆斯特丹的威塞尔银行的功能与里阿尔托银行相似，但它也处理金条和铸币事物。其他地区很快纷纷效仿：米德尔堡（1616年），汉堡（1619年），代夫特（荷兰城邦，1621年），鹿特丹（1635年），奥地利（1703年），丹麦（1736年），瑞典（1762年），普鲁士（1765年），以及俄罗斯（1768年）。而瑞典的公立银行相比英格兰银行而言，更类似于威尼斯的基洛银行。和阿姆斯特丹的公立银行不同，英格兰银行的首要功能是管理国债，但由于它既垄断了纸币发行，又深度渗透于商业贸易，导致它在维持货币稳定上具有天然利益（正因如此，随着时间推移，货币稳定也渐成其责任），这也意味着要维持纸币与铸币的可兑换性。

法国的情况则相反，由于约翰·劳皇家银行所制造的灾难性泡沫，导致法国的公立银行在两代人中信誉尽失。1776年建立的贴现银行旨在贴现商业票据，直到1787年才开始向政府放贷，起初只是暗中放贷，后来变得大张旗鼓。这家银行持续时间不长，内克尔曾打算将它改制为国家银行，但却因为遭到那些“财阀主义”反对者（尤其是米拉博伯爵和屈斯蒂纳伯爵）的阻挠而搁浅，1793 年，这家银行更是和其他合资公司一起被查禁。“把自己变成英国人、银行家、金融家对我们没有好处。”巴茨男爵这样说，这当然是错误的。在短暂的“自由银行”时期之后，直到 1800 年，拿破仑·波拿巴雾月政变的支持者才建立了法国银行。与英格兰银行不同，法国银行部分为政府所有，政府将偿债基金存放其中以此换取股份。1806 年，在这家银行被授以巴黎纸币发行权 3 年之后，拿破仑也说：“法国银行不仅属于它的股东们，也属于授予它货币制造特权的国家。”

公立银行的演变只是 17 世纪荷兰金融革命的一部分。荷兰金融进步不仅反映在霍兰德省（最富有的联合省）信贷量的迅猛增长上，也反映在终身可赎回的年金债券形式上，这种形式的债券为联合省商人提供了一种既安全又易转让的投资产品。另外享有贸易特许权的东印度公司的股份也发展成一种新的证券，这家半私有的公司是荷兰商业发展和移民扩张的利器。光荣革命之后，荷兰总督威廉三世成为英格兰和威尔士国王，这些金融创新也随之跨过了英吉利海峡。

随后而至的与奥格斯堡同盟的战争迫使英国快速应用起荷兰的金融技术，但得先加以变通。1693 年终身年金债券和彩票的发售不尽如人意，而利率为 8%的总价 120 万英镑的特别债券在次年却被认购一空，吸引认购者的一是有专门的税收收入被指定用于支付债券利息，二是认购者有权组建新“英格兰银行”，对政府借贷享有有效垄断权。这个新银行补偿财政亏空，允许财政部发行银行“加印票据”，接收政府信用证作为存款或作为新公债的认购。1702~1713 年，战争引发了稳定的公债流，银行则可以发行自己的股票。英格兰银行只是享有垄断权的新公司的先头兵，继之而起的还有：新东印度公司（1698 年）、联合东印度公司（1708 年）、南海公司（1711 年）。信贷如此扩张的结果是，在可供投资者交易的资产范围上，伦敦很快超过了阿姆斯特丹。不过有一点我们不能忽略，那就是新生的股票市场在多大程度上仍是政府的。南海公司成立的目的主要是为应对战时财政的压力，其目标是筹措 900 万英镑的短期政府债券，公司按面值认购债券，换取股份，然后将它转换成利率为6%的政府年金债券。到《乌德勒支和约》(1713年)时，政府债务大约为年金债券、博彩金以及新英格兰银行和南海公司的贷款三部分平分。4年后，大量的博彩金并入，或者说转换为由新英格兰银行管理的利率为5%的新股票。

正是这些公司的不断尝试——其中包括了南海公司泡沫（见下文）的惨痛经历——最终产生了符合政府需要的理想融资产品。短期而言，南海公司和其他贸易公司的股票收益远比政府发行的年金债券更具吸引力；当1720年3月"泡沫法案"提出可将政府年金债券转换成公司股票时，投资者们争相转换。然而南海公司泡沫的破灭向投资者揭示了这么一个悲伤的事实：股价能够涨到某种程度，也就能跌到某种程度。为了帮助那些把年金债券转换为南海股票的众多投资者解套，南海公司将其股票转换为年金债券，起初以5%的利率支付利息（后逐步降到3%)。紧随南海年金债券之后的是1726年首批3%的银行年金债券，它是一种由王室专款担保的可赎回债券。1751年的合并法案后，政府自己便可以发行"统一公债"，即现代"金边债券"的前身。

债券、银行和泡沫

统一公债的诞生标志着现代公债历史的开启。较之1720年前的许多年金债券的不可赎回和流动性较差的特点，统一公债具有流动性强和可赎回的优势，但属于永久性债券。换言之，统一公债的投资者可按他名义资本的一定比例一年两次、无限期获得利息收益，直到他将公债出售为止。出售价格低于当初购买价格的风险的确存在，但相比其他类似的投资产品，统一公债的风险要小得多。它成为金融保障的代名词，是衡量其他投资产品风险的基准点。从政府角度讲，统一公债的高信用度意味着，在危急时刻，发售统一公债比征税能筹得更多资金，并可以避免日后沉重的利息负担。虽然后来也出现不少新型的融资手段，如小皮特首相推出的按年分期偿还债务的偿债基金，但在一战前，统一公债一直是国债最主要的组成部分。当然，统一公债并非政府唯一可以发售的融资产品，短期公债这个简单模仿商业票据的融资产品也向公众或机构发售，尤其在危急时刻它能够起到一定作用。但是多数新债的发行仍采取统一公债的形式，1801~1914 年，仅有 4% 的公债为“流动债务”，即短期公债。

英国的债务体系不同于两个主要的欧洲大陆体系，即荷兰体系和法国体系，英国的债务管理体制与中央集权的机构征税体制、透明的议会预算编制程序以及新兴的中央银行并存，值得注意的是，维持纸币和黄金的可兑换性虽然是这个体系的关键，但并不是不可或缺的部分，当英格兰银行在 1797 年 2 月和 1821 年 5 月被迫中止“现金付款”时，它并没有对这个体系产生致命的后果。此外，这个体系还受益于大规模、自由管理的金融市场的发展，该市场不仅可以进行政府债券的交易，还可以进行私营部门金融资产的交易。伴随着联合债券市场兴起的还有：私营部门债券市场和早期的普通股市场，（在伦敦交易所附近的）商业票据贴现市场，以及形形色色的商品和保险市场。私营部门金融资产市场在和平时期的扩张，加深并拓宽了资本市场，提高了吸收政府战时债务的能力。

在所有大国中，法国在发展稳定的公债管理体制方面遇到的阻力最大，其中一个主要的不利条件是，国家在 1610 年到 1800 年连年赤字，仅有从 1662 年到 1671 年的 9 年例外。法国政府并非没有作出过努力，路易十四在位期间，让 · 巴普蒂斯特 · 科尔伯致力于提高税收收入，并以信贷银行的形式建立了现代债务管理体系。在他逝世之后，这种体系也随即被废止了。1718 年苏格兰人约翰 · 劳通过结合荷兰和英国体系的优点对法国公债体系进行现代化革新，当时法国的公债仍停留在路易十四时期的水平，依赖于向包税人、会计师和承包人告贷得来的无数短期借款（经常只是张借条）。约翰 · 劳大胆地将在英国分属于英格兰银行和南海公司的不同职能统一起来。他的总银行再度受封为皇家银行，银行以股票换取国债，作为回报，银行得到了发行钞票的特权。然而，皇家银行的命运从一开始便和密西西比公司紧密联系在一起，该公司获得特许垄断法国对加勒比海地区的贸易，以及对密西西比河流域排水系统的开发。总银行的 1/4 的股份为密西西比公司所持有，两者的董事会成员也有交叠，约翰 · 劳本人即为该公司的董事之一。两者利益的优先顺序尚难权衡，通货的稳定最多只能排到第三。

1719 年 5 月，约翰 · 劳将密西西比公司与他另两家贸易公司合并，从而成立了西印度公司，随后利用发行皇家银行新货币来推高公司的股票价格。之后他又接管了皇家烟草垄断经营权和最大的包税商，即联合包税公司。1719 年 8~10 月，西印度公司的股价从每股 3 000 里弗飙升到每股 10 000 里弗。当约翰 · 劳处于“系统”顶峰时，他又接受了总审计长一职，并合并了皇家银行和西印度公司。然而物极必反，在通货膨胀以及约翰 · 劳对新贷款所设定的利率两者的合力之下，泡沫终于破灭。1720 年 6 月西印度公司的股价急下到 6 000 里弗以下；到 9 月，它的股票几乎“一文不值”；10 月皇家银行的纸币不再作为法定货币；12 月约翰 · 劳逃离法国。

一般认为，约翰 · 劳计划的失败，一定程度上“粉碎了法国现存的信用机构”。值得反思的是，英国也有它的“南海泡沫”，为什么同样的情况没有发生在英国呢？事实上，南海公司股价所经历的大起大落与前者并无不同：它从 1720 年 1 月 1 日的每股 128 英镑涨到 7 月 1 日的每股 950 英镑，两个月后又下跌到每股 775 英镑。不过英国所遭受的系统性损害程度却要轻微得多。在法国，西印度公司和皇家银行双双瓦解，不仅如此，约翰 · 劳所创造的一大部分资产和现金——面值约为 40 亿里弗——都被拒绝承认，仅有 16 亿得到维萨清算委员会的承认，它们被换成政府债券，利率仅为 2%~2.5%。英国的情况则与此大不相同，虽然南海公司股票持有人受到一定程度的损失，但英格兰银行和英镑（其价值与黄金挂钩仅有 3 年）却依然安然无恙。当局者认为南海公司规模庞大不会就此垮台，于是议会接管了部分债务，420 万英镑的名义资本（总额超过 3 800 万英镑）由英格兰银行以现金购买，并换成利率为 5% 的债券。到 1723 年，该公司的股价回升到票面价值以上，其半数资本转换为债券。那些把终身年金债券（收益率通常为 14%）换成南海股票的投资者，以及在泡沫期间投机买入股票的投资者，无疑蒙受了重大损失，但受害程度却远远低于法国，法国许多投资者和债权人亏得一干二净。

由于约翰 · 劳的失败以及后期不当的处理方式，导致法国的信用体系仍处于一个封闭状态，它的私人信用局限于公证人精英阶层提供的“信息网络”。政府信贷越来越依赖过去的短期借款形式和出售公职的做法。如我们所见，对公职的投资与英国国债投资并无太大区别，只不过前者的利息支付形式为工资。1660 年，科尔伯特估计法国约有 4.6 万的公职人员，其资本投资总额为 4.19 亿里弗，而到了大革命最终清算这一体系的时候，支付给公职人员的赔偿金几乎是这个数字的两倍。18 世纪中期，出售公职显然已不再能够解决旧政权的财政问题，转而变成了一个根本性的财政问题，这是因为公职人员是反对财政改革的最强大的利益集团之一。1750 年，法国当政者开始开辟新财源，他们将视线投向了终身年金债券，随后终身年金债券逐步取代公职出售，成为国王最便利的资金来源。但越来越多的终身年金债券逐渐不再考虑购买者年龄的因素，均按统一利率发售。1777~1781 年，内克尔通过终身年金债券以及其他方式筹得 5.2 亿里弗，其支付期限很少有超过 20 年的。而他的继任卡罗恩和布连恩却无法与之相比。尽管 1787 年 11 月规定新贷款必须在巴黎最高法院登记，然而王室财政更多地依赖于对将来税收收入短期预支的续借（当时已达到 2.4 亿里弗）。当政府试图驳回法院召集议会的要求时，“政府平时的债权人都拒绝借款”。1788 年 8 月，布连恩被迫中止支付甚至是长期年金的利息。正是这样的债务危机迫使政府召开了议会。

直到大革命引发了又一次的金融大崩溃，法国才开始以英国为模板改革其金融体系。自此之后，政府的借款形式改成利率为 3%~5% 的永久年金债券。法国年金债券此时已经像联合债券一样成为标准的流动证券。它和持票人债券不同（例如，持票人债券可以在买卖双方之间自由买卖），永久年金债券受益人的名字登记在公债花名册中。与之相对，持票人债券的持有者无论何人，都可以在利息到期时剪下息票兑成现金。

这个时代另一革命政权所发展起来的金融体系与法国金融体系形成了鲜明对比。在亚历山大 · 汉密尔顿的影响下，美国建立了在本质上类似于英国的公债体系，尽管它的联邦财政体系更接近于荷兰体系。早在 1779~1780 年，汉密尔顿便勾勒出一个计划以“恢复票据信用，建立永久基金以备政府未来的不时之需……取约翰 · 劳以及其他前人计划之所长，去其所短”。1789 年，他成功地为破产的美国十三州联邦的旧债融资，将其转换为利率为 6% 的新债券，和联合债券一样，这种新债券也可以按其面值赎回。两年后，他克服了托马斯 · 杰斐逊及其他人的反对，建立起美国银行，该银行仿照了英格兰银行的规章，并像 100 年前的英国一样，也发行银行股票（该股票在 1791 年年中首次公开发售中成为大热门）。如大家所知，汉密尔顿的中央银行后来成为政治斗争的牺牲品，1832 年，安德鲁 · 杰克逊总统否决了重新发给第二美国银行执照的议案。汉密尔顿试图为美元建立金银基础的计划也因为白银逐渐外流到拉美而遭到破坏。19 世纪大部分时期，美国奉行“自由银行”原则和纸币政策，多达 1 600 家银行发行超过 10 000 种不同的纸币（虽然在内战前，纸币仍在理论上和白银挂钩）。直到 1863 年，美国才采取措施减少发行纸币的银行数量，并建立了标准的全国性纸币。直到 1879 年，美元才恢复了与金银的兑换率，但究竟应和何种金属挂钩仍有争议。直到 1913 年，中央银行才最终以联邦储备系统的形式创立起来。不过汉密尔顿创建的英式风格的国债得到了保留。而在很多方面，美国金融体系比英国更鼓励私营部门发行证券，以深化并拓宽资本市场。

正如英国所创立的议会编制预算、政府机构实行征税、金属通货（广泛采用的是黄金）等体系被广为模仿一样，19 世纪也见证了英国的公债体系在全球范围的普及，其中种种原因将会在第 10 章讨论。联合债券成为长期债券的范例，也成为衡量长期债券表现的传统标尺（尽管一些国家在发行长期债券时更倾向于有确定期限的债券）。英格兰银行的模式也被众多国家效仿，虽然各国之间存在着较大程度的差异。仿照英格兰银行模式的国家有：芬兰（1811 年），荷兰（1814 年），挪威和奥地利（1816 年），丹麦（1818 年），葡萄牙（1846 年），比利时（1850 年），西班牙、德国和保加利亚均在 19 世纪 70 年代，罗马尼亚和塞尔维亚均在 19 世纪 80 年代，意大利（1893 年）。不过，商业银行系统的结构在各国之间仍保持着多样化。比如，1864 年的《美国国家银行法案》限制国家银行设立分支，并且只有持有政府债券的发行银行才能发行货币。而德国银行系统，由于其为实业融资的“万用银行”功能而有别于其他国家。

尽管伦敦股市在深度和广度上都达到了一定规模，但英国政府却开始依赖大银行为其融资，国债发行采用英格兰银行的竞拍机制对政府借贷进行管理，银行先竞价，向政府承诺一定的债券价格，然后再出售给公众。在克里米亚时期之前，罗斯柴尔德家族在这方面一直起着至关重要的作用，但后来竞争压低了承担发行国债的利润。这显然是从现代早期传承下来的做法：虽然罗斯柴尔德家族在资金规模上盛况空前，但它的成名业务完全复制了 16 世纪 70 年代霍雷肖 · 帕瓦尔维奇诺和 17 世纪 50 年代爱德华 · 巴克威尔的做法，他们就曾进行过战时跨英吉利海峡资产过户。在银行业发展较为缓慢的地区，罗斯柴尔德家族的跨国合作伙伴逐步垄断了新公债的发行。这一情况在法国、比利时、奥地利和意大利普遍存在，只是程度不同。而在俄国控制国债发行的是巴林家族，在美国是摩根集团。那些对罗斯柴尔德的庞大势力心生不满的各国统治者，开始鼓励其竞争对手的发展，如法国的动产信贷银行，以及它在全欧洲的模仿者。但新型的合股银行取代罗斯柴尔德家族式的私人合伙银行的进程是渐进的。

取代银行代为发售的另一种途径为通过认购直接面向公众发售。这种做法早在 1506 年的巴塞尔（瑞士西北部城市）就曾运用过，但能够顺利进行公开发售必须依靠相对发达的广阔的资本市场。而对较大的政治实体而言，让公众长期认购公债的风险过大。直到 19 世纪后期，一些像意大利一样的国家才开始通过这种方式发售公债，以摆脱罗斯柴尔德家族的控制。

然而，在实际操作中，所有的债券发行机构都倾向于和金融中介而不是和个人投资者打交道。各国的国债发售渠道存在相当大的差异。伦敦发展起专门的“股票自营商”职业，他们的职能是购入新证券（股票经纪人则是将股票卖给投资者）。美国仍保持了 19 世纪大机构间的竞拍模式。在法国则有一种类似大银行联盟的组织。尽管各国有别，但债务管理部门和主要的金融体系如退休金和保险基金的关系，无论在哪里都是至关重要的，这些基金在投资组合中所占比例日益增大。

战时债券及遗留问题

在福特 · 马多克斯 · 福特的关于一战的四部曲《游行的终结》里，主人公克里斯托弗 · 蒂金斯的出场是在“经过完美装饰了的列车车厢里”，这列火车“运行得像金边证券一样平稳”。然而，一场战争即将发生，它将对政府公债形成严峻考验。

即便那些战前最悲观的评论家，也未能准确预言过战争引起的巨大开支，战争成为了改革政府筹资机制的原动力。“动员”一词原本用于大规模的征兵号召，但不久也被应用到战时财政领域。通过认购直接向公众发售债券的方式在一战期间得到广泛采用，当时购买战时债券被官方舆论描绘为爱国主义的表现。英国影片《你》和《为了帝国》（应战时贷款小额投资委员会委托制作）激励观众投资战时债券，后一部影片更是详尽地展示了15先令6便士的投资能够提供的“军需品的数量”。1917年的一张德国海报描绘了这样一幕情景，当看到敌舰下沉时，一位海军军官向士兵解释道：“你的钱就是这样帮助你战斗的，潜水艇可以让你远离敌人炮弹，所以赶快去买战时债券吧！”1917年，美国财政部长威廉·吉布斯·麦卡杜也这样说道：“假如一个人不能以4%的利息借给他的政府1.25美元，那么他就没有资格做美国公民。”

但随着战争的逐步推移，各国（尤其是轴心国）劝说人们将现金投资到战时债券也越发困难。因此，一战期间，短期债券再次复兴，其主要形式为短期国债。到战争结束时，德国32%的国债采取了这种形式，其中2/5为帝国银行所有。法国的短期国债占比为37%。大陆国家起初主要依靠长期债券的发售，当对长期债券的需求萎缩时，便发行短期国债来弥补这一缺口，当公众对短期国债也不再购买时，政府便将它们卖给中央银行（这种做法对货币政策的影响将在下一章节中讨论）。英国也减少了长期债券的发行。1914年3月，英国长期国债（主要为联合债券）占国家总债务的90%，而5年后，联合债券占比已经不足5%。为了缓解短期国债所带来的过高的流动性，英国开始发行期限长于短期国债的中期国债。1919年12月，英国31%的国债其期限为1~9年。“金边债券”此时包括了多种可供选择的期限。英国与欧洲大陆国家在战时财政方面真正的不同之处就在于此，平均而言，英国只有18%的战时国债属于短期债券。而战争开支较少的美国，是唯一依赖长期国债的参战国。

1914年后，国债的“期限结构”更趋复杂，这有两层重要意义。第一，债券期限的多元化为投资者提供了更多的选择，从而加强了国债体系的灵活性。第二层意义就不是那么正面了，短期债券的增加使得财政和货币之间形成了复杂而勉强的关联，特别是对短期国库券负有贴现职责的中央银行只是简单地靠印钞来解决问题，这也是导致了一战期间及其后高通货膨胀的产生（参见第5章）。此外，由于需要不断地为短期债券展期或以新债换旧债，使得现代国家的债务危机开始显现出来，这与当年推翻法国旧政权的财政危机没有什么不同。1919 年后，很少有国家能像英国一样对此早有预备，通过预算盈余来偿还短期债务，或将它转换成长期债券。在法国、比利时和意大利，投资人拒绝将短期债券展期所产生的融资危机引发了 20 世纪 20 年代中期严重的财务动荡。1925 年，法国仅有刚过半数的债务为长期债券，比利时也是如此。意大利的该比例约为 2/3，但它同样也受到了融资危机的冲击。稳定 20 世纪 20 年代战时债务的一个关键就是减少短期债券的比例。

二战时期，英国政策的目标是通过股票发行委员会限制其他投资机会，从而实现中长期债券发售的最大化。它推出了品类繁多的债券和票据用来降低债务的流动性：国防债券、国民储蓄证、战时债券以及针对各机构的财政部债券。二战结束时，英国债务平均期限比 1918 年或 1919 年略短，但差别不大。美国债务的结构比例也与英国类似，公开发售债券和印制货币为战时开支筹措的资金大致相等（各占开支的 1/4）。而轴心国却过分依赖短期借款，这也意味着大量的货币加印。战时德国的货币量增长了近 7 倍，意大利为 8 倍。和一战一样，导致通货膨胀的主要原因是中央银行靠印钞来解决短期国债还贷问题。

对英国而言，1918 年和 1945 年真正的不同之处在于，二战后可用以为战时增加的短期债务进行还贷的财源减少了。结果，英国面临庞大的短期债务和人为压低短期利率的问题。战后有种普遍的观点，认为公债机构和货币供求之间存在一定的联系，因此政府当局限制流动资产股票流向银行系统，同时直接控制银行贷款。英格兰银行没有将短期证券转换成长期证券，而是采用了一种消极的“水龙头”融资法，让长期证券的销售数量由做市商来决定。

20 世纪 80 年代，随着信用限制的废止、英格兰银行的基准利率重新成为货币政策的首要手段，以及机构“大爆炸”淘汰了作为政府与投资者之间媒介的股票自营商，这种并不令人满意的系统（理论上也存在缺陷）也被废止。自此后，新金边证券通过竞价直接出售给大机构，如同 19 世纪 50 年代和 20 世纪早期的做法。然而，保守党财政部长们在政府借债对货币供应所造成的影响上观点各异，导致债务管理政策前后无法保持一致。20 世纪 80 年代早期，国债的实际发售量超过赤字所需（过度融资），政府希望能够借此提高个人投资者的持债比例，降低银行的持债比例，他们认为银行不会将新增的金边证券作为再行放贷的基础。这项措施由于财政部未达到货币政策的目标而终止。取而代之的是“充分融资”的政策，在该政策下，所有的公开募集都在银行系统外完成。但20世纪90年代经济衰退时期，政府重新依靠向银行出售证券来募集资金。最终，1995年7月的债务管理评审宣布债务管理和货币政策彻底分离，之后一个举措又对这个决定进一步制度化，它把货币政策制定委托给“独立操作”的英格兰银行（1997年），而把债务管理交由新成立的财政部债务管理办公室负责（1998年）。由于多数中央银行起初都是公债的管理者，故而将公债管理与中央银行控制的货币政策相分离，这在历史上可以说是非同寻常的，而意味深长的是，这种分离制度恰好发生在政府融资需求下降的时期。

测量债务之山

现在我们从量上对国债加以分析。过去的赤字和债务究竟有多大？

在光荣革命后的那个世纪，所有大国的开支往往都会超过其税收收入。比如，1692~1815年，英国的平均预算赤字达到国民收入的3.3%。英国在18世纪中，通过借债为战争筹得的资金占战争总开支之比高得惊人：1776~1783年，该比例接近40%；1793~1815年，该比例约为27%。俄国1764年的赤字大约是当年财政支出的18%，1796年这一比例为29%。1786年路易十六的总审计长布连恩颇费周折地计算出当年皇家的收支缺口，他估算当时的赤字占总支出的19%。而法国在大革命时期的赤字更高：1791年法国赤字为总支出的70%，1794~1795年为40%，1796~1797年约为50%。正如乔治三世所说，18世纪和19世纪初的反法战争从某种意义上说是一场“信用战争”。在康德看来，公债作为战争经费的基础是如此明显，以至于他在他的《永久和平反思》（1795年）中的第四条设想了一条禁令：“禁止与国家外交有关的一切国内外债务。”

以占财政总开支的比例来计算，在19世纪这个通常被认为是“财政收入充沛”的时代，各国的赤字也不容忽视。只有英国在拿破仑战争之后的一段时期内，其中央政府的预算算得上是收支平衡的。1816~1899 年中仅有 4 年，英国政府的赤字超出了国民生产总值的 1%。而假如不计债务偿还的支出，19 世纪的英国财政即可实现相当大的预算盈余：1816~1899 年，预算盈余平均可为国民生产总值的 4.6%，1822 年更是可达到 11.2%的峰值。假如 1875 年后划拨到偿债基金的支出也略去的话，它的预算盈余将会更大，在英国的预算编制中，该项支出记做特殊惯例下的经常性支出。美国联邦政府的财政预算在非战争时期也多有盈余。但大部分欧洲大陆国家的财政预算在多数情况下都出现了赤字。法国财政预算在 1816~1899 年仅有 7 年才有盈余。意大利从 1862 年到 1899 年，连年有赤字相伴，德国在 1924 年前也均是如此。1870~1913 年，奥地利的财政预算仅在 1892 年和 1893 年实现了收支平衡。俄国从 1890 年到 1913 年中只有过三次预算盈余。当然，1914 年前各国的赤字相比国民收入并不大（见表 2）。只有德国在 1890 年到 1913 年间的平均赤字达到了国民产值的 3%，而联邦政府的大部分赤字都由各邦州的“会费”来弥补，而不是通过借债解决。但是，如果考虑到 1914 年各国的预算规模较小，这些赤字相对预算规模而言就相当大了。

表 2　中央政府年均预算赤字占国民产值比例（%）

	英国	法国	意大利	德国	奥地利	俄国①	美国	日本
1830~1859	–0.1	–1.5						
1860~1889	0	–1.6	–2.4				–1.0	0.4
1890~1913	0.1	0	–0.9	–3.2	–1.1	–1.9	0	1.9
1914~1918	–35.9		–23.5	–38.3			–2.7	3.2
1919~1938	1.2	–4.3	–9.9	–5.4			–1.8	1.9
1939~1945	–30.9		–23.9	–21.2		–22.2	–12.4	1.6
1946~1969	2.9	–1.1	–5.7				–0.3	1.4
1970~1989	–1.0	–2.1	–10.4				–2.7	–3.1
1990~1999	–3.8	–3.6	–7.2	–2.7	–3.1	–7.8	–1.5	–2.2

无论以何种方式计算，两次世界大战都给所有参战国造成了巨额赤字。

① “十月革命”后为苏联，苏联解体后为俄罗斯。——编者注

1915~1918 年，英国的赤字超过了国民生产总值的 30%；德国的相应比例上升到 40%，甚至在 1917 年超过了 60%；意大利相应的平均赤字比例为 22%。二战时期各国赤字程度与一战时期相仿。1943 年，各国的赤字占比处于从苏联物质产值的 19% 到德国国民生产总值的 36% 的范围内。两次大战之间，各国都试图回到预算平衡，但除了英国，其他参战国很少能达到这个目标（美国在 20 世纪 20 年代实现了预算平衡）。不过，英国在 1933 年也短暂地出现了赤字。二战后的情况也大抵相同，不过到 1969 年的这段时期，不仅英国，连德、日这些战败国也实现了预算盈余。

1948~1972 年，英国未出现过预算赤字（1965 年是个例外，当年的开支进行了重新分类），这一现象否定了这么一种观点，即认为 20 世纪 70 年代前，公共财政存在着利用公债来提高国内需求的"凯恩斯革命"。诚然，凯恩斯早在 1933 年曾提出以"公债支出"为增加有效需求的途径，但他一直将赤字财政视为"孤注一掷的权宜之计"。同时凯恩斯也反对财政部所青睐的常年平衡预算，他认为："只有通过提高国民收入，也就是提高就业率，才能实现预算平衡。"这也表示在经济萧条期间，短期赤字会带来中期性的预算平衡。此外，凯恩斯希望赤字出现在"资本预算"中，换言之，赤字应当用做公共投资，而不是用来解决政府的经常性开支。事实上，就连那些自认为是凯恩斯主义者的政治家们也发现，他们无法执行违背经济周期的政策，尤其是追求完全就业和保持汇率稳定两者会发生周期性的冲突。或许对凯恩斯财政扩张唯一真正意义上的尝试是安东尼 · 巴伯 1972 年的预算，它开启了长达 16 年的赤字预算。1973 年近似狂热的繁荣过后，当国内生产总值增长达到 7% 后，随着收支逆差激增、英镑汇率下挫、通货膨胀加剧，英国经济终于崩溃。

英国 1973 年前未出现财政赤字这一事实也对另一种根深蒂固的观点，即"民主赤字"理论提出了质疑。这一理论预言民主政府往往会面临赤字，其原因是选民赞同提高公共开支却抵制税收。前文已有论述，20 世纪选民人数高于直接纳税人人数，被认为是这种政治诱导型赤字的根源。但就英国而言，赤字财政仅出现在 20 世纪 70 年代早期石油危机之后，日本的情况亦是如此。

然而，英国和日本也可能只是"民主赤字"理论的两个例外而已。如表 2 所示，中央政府的财政赤字在法国和美国已成惯例（1890~1913 年除外）。

意大利一直以来都面临赤字（即使在对选举权有严格的纳税额限定的时期）。不仅如此，过去和平时期从未达到过的高额赤字在 1970~1999 年随处可见。值得一提的是日本，其传统预算一直保持盈余（即使在战争时期），而此时它也突然改为赤字预算。尽管英国的反凯恩斯主义政府努力控制财政政策，但赤字预算仍在延续（1988~1990 年除外）。“缩小赤字”的说法曾在修订过的《公共部门借款规定》中出现，它也是玛格丽特 · 撒切尔预算方案的关键目标。奈杰尔 · 劳在 1988 年更是豪迈地表示：“今后，零公债才是标准预算。”到 1994 年，英国财政赤字上升到国民生产总值的 8.3%。事实上，如果以旧的标准衡量，这个赤字额将会更大。撒切尔执政期间，通过减少资本支出，以及将出售国有资产（即私有化）的收入记为经常性收入的做法，掩盖了真实的赤字额。

以前的债务情况如何呢？ 1427 年，佛罗伦萨的公债总计约为 500 万弗罗林，这几乎是它一个世纪前公债数额的 10 倍，甚至可能高于国民产值。而荷兰联邦诸省的国债总额更大，到 17 世纪 90 年代，荷兰国债已与国民产值相当，在法国统治的 1795~1806 年，这个数字更有上升。不同的是，早期的现代君主制国家没有背负如此沉重的债务负担。比如，法国 1561 年的债务大约为当年国民生产总值的 20%。在 17 世纪后期之前，英国国王的债务相对国民收入而言较少。伊丽莎白一世统治时期，她的债务从 22.7 万英镑降至零，后又升到 35 万英镑，即便如此，这也只占了国民产值的 1%。即使在光荣革命时期，300 万英镑的皇室债务也只略高于国民产值的 5%。17 世纪，瑞士联邦没有任何负债，事实上它的一些成员共和国颇有家资，比如 1660 年的卢塞恩近 1/3 的总支出用做对其他国家或个人的放贷投资。

然而，在光荣革命完成一个世纪之后，英国的债务在 1784 年增长到国民收入的 215%，这种增长仅在和平时期略有停顿。在接下来 10 年的短暂和平时期，负债略有下降，但到 1815 年，它又升到国民收入的 222%，并在 1821 年达到 268% 的高峰。无怪乎国债成了“巨大”的代名词。“我的主人是全球五大洲中最出色的丈夫。”萨克斯–科堡的利奥波德的秘书斯多科马男爵在 1816 年他的主人与夏洛特公主、摄政王之女结婚后不久写道，“他的妻子对他的厚爱无以言表，只有英国公债才可与之相比。”当时英国债务数目的确惊人，相比之下，法国不但在国债的绝对值上低于英国，它的国民收入也要高于英国。据估计，18 世纪 70 年代法国国债仅为国民生产总值的 56%，但另有数据显示法国国债在 1787 年已经超过国民生产总值的 80%，还有一个估算认为这一比例应为 150%，但即便是最高的估算，也明显低于英国国债。

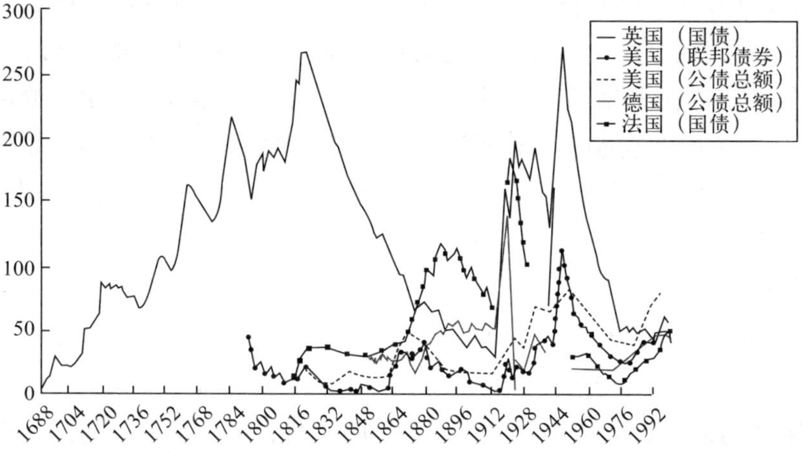

注：这些数据并不具备绝对的可比性。英国和美国的数据是对国内生产总值的百分比，而德国则是对国民生产净值的百分比。债务数据也不完全可比，英国和法国的数据剔除了地方政府的债务；而美国的数据不仅剔除了州和地方政府的债务，它也不包括政府或美联储持有的联邦债券；而德国的数据是包括地方政府债务在内的所有公债。

图 8　17 世纪晚期以来公债与国民生产总值比率

图 8 试图以最大时间跨度呈现英国、法国、德国和美国不同时期的债务情况。最为明显的是英国经历了两次债务高峰：1688~1815 年的一次是由于对法作战，1914~1945 年的一次是因为对德作战。尽管两者的峰值相当（1946 年国债/国民生产总值之比仅略高于拿破仑战争后），但两者的坡度却大相径庭，第二座债务高峰的坡度无论是上行还是下行均明显陡于第一座债务高峰；第一座债务高峰的“南面”有一系列的次高峰（1698 年、1721 年、1750 年、1764 年和 1784 年），而第二座债务高峰由三个锯齿状的小高峰组成（1923 年、1933 年和 1946 年）。

法国和普鲁士两国都是在拿破仑时期才出现债务的，其债务与国民产值之比均低于 50%。事实上，在 1870 年前，法国的债务占国民产值比一直保持在 50%以下，但自那之后便开始迅速增长，于 1887 年达到 117%的高峰，之后逐步回落到一战前夕的 66%。普鲁士的债务从 1815 年的 14%降至 1848 年的 11%，并在 1872 年前一直保持在 14%的水平。普鲁士之后的债务增长应联同德意志帝国联邦债务一并考察，当普鲁士的债务比例在 1892 年接近 50%时，德意志帝国的债务比例也在 1894 年达到 47%的高峰。换言之，当英国的债务比例下降时，欧洲主要国家的相应比例却在上升。

一战期间，三个欧洲国家的债务与国民生产总值之比较为相似，都出现了猛烈的增长。而 1919 年后，它们的道路出现了分歧。当英国和法国的债务在战后几年继续增长时，德国的债务却急转直下，到 1923 年实现了零负债（其原因将在下章讨论）。1922 年，法国的债务占比达到 185%的高峰，之后一直到 1930 年，它的债务占比持续下降，但仍高于 100%。而英国的债务负担在 20 世纪 20 年代几乎没有减轻，事实上它在 1930 年和 1933 年还有所加重。德国的债务负担在大萧条期间仍低于英国和法国，但 1933 年后开始迅速蹿升，并在 1943 年超过了英国。二战后它又开始回落，在 1950 年降到了 20%以下。法国的债务负担在 1945 年后开始降低，并在 20 世纪 50 年代、60 年代继续保持下降趋势，从 1958 年的 30%以上下降到 1974 年的不到 8%。

美国联邦债务负担一直以来都较为低缓，它从独立战争后的超过 60%，下降到 19 世纪 30 年代的零负债，而后从 1860 年的 2%迅速升至 1878 年的 41%。即便将各州的地方债务计算在内，19 世纪美国的债务总量仍相当低：1825 年约为国民生产总值的 10%，1843 年增长到 15%，然后又稍有下降，1860 年达到 12%。美国债务的最高值发生在南北战争之后的 1870 年，达到国民生产总值的 49%，但此后，这一比例便很快回落到 1913 年的 14%。即便是一战，美国的债务增长也远低于欧洲主要国家：1919 年联邦政府的债务占国民生产总值之比仅为 30%，而同期欧洲国家的相应比例约为 150%。美国的债务负担在大萧条时期有所增长，从 1919 年的 16%增至 1939 年的 45%（此时公共部门债务已与国民生产总值相当）。二战更加重了美国的债务负担，二战结束时，仅联邦债务就达到国民生产总值的 114%。但和英国一样，美国的债务负担在战后迅速回落，到 1974 年，美国债务仅为国民生产总值的 23%。1980 年，所有三个级别的美国政府的债务总量仅为国民生产总值的 38%。若将美国债务水平与其他国家进行对比，我们可以发现后来引起评论

界担心的罗纳德 · 里根时期的债务增长实际上并不过高。

按照经合组织对政府总债务的定义，里根之后的美国债务仅略高于国民生产总值的63%，而这一比例至少比该组织9个成员国低。此外，在同一时期，该组织另7个经济体的债务增长更为迅猛。即使按照《美国统计数据摘要》对国家债务更为宽泛的定义，美国公共部门债务在20世纪90年代中期也仅为国民生产总值的82%。或许有人认为这一债务负担水平部分是美国赢得“冷战”的结果，的确，这与它1946年的债务水平大致相仿，那时美国刚赢得二战胜利。而20世纪90年代后期美国的预算盈余为它偿还联邦债务提供了基础。同样，英国2000年充盈的财政收入也鼓舞了英国财政部长，他宣称要对债务进行清偿。

与之相比，经合组织中有四个成员国在1999年的债务与国民生产总值的比例超过了100%（意大利、比利时、日本和希腊），而这些数据与许多不发达国家经济实体相比，就显得微不足道了。几内亚比绍共和国的债务总额超过国民生产总值的5倍，尼加拉瓜和刚果共和国的债务总额是国民生产总值的3倍多。地处撒哈拉沙漠以南非洲中部地区的5个国家，其债务总额都超过两年的国民生产总值。

公债重要吗

怎样的债务水平就算过高了呢？在米考伯先生看来，任何赤字无论大小都是过高的：“若财政收入为20英镑，支出为19英镑，则皆大欢喜。若财政收入为20英镑，支出为20英镑6便士，那就不妙了。”美国一些政治家对公共财政的态度是，他们希望联邦能和某些州一样，在《宪法》中包括一项平衡预算修正案。欧洲国家对国债的态度则不像米考伯主义般苛刻。《马斯特里赫特条约》明确规定，一国若想成为经济及货币同盟的成员国，它的赤字不得超过国民生产总值的3%，债务不得超过国民生产总值的60%，但这一标准并未被严格执行。英国财政部长戈登 · 布朗提出，英国的债务应依照经济周期运转稳定在国民生产总值的44%左右。

但各国国债的长期实际情况，尤其是英国的情况，都与这些规则背道而驰。任何有关国债的理论都应能够解释为什么 18 世纪和 20 世纪的英国能够战胜在经济和人口方面都更胜一筹的对手，也应该能够解释为什么英国没有像法国和德国一样，由于债务过高而出现国内政治危机，更重要的是，它应该能够解释为什么英国的债务负担最重，时间最持久，却成为了“第一个工业化国家”。

人们对巨额国债所造成的宏观经济影响早有戒心。大卫 · 休谟在 1752 年反思英国日益增长的国债时，看到“毁灭性的种子……四处蔓延，连最粗心的人都看得一清二楚”。詹姆斯 · 斯图尔特爵士在 15 年后也写道：“如果不对国债的增长加以限制，如果国债继续不断地积累，如果我们的国民精神任其摆布而无动于衷的话，那么所有的财产、收入都会被税收吞噬一空。”亚当 · 斯密在他的《国富论》中指出，贷款筹措容易排挤私人投资，从而抑制了私人资本的形成。李嘉图把国债称为“耗损国力的可怕灾难……是让所有努力都付之东流的痼疾”。对国债的这种批判态度对维多利亚时期的政治家们产生了巨大的影响。1854 年 3 月，格莱斯通建议用当期税收支付克里米亚战争开支的主张失败后，将“战争支出”描述为“上帝加诸各个国家的一个道德制约，它约束了各国对于征服的野心和欲望”。他说：“向货币市场进行告贷，既无必要也不值得提倡。”他在援引约翰 · 斯图尔特 · 密尔和麦卡洛克时指出，“借贷资本不是剥夺了目前的生产资金，就是剥夺了未来的生产资金”，所以，“这种对生产资金的剥夺无异于从工人阶级手中夺走了同等金额的工资”。维多利亚中期有这样一个普遍观点：“税收取自收入，贷款取自资本。”在此基础上，斯坦利 · 杰文斯在他 1865 年的《煤炭问题》中指出，国债应当完全偿清，作为国家财富的重要组成部分，英国的煤炭储量 100 年后将会枯竭。这为格莱斯通敲响了警钟，他打算通过预算盈余以及和平外交政策，在 250 年内实现零债务。

但长期以来也有不同的意见，他们认为公债对经济也有正面的作用。18 世纪作家艾萨克 · 德 · 品托认为，国债是刺激增长的积极因素，它“永远不会到期，不必担心到期支付，它们就像不存在一样”，他说，每一笔新贷款“都会人为地创造出一笔之前并不存在的资本，它长久、稳固而可靠，就如同真有这么一笔现实财富一样”。“某种债务一旦产生，该数字便保持不变，但它的贡献却随着流通过程逐渐增大，而且不会造成货币的过度膨胀……税收取之于民，用之于民，这使得社会整体受益。”托马斯·马尔萨斯反对清偿国债，他认为借助“财富效应”，债券持有人的消费会刺激综合需求的增长。简单而言，国债可以增强国力，甚至可以增强国家声望。美国早期公共财政的天才人物亚历山大·汉密尔顿在1781称：“国债若非过度，对我们国家而言则是幸事，它是我们国家的有力基石。”大约80年后，詹姆斯·拉塞尔·洛厄尔在他的《比格罗文件》中，以此讽刺南部邦联（美国南北战争中的南部邦联）领袖杰斐逊·戴维斯的独立声明，他在文中写道：“我们有战争，有债务，有国旗，如果这都不算独立，那什么才算是独立呢？”

20世纪对公债正面作用的论述更为精巧。早期的凯恩斯主义者认为，“功能性”赤字财政能够刺激未完全就业下的经济：公共部门的赤字或者说公债能在危机时期发挥作用。近来更有人主张，在不健全的市场下，公债的增长能够促进金融体系的完善（确切地说，即为“引入新证券能够分散风险”），从而有助于资本的形成和经济的增长。历史学家们认为，它解释了为什么英国在18世纪债台高筑，却仍取得了经济上的成功。据称，拿破仑战争后期，当英国政府依靠贷款筹措战舰和军械经费时，公债与资本形成之间的正比关系变得尤为强烈。如表3所示，政府借债的确可以有效地促进私营证券和股票市场的形成。1853年，英国政府债券占伦敦证券交易所报价证券的70%。到1913年，这个数字降低到不足10%，但两次世界大战加大了公债发行，抑制了私营债券，使得公债的占比又回升到55%。即使到了1980年，金边债券仍占伦敦证券交易所所有证券市场价值的1/5以上，占其票面价值的60%。

表3　伦敦证券交易所1853~1990年的增长及结构

年份	总值（百万英镑）	英国政府占比（%）
1853	1 215	70.2
1863	1 683	53.6
1873	2 270	37.6
1883	5 677	24.0
1893	6 561	16.5

（续）

年份	总值（百万英镑）	英国政府占比（%）
1903	8 834	13.4
1913	11 263	9.0
1920	16 626	32.6
1933	18 476	35.3
1939	18 507	35.7
1945	24 701	49.3
1950	25 063	54.9
1960	45 060	31.9
1970	107 414	15.0
1980	280 328	21.7
1990	2 098 492	5.9

注：1853~1933 年以票面价值计，1939~1990 年以市值计。

为公债正名的另一个理由是它产生的转移效应并非那么严重。法国理论家让·弗朗索瓦·梅隆在他的《贸易政论》（1736 年）中指出，国家债务只是“从右手交到左手的债款，只要体内有必需的营养并懂得如何分配，就不会削弱体质”。这一观点进而发展成：从宏观经济角度讲，债务并不一定比税收更具负面性。经济学家罗伯特·巴罗认为，“对家庭而言，当前的 1 美元税收等同于当前的 1 美元赤字”，这种说法的重要前提是，任何一个对后代有责任感的家庭，都会把将来要交的税款（政府将用于短期债务的偿还）与当前要交的税款等量视之。从这个意义上说。政府的赤字不过是对征税的早晚进行调整，从而调整了“实际经济活动发生的时间”。而税收具有紊乱性，即会导致经济活动产生紊乱，导致经济发展无法达到最优状态，而赤字却可以缓减税收对于经济的紊乱影响，把诸如战争、经济萧条等特殊事件产生的额外开支推迟到经济更为繁荣的时期。既然税收具有紊乱性，那么危机时期公开发行国债也变得尤为重要。早在一个半世纪前，乔治·康沃尔爵士（他在克里米亚战争时期取代格莱斯通担任英国财政大臣）1855 年 4 月就曾指出：“税收削弱企业发展能力，扰乱行业正常秩序，干涉资本的正常分配，比政府贷款对公众更为有害。”牛津经济学家 G·K·里卡兹在同年的讲座中说：“继承被抵押了的遗产好过继承被税收抽干了的遗产。”

不过这一切可能只是对一个尚有瑕疵的概念的争论，人们普遍认识到“赤字”这个词本身的定义有误。以19世纪70年代到20世纪30年代的英国为例，由于当时中央政府预算将划拨到偿债基金的资金也记为开支，故而预算表的末行数字（统一基金的结余数）实际上低估了盈余额。另外对“线上预算”的支出和“线下预算”的支出划分也较为随意，它只是对经常性支出和资本支出做了名义上的区分而非本质上的界定。此外，统一基金既没有包括国民保险基金，也没包括当地政府和国有企业的借款（这些都包括在《公共部门借款规定》中，该《规定》是1976年推出的衡量赤字的标准）。一些经济学家认为该《规定》相比经过周期调整的《公共部门财政赤字》仍有欠缺，后者剔除了公共部门的财务事项往来的影响（如国有资产私有化），以及经济增长的周期性波动的影响。

关于“赤字”的定义还有更深一层的问题。在现代动态财政政策中，跨期预算限制是一个重要概念，即“世代账目”的总额（本代款额与下代款额的合计数）与政府的未来购买和净债务合计数相等。“世代账目”反映的是在现有政策保持不变的前提下，纳税人终身要支付的税收净额（缴纳的税额减去收到的救济转拨款）的现值。“世代账目”下本代款额指本代纳税人为政府总支出所缴纳的款额，而政府总支出为政府对商品和劳务的未来购买，加上政府净负债所得合计数的现值（净负债等于政府负债总额减去包括国有企业在内的政府资产后所得的净值）。若本代纳税人所缴纳的款额不足以满足政府总支出的话，则不足部分将由下代纳税人继续缴纳，这便是政府跨期预算限制的零和性。归根结底，政府现有的债务必须通过长期积累的预算盈余得到完全偿付。

然而，改变财政标签可能会导致世代账目和政府负债额出现相同金额的增减。例如，假设英国政府把1998~1999年工人的国民保险缴纳金记做“贷款”科目，并把按照这些缴纳金支付给工人的额外“基本养老金和国家收入相关养老金”津贴当做是对上述“贷款”的“还本付息”，而不是采用“老年税”（在纳税人领取津贴时进行征税）的话，这种文字上的改变会使得英国政府赤字增长450亿英镑，而非官方宣布的预算盈余。政府的负债将会提高，相应地，本代款额也会同步提高，因为他们未来的“老年税”已被记录在内。下代纳税人的负担不会因此改变，而本代纳税人的经济状况也不会因为标签的改变而受到影响。每个工人在 1998 年所缴纳的款项，将来也会从国家那里领取同等金额的款项。

因此，政府选择这种而非那种标签仅仅是语义学问题，而非经济学问题。每种标签都会产生不同的衡量赤字的标准，而在经济学上，对任何一种赤字衡量标准都不应厚此薄彼。这种被称做世代记账法的公共财政研究方法，其产生不过十多年，但已在 20 多个国家中得到了应用。我们将在第 6 章探讨它的分配意义和政治意义。

偿　债

衡量财政赤字最重要的经济标准并不是当前的名义债务量，而是当前和未来的税收负担之间的关系。另一方面，从政治角度考虑，衡量财政赤字最重要的标准是当前偿还债务的开支占政府总开支的比例。对一个正在努力清偿债务的政府来说，这个标准的政治意义是显而易见的，因为它花在偿债上的每一分钱，都是在支付之前政策的成本，而并非在为现行政策服务。

当国家的预算规模较小时，它的偿债支出即会占到相当大的比重。在 15、16 世纪，德国城邦的平均债务支出约为总预算的 1/3。16 世纪前半叶，黑森总支出的 2%~9% 用于偿债。同期威登堡的相应比例为 80%。西班牙介于两者之间，它在 1543 年的利息支出占其常规性收入的 2/3。法国 16 世纪末也背负着沉重的债务负担，亨利四世继位之初，财政岁入的 4/5 用于还债，幸而萨利之后的改革促使法国的债务在 17 世纪开始下降。1663~1689 年，法国债务支出曾降至总支出的 1/5 左右。而那不勒斯在 1627 年的债务支出占预算的 56%。教皇的债务支出也相当高，相应比例从 1526 年的 36% 增长至 1654 年的 59% 峰值。相对而言，18 世纪奥地利的债务支出较低，它占总支出的 1/4~1/3。

历史上因债务负担加重而引发政治危机的例子比比皆是。德国城邦独立与否常取决于它的债务负担程度，美因兹（德意志联邦共和国西部城市）在1411年将近一半的财政收入用于偿付年金债券时，即在15世纪失去了独立；而吕贝克和汉堡之所以没有失去独立，有赖于它们债务负担较低。西班牙君主国在16世纪晚期和17世纪深陷困境，也与它此起彼伏的债务危机有关。早在1559年，西班牙的利息支出即已超过它的常规性收入，这一状况到1584年并无太大好转，当年84%的常规性收入用于偿付国债持有人，到1598年，该比例重新升至100%。与其他欧洲国家相比，荷兰共和国的债务在绝对值上处于较高水平，但它承担的债务费用却相对较低，比如它在17世纪40年代的债务费用仅占总预算的4%。但即便如此，它的债务支出最终也到达了一个极值。1801年，在合并地方债务和联邦债务6年后，荷兰共和国的债务支出达到总预算的41%。与之相反的是法国，它的债务支出曾在1795年高于荷兰，但1801年却能卸下债务的重担，原因在下文讨论。

大革命前的法国可能是最典型的被还债成本拖垮的国家。1751~1788年，法国还本付息的支出占总开支之比从28%上升到49%，即从占税收收入的1/4上升至62%。事实上，法国主要军事对手的偿债成本也不低，英国在1740~1788年的偿债支出占其税收收入之比从37%涨至56%。但关键一点，法国的债务总额无论是绝对值还是占国民收入之比都远低于英国。但在1776~1782年，法国的偿债成本为债务总额的7.5%，而英国只有3.8%。换言之，在对同等金额的债务所承担的还债成本上，法国是英国的两倍。这一重大劣势的部分原因是法国在分期偿债上支付更高的金额，另一主要原因我们将在下章探讨。

图9显示了自19世纪早期以来各国的偿债支出占预算之比的发展趋势。从中可以看出，直到19世纪70年代，各国的债务负担才开始与英国相当。而在1818~1854年这段时期，英国中央政府总开支的一半用于偿债，这也接近于法国大革命前旧政权所承担的债务负担。如图9所示，英国自19世纪30年代开始逐渐降低债务负担，而法国（和意大利）的债务成本却由于从西巴斯托贝尔蔓延到西丹的战事而有所上涨。从19世纪60年代末到80年代中期，英、法、意三国的偿债支出均占其预算的1/3，而其他民用开支和军事开支的上涨使得各国的偿债支出占比在1913年降低到接近普鲁士的水平（低于

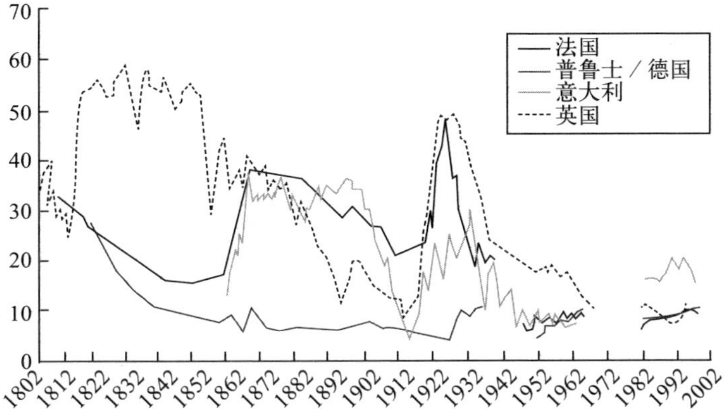

注：德国 1870~1914 年的数据来自经合组织，所以包括了各级政府的数据。除此之外其他数据均只针对中央政府。

图 9　偿债支出占政府开支的比例（1802~1999 年）

10%），但法国除外，它当时的偿债支出占比约为 20%。

图 9 也显示了一战后英、法、意、德这四个国家的偿债负担之间的差异。当时，英国和法国的偿债支出达到政府总开支的 44%峰值，而意大利 20 世纪 20 年代的平均偿债支出占比不到 18%。德国 1925 年的相应比例仅为 2%，我们随后将看到原因。自 1945 年后，法国和德国的本息偿还支出占比有所下降，但到 20 世纪 80 年代早期，两国的该比例又开始攀升。英国的偿债支出占比从 20 世纪 50 年代到 90 年代持续下降，而同期的意大利却截然相反，它的偿债支出占比在 90 年代中期达到 1/5 的高峰。

各国偿债支出占政府总开支之比呈下降趋势的一个较为明显的原因是，19 世纪中期各国政府预算规模较小。如前所述，在这个时期，福利国家尚未形成，所以支付国债持有人本息成为国家财政部的主要结转事项。这的确是其中一个原因，具体我们将在第 7 章细述。但是英国 18、19 世纪的债务成本之所以远低于它的对手，西方发达经济体今日的债务成本之所以低于过去的水平，其中还有其他原因，这也是下一章将要讨论的主题。

第 5 章
货币印制者：债务拖欠与货币贬值

"为发钞事，各宜知晓：
这是价值一千克隆的钞票。
……
伏乞御笔署签！"
签署后就在昨天夜晚
让魔术师赶制了成千上万。
为了使万民同沐皇恩，
臣等立即将钞票依次盖印：
分为十、三十、五十、一百。
陛下想象不到人民多么欢欣。
……
要控制这流通的东西绝不可能，
它们快如闪电，四散飞奔。
兑换店都敞开大门：
每张钞票可以自由兑换金银，
至于打点折扣，那是本等。

——歌德《浮士德》

1912年，德国妇女选举联合会召集了一场人数众多的大会，会议主题为“通货膨胀”。若以食品价格为衡量标准，当时德国的消费价格年通货膨胀率不到5.3%，但这是19世纪80年代以来最高的水平。自1871年德意志帝国成立以来，它的年均通货膨胀率仅略高于1%。公众普遍表示对高价存有担忧，妇女选举集会只是诸多民意表达方式之一，正如某家报纸评论员写道：“每个人都在议论着生活成本的上涨。”但谈论通货膨胀和理解通货膨胀是两回事。

1924年，德国妇女选举联合会再次召开会议，这次会议讨论的不是通货膨胀而是价格稳定问题。由于1923年的极度通货膨胀（年物价指数上升了18.2亿倍），该联合会的资产此时只值5马克14芬尼。虽然一战前和一战期间，妇女的投票权遭到否决，但她们仍然本着爱国主义精神将资金投于德国政府债券。那些战争期间购买的债券此时已一文不值。

德国政府的债务在25年中有两次由于货币的彻底贬值而烟消云散。那些对德意志帝国的信用怀有信念的人们两次得到的都只是分文不值的废纸，大家似乎都没能读完歌德的名著《浮士德》（有趣的是，第一次极度通货膨胀期间帝国银行的副总裁是位著名的歌德学者）。本章开篇的引文即摘自《浮士德》第一幕第二场，印刷货币起初似乎带来了繁荣，纸币流向酒店、肉店、面包店，世上一半的人都是寻欢作乐之徒。呢绒店、裁缝、餐厅生意红火，恶魔靡非斯陀声称：这样的纸上财富是很实际的。但在第四幕里，靡非斯陀这才告知，这些都是“虚假财富”，而接受了他的纸币的国家都“沦为无政府状态”。

> 贵族贱民争斗不休，
> 兄弟间也自相残杀。
> 城堡斗城堡，城镇打城镇，
> 商业行会阴谋推翻贵族，
> 教堂与会众叛逆主教，
> 人人相见只是仇家，
> 在教堂里他们拔刀相向，

游方商贩遇到血光之灾……
他们……跛足而行、跌倒，
爬起后又站立不稳，踉跄倒地。

这篇著作是歌德在 1832 年逝世前不久写成的，当时他心中想的也许是法国 18 世纪 90 年代的巨变，但这段文字也奇妙地预言了魏玛共和国早期的历史。

无论以何种标准看，德国的通货膨胀都过于极端。19 世纪 80 年代末期，极度通货膨胀的往事仍被当做政治筹码，政客们借此劝说选民，让他们相信新的欧洲货币会和德国马克一样坚挺（事实上，德国马克在其存世的 50 年中贬值了 75%）。然而，从各个角度看，借助通货膨胀来拖赖债务是各国的普遍伎俩，如《浮士德》一般普及。自 1899 年以来，英国一盒香烟的价格涨了 15 倍，一条面包的价格涨了 32 倍，一品脱啤酒的价格涨了 456 倍，平均周工资涨了 89 倍，与之相反，一张面值为 1 000 英镑的英国政府债券却跌了价。

如何赖账

当国债从政治角度被判定过高时，有 5 种方法可减少对债务还本付息的支出。第一，直接付清部分或全部债务，同时较为直接的辅助措施是向债券持有人或所有富有阶层征收一次性资本税。第二，通过法案削减债务利息，这种方式又被称为“债务转换”。第三，通过法令推迟向公债持有人还款。第四，如果债务没有与物价指数挂钩，或与某种外币（黄金）挂钩，通货膨胀导致的物价上涨可以降低债务本息的真实价值。这种方法通常被认为是一种简便易行的政治选择，它也是 20 世纪政府所青睐的方式。第五种方法最为困难，但也是降低债务负担的最佳途径，即取得真正的经济增长，但在沉重的债务负担下也很难实现。

减轻债务负担在政治上最为“体面”的方式是对其进行偿还，可通过多次的基本预算盈余（即盈余额高于当期利息费用）来实现。事实上，完全清偿债务的情况较为罕见，举一个鲜见的例子，美国在 1816~1834 年对它的联邦债务实现了完全偿付。虽然通常情况下难以完全清偿债务，但美国和英国仍时常通过基本预算盈余降低其债务的整体水平。1822~1914 年，英国依照一项持续的偿债计划，从名义上将债务降低了 1/4。而美国同样也在 1805~1811 年、1871~1893 年、1920~1930 年、1947~1953 年（较低程度地）削减了它的债务量。

依靠全面征税来筹集偿债资金在政治上并不得人心，原因我们将在第 7 章分析。这种做法在经济上也存在问题，这是由于为筹集偿债资金而征收所得税和消费税会导致经济紊乱。而另一种不产生紊乱影响的方法是向公债持有人征收一次性资本税，实际上即是用他们自己的钱来偿付他们。但是这种方法在政治上很少被采用，采用成功的例子更为鲜见。德国财政部长马提亚 · 艾尔茨贝格曾试图利用一次性的、级度较陡的、累进性的“德意志紧急税捐”来削减赤字，却惨遭失败，原因很简单，该税捐可以在 25 年到 47 年间分期支付，而它的利息在 1920 年 12 月后仅为 5%，若通货膨胀率高于 5%，延期纳税便可以降低应交税额的实际价值。

解决过量债务最简单的方法就是根本不支付。当中世纪和现代早期的君主入不敷出时，他们的习惯做法便是不还债。爱德华三世正是这样毁掉了巴尔迪和佩鲁奇家族。15 世纪法国财政大臣雅克 · 柯尔也由于查理七世的赖账而成为牺牲品。在近代早期，拖欠债务被大国频繁使用，这种行径近乎已被制度化了，它们体现为延期还款、重新安排债务或强制性债务转化，而不是政府破产。在 1557~1696 年，西班牙通过这种方式成功拖欠了部分或全部债务，有效地对现有的债务进行重新安排，通常是将短期债务转化为长期的永久性债务，不久后又重新发行新的国债。但西班牙也为习惯性拖欠债务付出了代价。1627 年之后，热那亚的金融家们对短期国债尤为慎重，因为他们预见到再一次的政府破产将会使他们手中的短期国债成为低收益的永久性国债。西班牙的短期国债从 1625 年的顶峰（1 240 万达克特）跌至 1654 年几乎不到 100 万，这也反映出西班牙的财政调控余地非常有限。当时的法国和联邦省份能够在国内外筹借到更多的资金，这在政治上有其深远的意义，而西班牙在整个 19 世纪都倾向于拖欠债务，它在 19 世纪 70 年代中期的拖欠情况尤为严重。

现代早期的法国也同样经常拖欠债务。乔治·卡鲁曾说过，亨利六世“每隔三四年就会像挤海绵一样压榨他们（金融家）”。其继任者也不得不仿效此法。法国王室曾在 1559 年、1598 年、1634 年、1648 年、1661 年、1698 年、1714 年、1759 年、1770 年以及 1788 年拖欠了部分或全部债款。在西班牙，债务拖欠已成了可预见的模式：借债参战，而后徒劳地增税用以还债，继而再次借债偿付之前的债款……最后不得不以不支付来抹平收支缺口。债务拖欠可分为三种：一为暂时性停止支付债款；二为“改革”，即将债务利率压至 5%；三为当债务利率低于 5%时，彻底拒绝偿付。自弗朗西斯一世以来，周期法官协会（调查金融诈骗的特别委员会），不仅被用来净化财政系统，更被用来拖欠各种债务。1597~1665 年，共发生过 11 次这样的拖欠事件。有种观点认为，正是路易十六拒绝以惯用方式拖欠债务，导致他被迫召开国会，进而点燃了革命的导火索。财务危机并没得到缓解，而是更甚。1797 年的债务拖欠波及全法国 2/3 的债务，影响之大，更甚于约翰·劳的方案破产之后的维萨事件。

大卫·休谟略带嘲讽地评论道，如果英国像 18 世纪的法国一样拖欠债务，其影响将是微不足道的：“轻信是多数人的天性，虽然英格兰的自愿性破产会让公众对政府信用感到巨大震惊，但时过不久之后，借贷又会死灰复燃，恢复到之前繁荣的景象。”休谟有一点说对了：债务拖欠可能会提高国家的借债成本，但很少会长时间吓退贷款人。事实上，英国在 1672 年出现了一次债务拖欠，当时查理二世下令对那些没有指定收入来源作为偿债资金的债务延期支付。而那些自 1665 年就以这种方式为政府提供短期融资的伦敦金店们，由于这一次“财政停付”，遭受到灾难性损失。英国在 17 世纪 80 年代暂停支付国库券利息，直到 1705 年才再次恢复。而拖欠债款的代价是能够以更高的借款利率（进而更高的债务成本）来量化的，不履约的政府在拖欠债务后若要重新告贷，它必须支付更高的利息。造成 18 世纪英法两国财力上出现差异的原因也在于此。

虽然美国联邦政府从未出现过债务拖欠，但美国各州则要另当别论了。1837~1843 年大萧条时期，有一半的州债务遭到拖欠，各州债务拒付比例达 10%。1857 年以及 19 世纪 70 年代，美国又发生一系列的债务拖欠事件。19、

20 世纪的拉丁美洲也频繁出现债务拖欠现象，19 世纪 20 年代、90 年代末（阿根廷和哥伦比亚）、1914 年前（巴西和墨西哥）、20 世纪 30 年代以及 80 年代拉美的债务拖欠此起彼伏。中东各国也不例外，土耳其在 1875 年后出现了一次重大债务拖欠事件，这也严重打击了持有该国债券的埃及人。一战后，奥托曼帝国的倒台引发了另一次重大债务拖欠，但它的规模尚不及 1917 年的俄罗斯，俄罗斯当年的债务拖欠可能是金融史上最严重的一次。但上述案例中，由于相当一部分的债券持有人为外国人，这不同于纯国内债务拖欠，它所引发的政治经济问题使得局面更为复杂，我们将在第 10 章讨论这个问题。

债务转换（即将某种债券转换成另一种债务成本较低的债券）不同于债务拖欠，因为债务转换经过了债权人的同意。如上所述，英国国王在 1672 年暂停了部分债务的偿付，但他最终将它转换成永久年金债券。荷兰公国在 1715 年同样先是暂停支付债款，随后降低了债务利息，在 1753 年再次故伎重施。英国在 1707~1708 年、1716~1717 年、1727 年、1749~1750 年、1756 年、1822 年、1824 年、1830 年、1834 年以及 1840 年，转换部分国债并基本都取得了成功。但是格莱斯通在 1935 年打算将 49 万“已合并了的”、“已降低过利息的”年金债券转换为 2.5%股票的计划却以失败告终。而 35 年后，戈申作了相同的尝试，却成功地将相当一部分的债券利率降低到 2.75%。英国的一次重大债务转换发生在 1932 年，它把尚未付清的一战债务的利率从过高的 5%调至 3.5%，从而减少了 21 亿的债务支出，这次重大调整波及 1/4 的国债，相当于半年的国家财政收入，它的成功为政府每年省下 3 000 万英镑。

和债务拖欠不同，债务转换是以透明的、可预期的方式进行操作，它是应市场利率即将下降而作出的一种调整。更重要的是，债务转换基于（或应该基于）债权人的同意。如 1932 年的债务转换成功地劝说投资者转向长期的、低收益的投资产品，而当英国中部银行拒绝接受英国银行的条款时，它也并未受到逼迫。另一方面，小投资者不仅受到爱国主义宣传的哄骗，也由于胡萝卜加大棒政策的驱使，只得接受债务转换。例如，未经转换过的债券不得在英国银行再次贴现。

英国经过和谈进行债务转换的传统在其他国家并不常见。法国总理维勒尔在 1824 年试图进行一次英式的债务转换，却遭到贵族上院的坚决反对，终以失败告终。夏多布里昂子爵声称，这是英国—奥地利式的诡计，意在欺骗法国投资人，而收益的一部分将用于补偿大革命中受害贵族的措施也增加了这项方案的政治难度。当以和谈方式进行债务转换不可行时，专制政权有时便采取强制性手段，这也是墨索里尼在 20 世纪 20 年代稳定意大利债务的关键措施，他在 1926 年进行了两次强制性的债务转换，从而将短期债券转换成利率为 5%的长期债券。而在 1934 年，这些新债券被转换成利率为 3.5%的 25 年期债券。

这些实例表明，债务拖欠和债务转换之间并没有明显的界限。重要的是如何诱导债权人降低对国家的还债要求，以及降低的程度。

通货膨胀税

征收资本税、债务拖欠、债务转换都是降低债务负担较为明显的方式。然而长期以来，降低债务负担还存在着一种较为隐秘的方式，即将债务的记账单位贬值。发行货币并引发非预期的价格上涨，这种做法成为具有多种用途的财政工具。首先，它可以让政府以内在无价值的纸币（或电子等价物）换取实际的货品和服务。由于政策性的通货膨胀导致私营部门拥有的货币贬值，因而这种价值转移的代价（或称货币铸造税）由私营部门承担。其次，通过纸币印刷抬高价格，可以削减不与物价指数挂钩的政府薪资支出、救济金支出，并且以官方债务偿还，只要国家债券以本国货币计量，通货膨胀便可以降低它的实际价值。最后，通货膨胀可以将纳税人推向更高一档的税率。

纵观历史，多数国家正是采用这种方法应对严重的财政失衡。对货币和金融资产持有人实行通货膨胀税并非 20 世纪首创，但它在 20 世纪得到了最为广泛和彻底的应用。

虽然贵金属早在公元前 3000 年就已经是通货体系的基石，但铸币直到公元前 7 世纪才产生。自古罗马时代起，各国就普遍认识到在铸币中降低金银含量能够带来财政收入。马可 · 奥勒留王朝之后，古罗马铸币持续贬值，到戴克里先时期，铸币中的银含量已经减少了近 99%。在中世纪和现代早期，法国的货币铸造税收入达到相当高的水平，1421 年，该收入相当于其王室收入的 11 倍。从 1318 年到 1429 年，法国的铸币贬值了 4 次。14 世纪的佛罗伦萨、15 世纪的卡斯提尔和勃艮第、16 世纪的英格兰、17 世纪早期的德国，许多地区都出现了铸币贬值的情况。16 世纪 40 年代，亨利八世发行了面值达 440 万英镑的贬值货币，相当于其贵金属含量的两倍，他从每枚钱币中赚取了 46%的利润，合计约为 200 万英镑。其中金币的含金量减少了 25%，银币的含银量减少了 80%。同样，法国古里弗币的含银量在 1513~1636 年降低了一半。14 世纪作家尼古拉 · 奥利斯姆肯定了这种操作的合法性，他在《论货币》中写道："以正当理由看，货币贬值是税收的合法形式。"但这个观点并未得到普遍认同，铸造贬值货币仍只是在暗中操作。亨利八世的大臣托马斯 · 索普称，铸币厂是"神圣支柱"，但它必须暗中运作。"因为假如人们获知他们的物资被如此窃取，他们一定会撤回交易，从而给我们带来损失。"德国人还记得他们的三十年战争时期也正是缺斤少两的劣币时期。

货币贬值和物价上涨很少精确吻合，这是由于现代早期的物价很大程度上受到国际货币流通的影响，另外还有农业和人口的波动因素，因此货币贬值导致的货币供应量膨胀大都有一个物理限度。尽管如此，货币贬值与 16 世纪的物价上涨之间仍存在明显联系，而各式理论和实践都对此作出了反应。琼 · 博丁在 1568 年写道："宣称国王和人民都因货币贬值而受益是个不折不扣的谎言，是冠冕堂皇的说辞。国王尚能获益，而民众绝无可能。"17 世纪，货币连续不断的贬值将欧洲推向金融混乱的边缘。1610 年约有 1 000 种金银币在阿姆斯特丹流通，这提高了交易成本。同时，随着一次又一次的货币贬值，货币铸造税也逐渐失去了作用。

为了解决这个问题，两国都力图建立固定的兑换率。1638 年，荷兰将单位荷兰盾的价值定为略低于 10 克白银，但阿姆斯特丹威塞尔银行的记账单位仍是 1544 年的荷兰盾，这有助于建立统一的支付系统。但用于国内贸易的通货与为国际贸易留存的银行荷兰盾之间的兑换仍保持弹性汇率。1696 年，英国为应付战争经费，进行大规模铸币，但战争过后，这些劣币也停止了流通。

英国为了建立复本位制，固定了金几尼①和白银之间的兑换率，但与荷兰和法国相比，它低估了白银的价值，这导致它的白银退出了流通领域。1717 年，金币在英国仍为主要通货，当时铸币厂的掌管人是伟大的物理学家、博学之士艾萨克 · 牛顿爵士，他将每盎司黄金的价值定为 3 英镑 17 先令 10.5 便士。黄金相比白银再次被高估，导致银币逐渐退出流通领域。在大型交易中，与黄金挂钩的纸币取代了银币。到 1774 年，当交易金额超过 25 英镑时，银币不再作为法定通货。同样，美国在 1792 年的《铸币法案》中也正式采取了复本位制，其通货起初以白银为主（因为黄金的价值被低估），而 1834 年后，黄金成为主要通货（因为白银的价值被低估）。

虽然纸币的发展可以追溯到 11 世纪的中国，但西方国家直到 1609 年才出现纸币，它为征收通货膨胀税提供了新的可乘之机。1704~1707 年，法国借贷银行以附息票据形式发行了 1.8 亿里弗的通货，但市场很快将其面值压低到 2/3。如我们所见，约翰 · 劳的法国财政改革失败的一个关键原因是 1720 年法国货币供应量过高，当时达到 22.35 亿里弗，而在 1708 年仅为 3.44 亿里弗。1789 年下半年，由于政府向借贷银行借款，这再次扩大了纸币流通量，但程度不及前次。1768 年俄国同样依赖纸币印刷（铸造劣币）来为赤字融资。西班牙亦如此，但自 1780 年起，查理三世发行的通货都带息。同样，1790~1820 年，奥地利的多数债务也是通过增发纸币解决的。这里所说的纸票据从技术上说只是短期债券，而非严格意义上的现金，但它们的通货膨胀效益却是相同的。

18 世纪最为严重的一次通货膨胀发生在法国大革命时期，当时法国国民大会预备将查抄的王室和教会财产出售，发行了大量纸币，它的初衷是为了偿付并取代旧政权下所谓的立等可兑的纸票据，但这种纸币很快成为了革命政权的赤字融资工具。该纸币起初在 1789 年发行的 4 亿里弗为带息票据，但从 1790 年 10 月起，它停止支付利息，该纸币的流通量也从当年 9 月的 12 亿里弗上涨至 1792 年 10 月的 24 亿里弗，到 1796 年 2 月印刷机被当众销毁时，它已印制了 400 亿里弗的纸币，这是旧政府名义债务量的 8 倍。该纸币的黄

① 金几尼是一种英国旧的货币单位。金几尼最初是用几内亚的黄金铸造的。——编者注

金购买力从1791年1月的91%降至1796年的0.5%。它抹除了法国18世纪的大量债务，到1818年，英国的人均债务负担是法国的15倍。但另一方面，这种纸币在法国人心头留下了永久的创伤，近一个世纪，人们都不再信任纸币。1850年，法国90%以上的交易是以金属货币进行的，英格兰为1/3，而苏格兰仅为1/10。

法国的经历并非独一无二。1786~1815年，卢布的流通量增长了18倍，同样，1790~1811年，奥地利纸币的流通量增长了37倍。拿破仑曾说，纸币发行是奥地利战争融资的基础之一，1809年9月，拿破仑甚至下令伪造1亿基尔德的奥地利纸币，迫使该国纸币贬值，奥地利被迫重新使用金属货币，进而不得不裁减军备。此外法国在拿破仑的统治下，于1803年发行了芽月法郎，它也成为法国持久而稳定的通货。而东欧国家停止纸币滥制却要晚得多。

即使在英国，1797年的战争和暂停提兑黄金也触发了通货膨胀，但它的规模远小于欧洲大陆国家，1797~1818年，英国物价上涨了80%。到1822年通货重新与黄金挂钩，物价也基本恢复到战前水平。与欧洲大陆国家不同，英国人民在战时对政府抱有信心，他们坚信战后政府有意图也有能力恢复纸币与黄金的兑换。

通常认为，19世纪金本位的盛行几乎消除了利用货币贬值来削减债务的可能，这一观点并不完全正确。美国内战时期，南部邦联就发生了一场类似法国大革命时期的通货膨胀，北部联盟也出现了绿币贬值，这相应地降低了公债的实际价值。1862~1879年，美元暂停与黄金实行兑换。之后，人们对美国是否能够坚持金本位仍存有疑虑，这种怀疑一直持续到19世纪90年代。战争和国内危机同样让俄国和奥地利无法做到将通货与白银挂钩，政府被迫靠发行纸币来弥合赤字。1847~1853年，奥地利短期债务占总债务比例从8%涨至25%以上。1849~1851年3年间，它的强力货币上涨了25%，生活成本在1854年达到了顶峰，比7年前高出29%。1859~1866年的三次战争中，奥地利再次遇到类似的问题。意大利在1866~1883年以及1894年2月也与黄金脱钩。1883年的西班牙同样如此。1880~1914年，智利、阿根廷、巴西都遭受了50%~80%的不同程度的货币贬值。即使在黄金系统之内，依靠通货膨胀来缓解债务也是有可能的。许多欧洲国家在19世纪90年代到1914年间，债务负担均有所下降，这不仅是由于较高的经济增长，也是因为全球黄金供应量的上升，以及由此引发的通货膨胀（与此相比，19 世纪七八十年代的通货膨胀率为负）。

然而，这些只是程度较低的通货膨胀，其严重性远不如 1914 年后的通货膨胀。一战时期，几乎所有参战国都中止了硬币支付（日本和南非除外）。各国在不同程度上都依靠印钞来为赤字融资。德国最为极端，它的批发价从 1914 年到 1923 年，上涨约 1.3 兆倍。普通百姓习惯了稳定的金本位制，他们的震惊从伊莱亚斯 · 卡内蒂 1923 年的法兰克福生活回忆录中可见一斑：

> 它远不只是压在人民身上的混乱的社会秩序，它犹如日复一日的轰炸……连最微小、最隐秘的事情都受到它（货币贬值）的影响……我本以为货币枯燥无味、乏善可陈，但此时我发现了它迥异而怪诞的一面，它如同一个手持长鞭的妖魔，无孔不入地鞭挞着一切。

有人为此深受打击，伟大的艺术历史学家阿比 · 沃伯格就此精神崩溃，此后他总被文化贬值的幻觉萦绕，在他眼里，艺术品如同纸币印刷般被大量复制。而其他人还记得他们的歌德。《德国西北报》模仿《威廉 · 迈斯特的学习时代》中的米尼翁之歌，登出一篇讽刺小文：

> 你们可知道货币恣意蔓延的国土，
> 劣币在黑暗中闪闪放光，
> 刺骨寒风从谷隙中吹来，
> 那里马克一文不值，而美元却价高难求。

如表 4 所示，1914 年的通货膨胀几乎是全球普遍现象，就连中立国也受到影响。除了德国，另有四个国家——奥地利、匈牙利、波兰和俄国也遭受了所谓的极度通货膨胀。各国平复物价的时间也不尽相同，多数国家的物价在 1921 年后便不再上涨，而在某些个别国家，通货膨胀一直持续到 1922~1923 年。意大利、法国和比利时情况尤为严重，它们的通货膨胀一直持续到 1926 年，但没有演变为极度通货膨胀。法国的通货膨胀过程颇像螺旋滑梯，它的年通货膨胀率在 1920 年达到 50%的峰值，而 1921 年的通货膨胀率为负，在1926年又攀至40%的高点，而1927年的通货膨胀率再次为负。它在1930~1936年，多数时候为通货紧缩，但在1937年年中通货膨胀率再次达到30%。

表4　一战期间及战后欧洲的物价上涨情况表

国家	批发价峰值 以纸币价值计 1941=1	年份
瑞士	2	1921
西班牙	2	1920
荷兰	3	1919
丹麦	3	1920
英国	3	1920
瑞典	4	1920
挪威	4	1920
意大利	6	1926
法国	7	1926
比利时	7	1927
芬兰	12	1921
捷克斯洛伐克	14	1921
奥地利	14 300	1922
匈牙利	23 466	1922
波兰	2 484 296	1924
俄罗斯	4 146 849	1923
德国	1 261 600 000 000	1923

战后通货膨胀的原因虽然复杂，但根源在于政府的短期借款和中央银行靠发行货币来融资。只有终止这些行为，通货膨胀才会停止，而这就需要对货币政策和财政政策进行一个实质上的“制度转变”（尤其是那些遭受极度通货膨胀的国家），对意大利而言，它还需要经历一场政治制度的转变。高通货膨胀对政府财政影响重大，政府在通货膨胀上采取的不同路线也直接影响了它们的实际债务负担。英国和美国决定回归金本位，并恢复到战前的兑换比

率，这就要求实行通货紧缩。尽管两国偿还了部分债务，但物价下跌和增长放缓大幅度提高了实际债务负担。1920~1931 年，英国债务的名义价值下降了 5%，但考虑到通货紧缩，它的实际价值却增长了 60%。同时期的美国，债务偿付和通货紧缩两者相互抵消，实际债务负担没有增减。而那些坚持通货膨胀路线的国家，它们的内债则得以全部或部分消除。作为特殊例子，德国公债在 1923 年几乎降至为零，虽然之后的“重新估价”法案对战前债券的持有人进行了一定程度的补偿（如妇女选举联合会），但战时债券没有得到同等的处理。有人模仿士兵铁十字勋章上的铭文讽刺道，“德国人民献出了黄金换来了废纸”。法国和比利时的情况较为平缓，法国内债的名义价值在 1920~1929 年增长了 37%，但考虑到国内物价的上涨，它的实际债务负担也有差不多相同比例的下跌。

在许多方面，二战期间和战后的情况也是如此。在德国，公债和纸币的增长与一战时期相比更为迅猛，在战争的最后两年，政府对物价严加控制才没造成通货膨胀。德国政权在 1945 年倒台后，马克也随之而去，随后美国人，尤其是苏联人印制的货币迅速占领德国，这让占领者和被占领者不约而同地以烟代钱，或选择其他替代品作为等价物，这种局面一直持续到 1948 年的货币改革。其他国家，如希腊、中国、匈牙利，也经历了战后高通货膨胀，其中两个国家是内战所致。相比之下，英国成功地将货币扩张和通货膨胀控制在一战时期的水平之下，与 1938 年相比，它的物价仅上涨了 50%。

1914~1945 年，世界各国在通货膨胀和通货紧缩之间左右摇摆。但 1945 年之后，通货膨胀成为世界普遍现象，只有少数情况例外，如美国的消费者价格在 1949 年和 1955 年略有下降，再如日本在 1980 年、1995 年、1999 年经历了 0.5%的轻微通货紧缩。但 1945 年后的通货膨胀有着明显高低不同的阶段。20 世纪 50 年代和 60 年代，在布雷顿森林体系（见 11 章）较为宽松的约束下，多数国家的通货膨胀较为轻缓。但到 20 世纪 70 年代和 80 年代，布雷顿森林体系的瓦解导致全球普遍采用纸币，从而在整体上加重了通货膨胀程度。但各国的通货膨胀情况仍存有差异，这是由于 1973 年和 1979 年石油输出国组织设定了较高的石油价格，而各国在财政货币上的应对措施不尽相同（为理解各国的通货膨胀差异，可参考下列数据：德国、美国、英国和葡萄牙在

1961~1999 年的平均通货膨胀率分别为 3.3%、4.6%、7.1%和 12%)。但自 20 世纪 80 年代末，多数国家的通货膨胀率明显下降。葡萄牙的通货膨胀率从 1977 年 3 月的 50%下降至 1999 年的不到 3%。法国的通货膨胀率从 1982 年 11 月的 14%下降到 0.2%。一些评论家甚至大胆提出了“通货膨胀终结”一说。

规则与任意决定权

通货膨胀在不同时期以及不同国家有着显著差异，这既能够以体制转变来解释，也可以用通行的经济法则来解释，如货币数量学说以及其他衍生理论。图 10 显示了英国自 1871 年起消费者价格的上涨情况，它表明通货膨胀率与货币增长率之间确实存在大体的相关性（货币增长率即为货币供应量增长率，无论是狭义上流通中的纸币和硬币，还是广义上的银行存款）。但当货币及货币发行机构的性质发生变化后，这种通货膨胀和货币增长之间的相关性也随之改变。狭义货币主义者在诠释通货膨胀时碰到的一个重大难题是，广义货币增长与通货膨胀在 20 世纪 80 年代中期出现了分离，颇具讽刺意味

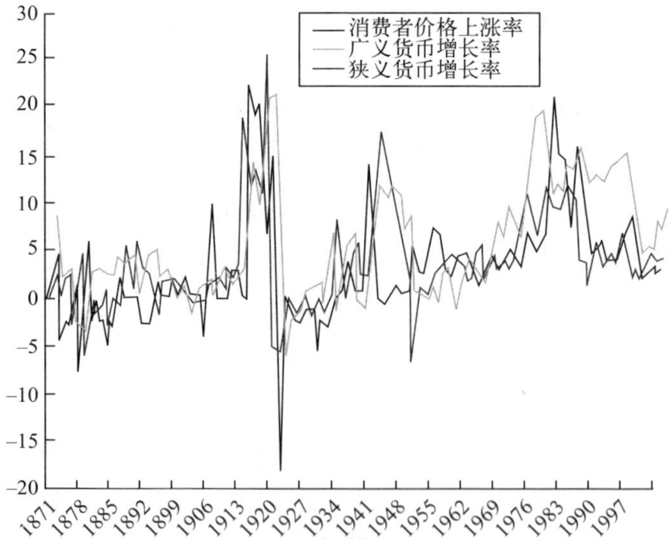

图 10　英国货币供应与通货膨胀（年增长率），1871~1997 年

的是，当时政府政策恰恰是以货币主义为倡导的。

金融体制的逐步完善促使中央银行进行角色转变，尤其是“规范”与“任意决定权”这两者之间存在本质差异。我们知道多数发行纸币的国家银行起初的职能是帮助政府的战争赤字融资。但金本位制度的确立对中央银行在和平时期的自由放贷进行了限制，中央银行的职能逐渐转变为货币管理以及确保整体银行系统的稳定。

古典经济学理论认为，价格稳定并不是金本位制存在的理由。维持黄金和货币之间固定比率的目的在于，它可以将国内货币供应与国际收支平衡联系起来，从而保持国际、国内经济的平衡。根据大卫 · 休谟最早提出的“价格铸币流”理论，黄金的外流将降低国内的物价水平，同时抬高国外物价水平，进而促进出口抑制进口，致使黄金回流。在“游戏规则”初期（该名词直到 1930 年才问世），英格兰银行可以通过提高贴现率、限制信贷，同时保持纸币与黄金之间固定兑换率来应对这样的黄金外流问题。理论上，紧缩银根可以压低英国物价，进而提高英国的出口竞争力，同时抑制国内对进口的需求。这是罗伯特 · 皮尔爵士 1844 年《银行特许法案》的基本原理，该法案将银行的纸币发行部门与银行的商业业务相分离，它在固定配额（最初是 1 400 万英镑）之外，规定了黄金与纸币发行之间固定的一对一比率关系。

区别调控黄金储备和纸币发行的正式法规和不成文的“游戏规则”两者之间的差异十分重要。通常认为，当黄金储备减少时，央行应提高贴现率；反之，则降低贴现率。然而情况并不总是如此，就央行而言，“贴现率更多地是由储备与债务的比例所决定的”。虽然央行利率在每周的董事会上发布，但对这一比例的监控每日都在进行。此外，央行行长也有权力决定提高或降低利率，这曾在 1907 年危机时发生过。现代研究表明，黄金储备的变化的确是调整央行利率的关键因素，但两者并非完全同步。正如某位发言人在美国国家金融委员会上所说：“提高央行利率是为了防止黄金外流，或为了吸引黄金流向本国。但当央行利率完全脱离市场利率水平，或者并不需要吸引黄金流入时，央行利率将会降低。”银行董事会同样要考虑国外（特别是欧洲国家）的利率，因为这对随后的储备变化有指示作用。

我们也不应该认为央行是在总体上为货币市场“安排”短期利率。沃尔

特 · 白芝浩在他的经典之作《伦巴第街》（1837 年）中，对央行的市场影响力提出了质疑：

> 如同其他商品，货币的价值是由供求关系决定的……而持有大量某种商品的人可以设定他愿意接受的最低价，同时坚守这个价位，从而极大程度地影响了这种商品的价值。伦巴第街就是这样决定了货币的价值。英格兰银行……规定了它所要处置的存货的最低价，这在很大程度上迫使其他经营者必须达到或接近同等价位。英格兰银行掌握着货币市场，而且能够随心所欲地确定贴现率，这个观点在 1844 年《银行特许法案》出台之前得到普遍认同……但即使在那时，这种观点也是不正确的。

白芝浩认为理想的做法是国家央行加强对货币市场的掌控，但在 1914 年之前很长一段时期内，央行都在着力使其利率“有效”。

对于这个问题，当时通行的解释是认为国家央行相对于其他金融机构，尤其是合股银行，它的规模变小了。1836~1858 年，央行作为唯一合股银行的垄断权被削弱，这使得大型商业银行（同时票据交换系统也得到发展）和贴现行（服务于市场中的商业票据）得以迅速成长。理论上，英格兰银行在新世纪伊始仍为世界上实收资本最高的银行（实收资本为 1450 万英镑，另有 300 万英镑的累积未分配利润）。但最大的城市商业银行罗斯柴尔德父子银行并未落后许多，它在 1905 年的资本总额达 840 万英镑，事实上，若把罗斯柴尔德父子银行在伦敦、巴黎、维也纳的商行资本合计起来，可达 3700 万英镑，相比之下英格兰银行就显小了。此外，合股商业银行很少向国家银行贷款，这也削弱了央行的杠杆作用。从 1849 年到 1901 年，英格兰银行的平均储备仅为英国所有银行的定期存款、活期存款和流通货币的 3%。这引起当时人们的警觉，众多评论家要求央行应做到充足储备，帕尔格雷夫只是其中之一，然而于事无补，“它仍然只是一层薄薄的金箔”。除了调整央行利率外，英格兰银行还发展了多种补充策略使其利率“有效”：如最初的公开市场经营（通过发售统一公债来吸收货币市场中过剩的资金，日后再行购回）；向重要客户拆借，如印度公司、日本银行；甚至是票据交换银行（1905~1906 年）；削减债务或将其在市场中重新贴现；在买卖外国黄金（金条和金币）时对价格进行操控。有时，英格兰银行甚至也会进行反周期调控，通过降低利率来缓和商业经济的衰退。它有时还会在利率上升时降低储备，这也与游戏规则的顺序相反。而长期价格稳定只是这一系列货币政策的副产品。事实上，短期的不稳定是 1914 年前货币政策的必然结果。

关键问题是英格兰银行兼具多重身份：它要履行政治职能，满足政府的财政要求，在维多利亚时期，这一职能在很大程度上暂停了；它要履行法律职能，确保纸币和黄金的可兑换性；它要履行商业智能，向其股东支付股利。19 世纪 70 年代，它又担负起第四种身份，即成为其他银行的最终贷款人。央行的这一职能是白芝浩在 1825 年、1839 年、1847 年、1857 年和 1866 年的金融危机中总结得出，当时大贴现银行欧沃伦格尼也被迫倒闭。央行过去也曾救援过面临困境的银行，在“救市运作”中，如 1890 年对巴林银行的拯救行动中，英格兰银行利用它与政府的特殊关系，为这些重要商业银行的救援措施提供资助。1914 年 7 月到 8 月的危机进一步深化了央行的这种“最终贷款人”职能，在采取了一系列传统的紧急救援措施后（中止 1844 年法案、中止黄金兑换），英格兰银行又接收了由于汇票止付而造成的大量坏账。它挽救了因为外交危机而无法获得外国汇款的票据经纪行。新发行的 1 英镑纸币和 10 英镑纸币也注入基准货币之中，虽然 1914 年的情况较为特殊，但这也反映了英格兰银行作为中央银行角色的延伸，它从过去仅着眼于“比例调控”，开始放眼于整个金融体系，甚至是整个宏观经济的稳定。但在 20 世纪，经济学家们又逐渐认识到央行最终贷款人这一新角色所带来的“道德危机”问题。若政府认为某家银行过于重要而不能让它倒闭，那么这家银行便总能依赖政府渡过危机，这也养成它在运作中不再注意规避风险的恶习（20 世纪 30 年代，美国引入存款保险体制时也遇到同样的问题）。

这就是当时的英国模式：皮尔原则和白芝浩实用主义的结合体。但需要强调的是，中央银行职能的演变在不同国家存在相当大的差异。管理黄金储备的规则各国也不尽相同，并非所有的国家都能兑换金属硬币或金条。另外，一些国家在最初便赋予了央行除确保贵金属兑换之外其他更广阔的职能。根据 1875 年的法令，德国国家银行应“调控德国境内的货币供应量，促进收支平衡，确保可用资金得到充分利用”。美国联邦储备系统是应 1913 年 12 月的法案而成立，按规定，它应将其货币政策与“实际商业交易中产生的纸币、汇票”总量相联系，这是对1810年英国金银通货主义反对者提出的“实质票据”的呼应。

在某些方面，特别是纸币，一战及其余波有助于缩小各国央行之间的差异，对于所有参战国，战争又迫使央行与政府的关系退回到18世纪：政府赤字首先出现，而暂停黄金兑换不仅避免了流动性危机，而且也为猛涨的贸易赤字积聚了黄金储量。而与18世纪不同的是，欧洲各地的中央银行在与黄金脱钩的情况下努力进行汇率调控，它们对私人投资中的海外资产进行汇兑管制或征用，以此抵御本国货币相对美元发生贬值。然而，战后各国央行又重新寻求独立于政府，并坚称对金本位制的信守。1921年布鲁塞尔会议提出“所有货币发行行都应摆脱政治压力”，1922年热那亚会议再次为中央银行的独立和恢复黄金兑换吹响了号角，此后，奥地利（1922年）、匈牙利（1923年）、德国（1924年）、智利（1926年）、加拿大（1935年）和阿根廷（1936年）在货币改革中都采用了这种模式。

为何各国1918年后的货币经历如此不同？有些国家发生通货膨胀，而有些国家却出现通货紧缩。那是因为相似的表象下，各国央行的优先事项迥然各异。在德国的通货膨胀年间，德国国家银行行长鲁道夫·哈芬施泰因认为维持德国工业生产和就业是其首要目标。他不关心货币稳定问题，或许他认为马克贬值会让英美降低加诸在德国身上的赔款负担，又或许他崇信纳普的法律至上的“货币的国家理论”（凭普鲁士精神，只要国家说纸币能够维持其价值，那它就能维持其价值）。哈芬施泰因的继任者亚尔马·沙赫特虽然标榜自己崇尚金本位制和中央银行独立，但他也是一个把货币政策当成潜在外交工具的修正主义者，并最终与希特勒为伍。英国与之不同，它认为若要恢复伦敦作为世界金融中心的地位，就必须恢复并坚守战前的兑换率，这也成为蒙塔古·诺曼作为英格兰银行行长的使命。同时，法国和美国更注重国内现实情况而非游戏规则。两国均采取措施阻挡黄金流入，防止巨额的贸易顺差造成国内高通货膨胀。部分由于这个原因，部分由于英国恢复金本位制后英镑被高估，英国试图回归货币历史的想法最终遭遇到1931年全球金融危机，从那以后，各国陆续放弃了金本位制。

纽约的联邦储备银行在其行长本杰明 · 斯特朗去世后，发展出一套相当古怪的货币理论。它认为 20 世纪 20 年代货币扩张过度，于是把重点放在名义利率和银行借款上，但它接二连三地犯错：未能在华尔街崩溃时（1929 年 10 月）中止紧缩；阻挡黄金流入，甚至实行错误的货币紧缩政策；提高利率遏制黄金外流（1931 年 9 月和 1933 年 2 月）；1932 年在准备金比率两倍于最低法定要求时，仍中止了政府证券的公开市场交易。如果必须有一个机构为大萧条的恶化承担责任的话，那就是美国联邦储备银行了。

从不谨慎到独立

革命、萧条以及另一场世界大战将中央银行推向隶属于政府的地位。从 20 世纪 20 年代和 30 年代它们造成的混乱看，其大多数也命该如此。苏联是一个较为极端的例子，它的信贷制度完全集中在五年计划的框架内。而在沙赫特执掌下的德国国家银行对金融系统实行了一系列控制措施，当沙赫特警告重整军备将导致通货膨胀时，却被希特勒解雇，德国国家银行终于被希特勒收入羽翼之下。然而中央银行权力被侵蚀的情况同样也发生在民主国家：早在二战前，丹麦、新西兰和加拿大的中央银行即已经被国有化。而美国联邦储备系统也在新政下被划归财政部（尽管如此，它也未能制止 1936~1937 年的一场本可避免的衰退，当时它毫无必要地提高了法定准备金比率）。二战末期，英格兰银行显然已成为财政部印制货币的臂膀，最终也顺理成章地实现了国有化。如今多数中央银行仍都是国有银行。

国有化的理由是中央银行的私有制与其宏观经济职责存在矛盾，这意味着在实践中需维持低利率，并在财政政策上遵照凯恩斯主义以求达到理想的需求水平。拉德克利夫委员会报告（1959 年）中指出："不能把货币政策……看成是一种追求其自身目标的经济策略，它是国家整体经济政策的一部分，它必须依照这一原则进行经济规划。"在实践中，央行必须在主导货币政策的布雷顿森林体系下着力保持与美元的固定比价，该情况在英国尤为突出。英格兰银行不再依赖调节贴现率这一手段，它有更大范围的信贷控制需要管理。相继上任的央行行长们通过各种调控手段的反反复复，力求在不削弱英镑的前提下保证充分就业。相反，美联储仍保留相当大的自由度，它能通过实行经济紧缩来降低通货膨胀（逆风操作）。它在1947~1979年，如此操作了6次，并取得了重大而持久的成效。平均而言，实行反通货膨胀政策会导致工业生产降低12%，而失业率将提高2%。1951~1970年的美联储主席威廉 · 麦克切斯尼 · 马丁曾把它比作“在聚会兴头正酣时撤走了潘趣酒杯”。

有两件事暴露了中央银行的无能将引起通货膨胀危险。一是越南战争以及“伟大社会”福利，它推高了美国赤字（虽然没有通常所说的那么高）；二是1973年犹太人赎罪日战争和1979年伊朗战争引发的石油危机。而欧洲国家拒绝调整本币对美元的比价，导致布雷顿森林体系瓦解，如此一来也解除了货币扩张的外部约束。在“政治商业周期”理论学者看来，除非通货膨胀与就业之间的成辅关系被打破，或者“失业的非加速通货膨胀率”上升，否则此时没有什么可以阻挡政客们通过操纵货币政策来保证选举。

20世纪70年代的高通货膨胀在多大程度上直接导致了经济低增长仍存有争议。由于通货膨胀促使人们倾向于消费而不是储蓄，故而有些经济学家认为将通货膨胀率降至零才有利于经济发展。也有经济学家认为失业率若低于“失业的非加速通货膨胀率”，那通货膨胀产生的影响则较为轻微。即便认为“只有当通货膨胀率达到40%以上才会对经济造成危害，而8%的通货膨胀率有助于经济增长”这一观点正确，对通货膨胀加速仍存在其他显而易见的约束因素，比如借此进行收入和财富的再分配的合法性会被质疑。

应对滞胀危机有三种明智的处理方法。其一，中央银行应将稳定价格作为它的首要目标（如果不是唯一目标）。其二，他们应以提高货币供应量为目标。其三，他们应独立于政府。

游戏规则变化之快，以20世纪70年代为最。当时各中央银行都试验了多种货币目标（如英国的 “流通现金+非交易用存款”以及“流通现金+非交易用存款+其他货币型短期资产”；美国的非贷款储备）。由于经济理论家们不同意银行依赖旧的利率手段（他们想通过控制基础货币来控制货币流通额），所以“货币主义”从一开始便是一场妥协的革命。任何放松金融体制管制的新政策，都带来了不利的影响，它产生的结果恰恰与预先设定的货币流通额目标背道而驰（英国尤为突出）。欧洲政客们刚放弃固定汇率体制，便立刻开始为自己设计新的金融体制。到 20 世纪 80 年代中期，英美两国也认识到不能简单地将汇率制定留给他们自己反复无常的体制。货币主义最终成为更为广阔的政体变革的一部分，这次变革是以玛格丽特 · 撒切尔、罗纳德 · 里根，以及德国赫尔穆特 · 科尔当政为政治标志。1979~1982 年，随着名义利率的急剧上升，它所造成的货币冲击打破了螺旋式上升的通货膨胀预期。

这一成功多少弥补了理论上的失败：央行在幕后已悄悄放弃“游戏规则”，转而使用“任意决定权”开始斟酌行事，这也意味着要考虑多重规则，而这些规则本身并不完全明晰，相互之间也并不完全一致。这些规则之间的矛盾与冲突给英国造成巨大痛苦。奈杰尔 · 劳森放弃货币目标，转而跟随德国马克，最终在德国统一、德国利率因此上涨之际，加入了欧洲汇率机制。在英镑不光彩地退出欧洲汇率机制后，英格兰银行效仿新西兰银行，既不以货币为目标也不以汇率为目标，而是将通货膨胀本身作为目标。在 20 世纪 90 年代，这种方法被 50 多家中央银行采用，但美联储并未照做，它依然将“充分就业”和“稳定价格”作为双重法定目标，进行公开市场运作，并参考多种变量采取混合折中的做法。

20 世纪 90 年代有时也被看做是“中央银行家时代”。由于新国家纷纷独立，中央银行的数量也达到前所未有的规模：1900 年只有 18 家，1950 年为 59 家，1990 年增长到 161 家，1999 年为 172 家。联合国中 90%以上的成员国都拥有自己的中央银行。这些精英机构被赋予巨大职权。在欧洲经济和货币联盟成立之前，德国中央银行被认为是“统领欧洲的银行”。美国的保罗 · 沃尔克和艾伦 · 格林斯潘，两人先后成功地提升了联邦储备委员会主席一职的权力与声望，格林斯潘更是被认为在经济上比美国总统更具权势。在中央银行独立的国家，通货膨胀明显较低，因此许多理论学家、银行家和政治家认为经济职权的独立是稳定价格的关键（如果不是更高经济增长的关键）。这一观点在经济政策的历史中曾多次出现，放在今天也不过是新瓶装旧酒。20 世纪 30 年代，英格兰银行的货币专家奥托 · 尼迈耶（他从剑桥起便是凯恩斯的主要对手）在 1931 年呈送给新西兰众议院的报告中，就详细地陈述了这一原则：

> 中央银行必须摆脱政治干涉，也不能受此威胁。如果这点无法保证，它的存在则会弊大于利。因为中央银行必须服务于社会，如果它受到政治压力或其他非经济因素的辖制，它便无法行使技术复杂的职能，同时也无法与世界其他中央银行建立联系。

这一观点的再次提出大大提高了各国中央银行的自主权。新的工党政府在1997年执政不到一周的时间，便出人意料地许诺英格兰银行可进行“独立运作”，这意味着它可以自由设定利率，以达到公开宣布的通货膨胀的目标。而在写作本书之时，美联储主席的威望已如日中天，他甚至不必发表明确的目标，只需偶尔说几句神谕般的预言即可。

从独立到枝节问题?

然而，凌驾于中央银行之上的最终执法权和立法权从未消失，即使是最独立的中央银行，在国家危急的情况下，也会最终屈从于政府的意愿，这并不一定发生在战争状态下。1990年，德国总理科尔在统一德国货币的问题上否决了行长卡尔·奥托·波尔的决定，这也让德国国家银行意识到自身的尴尬处境。当政府倾向于更低的通货膨胀率时，中央银行便能获得更大的自主权，这一观点存有异议。没有任何证据表明，独立的央行相比不独立的央行能以更低的代价取得更低的通货膨胀率，这些代价包括牺牲经济增长率和就业率。

更为重要的是，自20世纪80年代起，金融市场迅速扩大并取得显著发展，这也严重削弱了中央银行对私营部门信贷所起的杠杆作用。正如本杰明·弗里德曼指出的，银行和其他金融机构在联邦储备系统内的准备金总量不足500亿美元，这仅占美国国内生产总值的绝少部分（0.5%）。相比之下，美国财政部发行的证券却高达3.7万亿美元，若加上政府入资的或特许机构发行的债券，总额可达7.1万亿美元，若将私营部门的债券也包括在内，美国债券市场总额可达13.6亿万美元，而产权投资市场则更为庞大。诚然，中央银行仍是其他银行准备金的唯一供应者（或提取者），因此它相对微小的政策变化在理论上也会影响整个金融系统。但支付系统的创新，如电子货币以及智能卡，将降低传统的银行准备金和中央化的国家清算体系的必要性。

非银行机构，即没有存款准备金要求的机构，它们信贷活动的发展壮大也降低了存款准备金的重要性。养老基金、保险公司以及共同基金，它们无须存纳准备金，而它们在美国信贷市场的份额已有稳步增长。1950 年，商业银行占据美国信贷市场半壁江山，但到 1998 年，它的份额已降至不足 1/4。这也反映出数据处理和信息技术的进步在很大程度上减轻了信息不对称的情况，而信息不对称也是传统商业银行的立身之本。同时，“证券化”的发展也弱化了中央银行准备金系统和信贷系统之间的联系。所谓“证券化”是指，传统形式的银行贷款可以打包成一个综合投资组合，出售给非银行投资人。出于这些原因，弗里德曼把（近期）未来的中央银行描述成“只有信号兵的军队”。而中央银行依靠调节短期利率来稳定物价的做法，在任何情况下都必须基于对未来至少两年的价格膨胀的预测，一旦预测错误，它所发出的信号也将是误导性的。

但也有人认为，只要人们更青睐于具有匿名性的现金，而非可追查往来情况的电子货币，只要人们在处理资产时还需要银行帮助他们辨别良性的和恶性的信贷风险，只要政府仍试图控制短期利率而不惜拿纳税人的钱冒险的话，那么中央银行还将继续存在。但另一方面，长期以来，也有人认为中央银行可以取消。事实上“自由银行制度”在过去也曾尝试过，比如 19 世纪的美国，但它是否不起作用还很难讲。的确，联邦储备系统是在 1907 年金融危机之后成立的，当时认为最后贷款人的作用有助于美国金融系统的稳定。但是我们也看到，1929 年后，对经济造成严重危害的金融危机与联邦储备银行滥用职权不无关系，如果美国货币政策还未在联邦储备银行的掌控下，大萧条也不会发展到如此严重的地步，这一情况也不仅仅局限于美国。

若要对这一问题做进一步探讨，我们需要将注意力转移到我们始终避而未谈的一个概念上：利率。于是歌德的“浮士德”谢幕，莎士比亚的“夏洛克”即将登场。

第6章
论利息

> 我不相信本金，
> 可我相信利息。
>
> ——詹姆斯·拉塞尔·洛厄尔

在《威尼斯商人》中，我们不知道夏洛克在想出要用安东尼奥的一磅肉做抵押这个恶毒念头之前，乐意按多少利率借给巴萨尼奥为期3个月的3 000达克特金币，可靠的猜测是10%。

16世纪，意大利各商业中心的利率均有大幅下降。在16世纪的前25年，威尼斯城邦的强制性贷款利率为6.75%~9.62%。到16世纪末，莎士比亚创作剧本时（根据可靠数据），热那亚的利率仅为1.88%~4.38%，但这也只是圣乔治银行公布的股息贴现率，该银行是一家商誉卓著的半公有机构。巴萨尼奥向他的商人朋友安东尼奥借款，安东尼奥又从夏洛克那里借钱，并且安东尼奥自己相当有把握：在两个月内，也就是这份借据到期前一个月，我预计能赚回这笔借款价值的9倍。但夏洛克却十分怀疑：

> 但他生意路子仍让人不放心：他有一条做特里波利斯贸易的商船，还有一条做印度群岛贸易的商船，另外我还在市场交易所打听到他的第三艘商船在墨西哥，第四艘在英国，他还进行其他海外买卖。但船只不过是些木板组成的，水手也只是凡人。另外还有旱老鼠、水老鼠，山贼、

水匪，我是说海盗，航船还会遇上风浪和暗礁。

要求安东尼奥用一磅肉为这笔借款担保，实际上是要求他以性命做担保，这是夏洛克索取的额外风险酬金。他的这一点认识是对的，即放贷给安东尼奥的商船，与贷款给威尼斯国家或热那亚银行是截然不同的两回事。

收益率

本章将论述利率，并着重探讨国家向本国公民借债时的利率，而各时代中像安东尼奥这样的商人所支付的商业贷款利率我们将略去不述，但有一点必须了解：即早在16世纪，一个具备基本金融体制的国家所期望支付的利率与商业票据或商业债券的利率之间存有差异。探讨国家债券的利率相当有必要，因为它是决定国家债务成本的关键因素。

为照顾非专业读者，我们先作一些解释。投资者购买政府债券获得的收益率，实际上是长期利率，它很少与票面名义利率一致，这是由于债券通常以低于票面值的价格出售。因此，19世纪一张典型的利率为3%的永久债券，当以80%面值的价格购买该债券时，它的收益率则为3.75%。

但是，是什么决定着收益率呢？长期以来，经济学家感兴趣的是，名义利率似乎与通货膨胀呈正相关（“吉伯逊悖论”和“费雪效应”）。英国长期经验表明，是战争的特殊财政效应产生了这种结果。另外有数据显示，统一公债（英国主要的长期债券）的收益率和货币增长之间也存在着某种联系。然而，债务和国内生产总值之比与收益率之间存在明显联系，这一可能性已被排除。对1727~1997年英国长期数据分析表明，统一公债的收益率和主要财政政策指标（如债务和国民生产总值之比，以及赤字和国民生产总值之比）呈负相关或相关性很弱。在数据上，唯一与统一公债密切相关的财政指标只是偿债负担。即使把这一时期细分为若干阶段，分析结果也并无多大不同。还有一种可能是，促使18、19世纪英国利率上升的战争相关因素是开支的增长，而非债务的增长。但是开支增长和债务增长紧密相关，要将两者的效应区分开很难做到。而英国国债收益率的提高也可能是由于对债券拖欠溢价的预期以及对货币的黄金兑换率的预期出现了变化。

还有一种可能的解释是，那个时代的人们不知道还有债务和国内生产总值之比这一指标。虽然国民收入和财富并非不为人知，但当时人们对这个数据的估计不精确，而且也只是偶尔加以估算，没有按期进行常规性统计。但即使是对 1960~1999 年同类国家做类似的统计，分析债务和国内生产总值比率与长期债券收益率的两者的关系，结果在 7 个案例中有 5 个显示出两者是呈负相关而非正相关。尤其是在日本，伴随债务快速增长的是债券收益率的快速下跌。从 1990 年到 1999 年，日本政府债券总额从占国内生产总值的 61%增加到 108%，并预计在 2000 年达到 130%，而日本长期债券收益率从 1990 年 9 月的 8%下降到 1998 年 11 月不到 1%的最低点。造成债务负担与债券收益率之间缺少对应关系的原因在于，未偿清的债务与国民生产总值之比只是影响投资者决策的众多衡量标准之一，而在某些情况下它对投资者根本没有产生影响。在 20 世纪 90 年代的工业化国家中，相比上涨的债务和国内生产总值比例这一因素，投资者考虑更多的是对通货膨胀下跌的预期（在日本则是通货紧缩的预期）。

在经济理论中，债券的收益率等于“纯利率”或实际利率（等同于资本边际效益）加上一些不确定因素的溢价，这些不确定因素首先是借款人拖欠债务的风险，其次是贷款人对通货膨胀或通货紧缩的预期，一般来说，离偿还期越远，溢价金额便越高。在最简单的模型中，“债券利率……即为实际经济增长的预期与通货膨胀的预期之和。”现实中，债券收益率也受到市场流动性的影响，另外还要考虑是否有可替代的投资产品以及它们的吸引力，同时它也受到法律法规的约束（如养老基金和人寿保险公司按规定必须持有政府债券），还要考虑对这种“非劳动所得”收入的征税情况。但从根本上说，债券收益率主要反映的是经济增长的预期和通货膨胀的预期这两部分。对于利率，凯恩斯是这样阐述的：

> 利率……是一种衡量标准，用以衡量那些持币者放弃货币的流动控制权的不情愿程度……利率是一种代价，它以一定量的现金来平衡以现

金形式持有财富的欲望。

对未来通货膨胀以及拖欠债务的预期反映在“收益率曲线”中，这是一条以债券到期时间为横轴来勾画的债券收益率的曲线。举个简单的例子，当预期发生通货膨胀时，收益率曲线呈上扬趋势，这表明短期利率低于长期利率。当预期发生严重偏离时，比如出现了意料之外的债务拖欠，或出现意外的价格波动，曲线主要各值的分布将随之改变。而当通货膨胀率的预期值高于实际通货膨胀率时（如 20 世纪 80 年代），类似的问题也会出现。

债务管理中的核心关系为利率、通货膨胀率以及经济增长率之间的关系。当实际利率（即长期债券收益率减去通货膨胀率）高于实际经济增长率时，那么债务和国内生产总值比率将发生“内爆”。图 11 显示了英国自 1831 年后，实际经济增长率与实际利率之间的差异（此处的实际利率为该年份的统一公债收益率减去前 5 年的平均通货膨胀率得出）。显然，实际利率持续高于经济增长率的情况较少。最为不利的时期发生在 1920~1932 年，在此期间英国债务负担迅速上涨（与之相对的是 1921~1929 年的法国，它的平均实际利率为 –2.8%，而它平均每年的实际经济增长率为 6.25%）。而在 20 世纪 50~70 年代，英国经济增长率高于实际利率，相应的债务负担也随之下降。

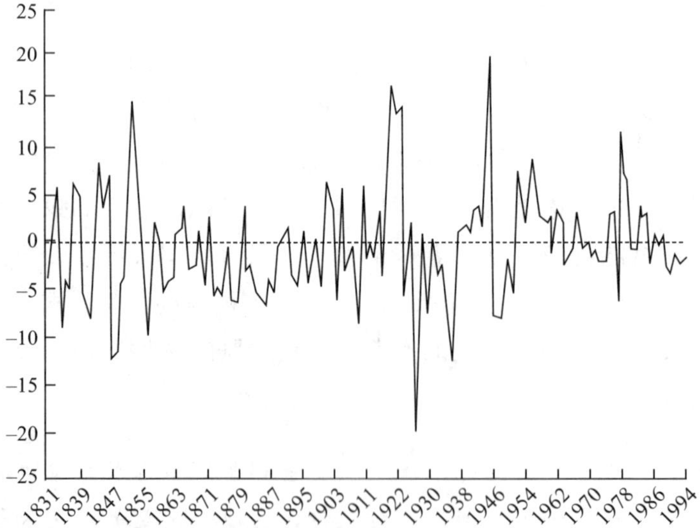

图 11　英国实际经济增长率减去实际利率之差（1831~1997 年）

高债务也可能会提高实际利率，这也是导致债务存在潜在爆炸危险的一个复杂因素。例如，1970~1987 年，世界各主要工业化经济体的债务和国内生产总值比率的上升与实际利率的上升呈明显的正相关。同时伴随着公共部门投资的下降，偿债负担也有所加重。最近一些研究认为公债与实际利率之间存在普遍的相关性，但这一观点并未被广泛接受。

为了说明债务、通货膨胀和经济增长之间的相互作用，表 5 将影响英国国债的三个关键因素分开列示，这三个因素分别为新债发行（或债务偿付）、通货膨胀（或通货紧缩）、经济增长（或经济衰退）。从中可以发现英国债务的发展具有明显的阶段性。1822~1914 年，英国在这段期间内几乎没有通过通货膨胀来抵消债务，而是对债务进行了偿付，以此在绝对值上削减了 1/4 的债务，此外多年来的经济增长将债务负担降低了 90%。1915~1923 年，在此期间英国名义债务增至 7 倍，而通货膨胀并未抵消多少债务，经济增长对债务负担的减轻更是微乎其微。1924~1941 年，英国名义债务和实际债务均未有变化，但得益于经济增长，债务的相对值降低了 31%。1941~1946 年，英国债务涨至 2.4 倍，经济增长减轻了部分债务，但通货膨胀对此几乎毫无影响。而在 1947~1975 年，名义债务虽有 79%的增长，但通货膨胀以及经济增长对此完全抵消，最终实际债务下跌了 61%，而相对于国民生产总值的债务负担下降了 82%。1976~1997 年，名义债务涨至 7 倍，但通货膨胀将其降到不足 2 倍，而经济增长进一步将债务增长率削减为 20%。美国债务也可用此法分析，所得趋势也大体相仿，只是高峰期和低谷期不尽相同。比如，1969~1997 年，美国联邦的名义债务涨至 13 倍，而实际债务仅为 3.5 倍，相对于国民生产总值的债务负担仅为 1.6 倍。这些数据表明，价格上涨和经济增长对名义债务的抵消作用相当之大。

表 5　英国国债在各个期间内的增减（1822~1997 年）

	倍数			百分比变化（%）		
	名义值	实际值	占 GNP 比例（%）	名义值	实际值	占 GNP 比例
1822~1914	0.7	0.8	0.1	–26	–24	–90
1915~1923	7.0	5.0	4.9	598	396	388

（续）

	倍数			百分比变化（%）		
	名义值	实际值	占GNP比例（%）	名义值	实际值	占GNP比例
1924~1940	1.0	1.0	0.7	3	–1	–31
1941~1946	2.4	2.3	1.9	138	133	94
1947~1975	1.8	0.4	0.2	79	–61	–82
1976~1997	7.4	1.9	1.2	642	88	23

20世纪，政府通过通货膨胀轻易地降低了债务负担，这让人误以为这种阶段性“大赦”是现代政治经济的惯常特征。但是这种通货膨胀税只有在特定情形下才能有效地降低债务负担。当债务机构中短期债券比例加重时，贷出者可能会要求提高利率，以应对通货膨胀预期或已发生的通货膨胀。即使政府主要依赖于长期债券，通货膨胀也会促使贷出者要求提高利率，加重新债务的还款负担。此外，当政府处于高债务时，通货膨胀虽容易实现但却难以结束：中央银行若想通过提高短期利率来抑制通货膨胀，往往会因为政府的高赤字而失败。这是由于中央银行利率的提高以及对低通货膨胀的预期，会提高政府债务的实际利率，增加偿债成本，扩大预算赤字，损害银行政策的信用度。利率的提高同样也会对经济增长产生负面作用，从而降低货币铸造税，降低收入，增加开支。

显然，反通货膨胀政策成功与否，很大程度上取决于人们对通货膨胀预期的性质。假如人们的预期是“适应性的”，即工人和公司将其预期建立在通货膨胀当前与以往的平均值上，他们对货币政策改变的反应是渐进式的，那么一个反通货膨胀政策将不可避免地会对生产和就业产生消极影响。反之，如果人们的预期是“理性的”，即人们能够迅速从政策变化中看出未来低通货膨胀的形势，并且只要政策的改变是“坚决的、被广泛理解并接受的、不会出现反复的”，那么通货膨胀便能以较低的成本得到控制。

由于“通过通货抵消债务负担”实际效果的“不确定性”，一些经济学家认为“整体而言，名义债务似乎是一个糟糕的想法”，并认为与指数挂钩的债券（如抗通货膨胀债券）才是明智的选择。但20世纪90年代人们对通货膨胀的恐慌有所下降后，这一观点也并未得到广泛采纳。而许多国家在债务结构中加重了短期债务的比例，这也有效地排除了通过通货膨胀来抵消债务的可能性。表 6 数据显示，虽然短期债务在奥地利、德国和荷兰的债务中占比较小，但它在意大利、法国和西班牙的占比却超过了 1/3。1997 年的英国，1/4 的债券期限为 5 年，1/5 的债券期限为 15 年以上。而在美国，1/3 的联邦债券的期限小于 1 年，72%（近 3/4）的债券期限在 5 年之内。

表 6　欧洲国债结构（1993 年前后）

国家	短期国债占内债比重（%）
奥地利	0.4
比利时	21.1
芬兰	27.9
法国	42.4
德国	3.9
意大利	39.4
荷兰	4.9
西班牙	52.7
挪威	35.4
瑞典	15.3
英国	29.6

这种短期债券的高占比与 19 世纪形成鲜明对比，它也有效地预防了政府通过通货膨胀来抵消债务。它使得政府的债务成本对利率的波动更为敏感。当 20 世纪 90 年代利率下降时，它减少了政府的偿债支出：据估计，英国 1999 年长期债券的偿债支出高出短期债券偿债支出 30 亿英镑。但若利率上升，短期债务将增加政府的偿债支出。

预期：过去和现在

无论预期是适应性的还是理性的，它在很大程度上都是以历史数据为依据的。的确，金融市场在某种意义上是松散而缺乏效率的，“过去的价格并不能为未来价格的波动提供任何有用的信息”，某些经济学家将价格波动称为“随机漫步”。但是，无论是最精密复杂的经济模型，还是小投资者所依赖的较为粗略的模型，它们都要对过去的数据进行分析。前文所述的通货膨胀和拖欠债务的重要性便在于此。

从投资者角度看，他们之所以担心国家会拖欠债款或让货币贬值的一个重要原因，就是这种情况以前发生过。这也说明了为什么拖欠债务和货币贬值在降低政府债务负担方面给国家带来短期利益的同时，也让国家付出了名誉扫地的长期代价，它导致了未来借款成本的提高。这也是理解为什么某些国家的债务水平总高于其他国家的关键所在。

现代早期数据表明国家过去的不当行为与现今利率的高低有着直接联系。显然，信誉良好的城邦国家的借款利率低于拖欠成性的君主制国家。14 世纪下半叶，热那亚的公债收益率在 5% 到 12% 之间浮动，同样，佛罗伦萨 15 世纪的公债收益率在 5% 到 15% 之间。相反，1520~1530 年，安特卫普的哈布斯堡王室的公债收益率高达 20%（虽然它在 1550 年降至 10%）。哈布斯堡王朝 16 世纪的屡次债务拖欠导致它的信誉不断下降，它的短期债券利率也因此持续上升：它从 16 世纪 20 年代的 18% 涨至 16 世纪 50 年代的 49%。

荷兰的公共财政系统在降低借款利率方面成为表率。荷兰公债收益率从 16 世纪 80 年代的 8% 降至 17 世纪 30 年代的 5%，并在 17 世纪 70 年代达到 3%，18 世纪 40 年代降至 2.5%，虽然在此期间荷兰联合省的公债规模不断扩大。这也表明公债的绝对金额与它的利率之间没有必然的联系。16 世纪的大部分时期，瑞士各州的公债金额与其利率的关系也同样如此。

相反，法国 18、19 世纪的投资收益率充分反映了公共财政的不可靠给投资者信心带来的影响。法国旧政权每隔数十年就会发生债务拖欠，这种恶习不仅限制了法国政府借款的绝对金额，也导致法国的借款成本高于荷兰和英国。法国债务结构复杂，不同类型的债务也产生了不同的利率。法国的年金债券被认为是像土地一样的不动产，难以易手。作为 1789 年法国债务占比最大的终身年金债券，一旦确定了年限，便难以再行买卖。最能与英国进行比照的法国公债，应当是西印度公司在 1745 年发售的 10 月债券，虽然它仅能代表一小部分的法国公债，但它清晰地反映了英法两国财政的不同。1745~1780 年，英法两国政府债券收益率的差异在 100 个基点到 200 个基点之间浮动（或 1%~2%）。如图 12 所示，两国收益率的差异在 18 世纪 70 年代最为明显，当时法国 10 月债券的收益率高于 10%，而英国统一债券的收益率仅为 3.5%。而法国其他国债的收益率更高。诚然，1745~1780 年，英法两国国债收益率差异缩小到 100 个基点以内，甚至在 1785 年 5 月两国的差异消失，但是从 1754~1789 年的平均数据看，法国的借债成本远远高于英吉利海峡对面的对手：差异约为 244 个基点，即近 2.5%。

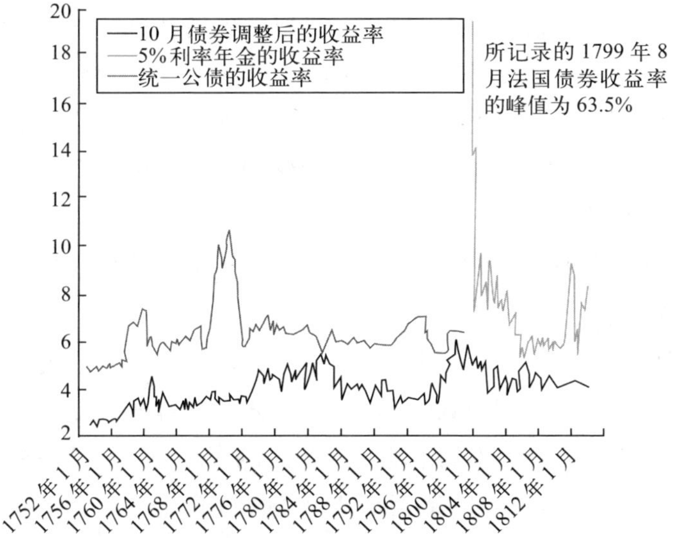

图 12　英国和法国的国债利率（1753~1815 年）

当债务极有可能发生拖欠时，这种国债收益率差异便显现出来：它也被称之为“预先拒绝”。但当 1759~1770 年发生了拖欠之后，国债收益率也出现跳升，这说明市场反应有一定的滞后性。此外在这段时期中，法国新借款的利率也通常高于 10 月债券。1760 年 5 月发售的 10 年期债券的收益率为 9.66%，而此时 10 月债券的收益率为 6.87%，1771 年年金债券作为最普遍的国债形式，其收益率为 11%。而英国在此期间无论新债还是旧债，利率均低于法国。由于两国货币从 1726 年到 18 世纪 90 年代均与指定金属挂钩（英国为金本位制，法国为复本位制），两国差异反映出法国的拖欠风险较高（英国市场的流动性无疑也是造成差异的部分原因）。正如毕晓普 · 伯克利所说，“相比法国，英国在信誉方面占据着绝对优势”。1771 年法国的国债利率飙升之时，艾萨克 · 平托说道：“并非信贷毁掉了法国财政，而是它的失信于民最终酿成了苦果。”

18 世纪英法两国的关键性差异并非在于经济资源差异（法国拥有更丰富的经济资源），而在于体制差异。在英国，以货物税税收署为代表的征税体制更具优势，光荣革命之后，英国实行代议制政府，它不仅促使预算更为透明，更重要的是，由于国债投资人是国会中最具代表性的利益集团，从而降低了国债债务拖欠的可能性。英国国债具备雄厚的融资基础（长期债券）和透明的操作管理（尤其是统一公债出现之后）。而英格兰银行（法国却没有类似机构）确保了货币与黄金之间的可兑换性，由此即便不能消除，也能降低政府利用通货膨胀抵消债务的风险。正是这种体制使得英国在支付债务利息上远低于法国，因此相比法国，英国的国债/国内生产总值比例可得以维持在较高的水平。在英法两国的全球竞争中，如果要为英国的最终取胜寻找一个财政上的原因，便在于此。

财政体制是否有效，有赖于它的可信度，这点也非常重要。在这种情形下，每当斯图尔特王朝复辟的机会出现（比如 1745 年詹姆斯二世的追随者起义），都伴随着政府债券利率的上涨。对当时的人来说，光荣革命产生的政权是否能够持久，汉诺威王朝的嫡系后代是否能在詹姆斯二世被废黜了 300 多年后仍能统治英国，都是没有保证的。即使在 1745 年卡洛登血战之后，也不能完全消除国外的法国人和国内的苏格兰人联合复辟斯图尔特王朝的可能性，但是与法国投资者面临的政府拖欠风险比起来，这种政权变更的风险要小得多。

但是 1789 年的政治危机却并未给法国的国债收益率带来多少影响，这点初看时颇让人惊讶。虽然 1782 年和 1784 年发行的新债利率升至 11%，但这发生在政治危机的前一年，即 1788 年。在 1789 年到 1790 年间，国债利率徘徊在 9% 上下，但到 1791 年上半年，它跌至 5%~6%。如图 12 所示，10 月债券在革命最初阶段受到的影响更小，它的利率在此期间从未超过 8%，远低于它在 1771 年的峰值。这表明市场起初是欢迎宪政的，因为显然选择另一种政权将带来更大的债务拖欠。但随着 18 世纪 90 年代时局的发展，战争的创伤、恐慌以及债务拖欠使得法国的国债利率从 6%左右飙升到 60%以上。法国大革命只得靠印制货币来融资，18 世纪 90 年代的大部分时期中，政府已无法通过长期借款筹得资金。

法国的国家信用从这些打击中恢复得相当缓慢。在拿破仑的统治下，法国国债利率从 1802 年 12.5%左右的高峰下降到 1807 年后期的不到 6%，并在 1812 年冬之前，即在俄国失利给拿破仑的野心致命一击之前，它的利率基本都维持在 6%左右。1813 年 10 月莱比锡发生了决定性逆转，法国国债利率一下跃至 10%，而 1815 年 3 月拿破仑从厄尔巴返回的消息以及滑铁卢战争的失利和百日王朝的垮台则再次中断了国债利率的恢复。拿破仑的失败和强加于法国的巨额赔款，迫使其后法国国债利率高居不下：1816~1817 年，它维持在 8%~9%。但随着联军的撤离，以及复辟的波旁王朝与滑铁卢战争胜利者关系的正常化，法国国债利率也稳步下降，它在 1825 年降至 5%以下，这也是自 1753 年后第一次降至 5%以下。法国的财政体制逐步向英国靠拢：革命政权和帝国政权改革了税收体制；下院在 1830 年后变得更具代表性；利率为 5%和 3%永久年金债券的发行成为公债的基础，波拿巴的另一项遗产，法兰西银行管理着硬币通货。但不时发生的革命运动，如 1830 年、1848 年、1870~1871 年的革命，不断地唤醒着投资者对 18 世纪 90 年代的记忆。直到 1901 年法国的国债利率才第一次低于英国。

由于过去的债务拖欠和货币贬值，导致之后的国债高利率的案例远不只法国一个。为提供一个长期视角，图 13 展示了自 1700 年后各国国债收益率的情况。从中可以看出另一个由于拖欠造成国债持续高风险溢价的明显实例发生在 20 世纪 20 年代到 50 年代。正如法国 1790 年的经历，德国 1919~1923 年的极度通货膨胀给投资者留下的创伤在其后几年的债券收益率上清晰可见。而 1923 年后德国债券的高利率对经济产生了更为深远的影响。比如，正是由于 20 世纪 20 年代后期德国债券市场的紧缩，中断了地方政府在住房上的投资，这也是萧条期来临的前兆。此外，由于唯恐赤字财政会再次引发民众对第二次大规模通货膨胀的恐慌，在解决德国经济萧条问题上，凯恩斯主义方法被排除在外。只有通过伪冶金研究所秘密发行政府短期债券，

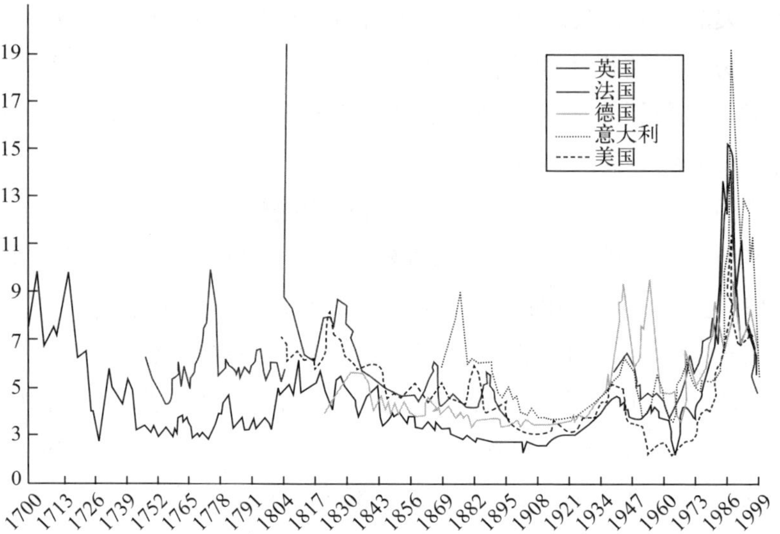

注：英国：统一公债（收益率经调整）。法国：1797~1824 年为 5% 利息的年金，1825~1949 年为 3% 利息的年金，1950~1959 年为 5% 利息的年金。德国：1869 之前为普鲁士 4% 利息的债券、3.5% 利息的债券，1870~1908 年为德意志 3% 利息的债券，1909~1926 年为高等级公司债券，1927~1944 年为政府借款，1948~1953 年为高等级公司债券，1956~1959 年为政府借款。意大利：1924~1949 年为 3.5% 利息的债券，1950~1969 年为 5% 利息的债券。除英国外的其他所有国家：1960~1999 年为长期债券（符合经济合作与发展组织的标准）。

图 13　自 1700 年起的主要公债利率（年平均值）

沙赫特才能为纳粹初期的军备重整融资。意大利 1926~1934 年的“强制性债券转换”实际上也是一种拖欠，它同样提高了法西斯政权后的债务成本，并催生了一些非法机制，比如从米兰、罗马等地秘密筹款。而法国在 20 世纪 20 年代经历高通货膨胀而非极度通货膨胀，这似乎是理想的战后策略，但它导致的后果是法国在 20 世纪 30 年代严格遵守金本位主义，而那时的英国却从货币贬值中获利。

没错，突发事件

然而政府过去的行为并非造成利率差异的唯一因素。债券投资者不仅对过去的政策感兴趣，同时也关心能够预示政府未来财政政策和货币政策的当前指标。这便让经济理论面临一个尴尬的问题：投资者在预测未来政策时，并不纯粹依赖于经济数据，他们同样也关注政治事件。

为了在规模大、流动性强的英国国内公债市场的背景下更好地显示利率的变化，我计算了自 1754 年以来统一公债每年增减的百分比。这种衡量方法与计算基点绝对值增减的通用方法有所不同。使用百分比能够更好地衡量利率差异，比如利率从 2% 增长到 3% 与从 7% 增长到 8%，虽然同样是 100 个基点的增长，但从相对值而言，前者借款成本的上涨幅度却大于后者。通过这种方法，我们可以看出 20 世纪的债券利率比 18 世纪更为反复多变。1974 年英国国债收益率的上涨幅度达到顶峰，当年长期债券的年平均收益率上涨了 38%。仅次于 1974 年的是 1979 年，英格兰银行在这一年中止了黄金兑换，首相皮特于该年在“线轴街的老小姐”（英格兰银行的绰号）那里取得了政治胜利。而英国国债收益率在 1998 年经历了最大程度的跌幅，这在当年并未得到足够关注，在很大程度上，这也是市场对英格兰银行成功走向独立运作的回应。

若使用同样的方法对每月的数据进行计算，便可以看出政治因素对国债收益率的影响（见图 14）。较为突出的月份为 1792 年 11 月、1778 年 3 月、1803 年 3 月，在这些月份中，统一公债收益率的增幅都达到 14%以上。位居第四的是 1974 年 6 月，增幅达到近 13%。紧接其后的是 1814 年 3 月，增幅为 12%。这些剧烈的变动可能是由于货币因素造成：其中只有一个月份英国取消了金本位制。然而从另一方面看，这些利率的增长都恰巧契合了当时国际国内的政治危机。1792 年 11 月，法军在热马普击败了奥地利军队，并占领了奥属尼德兰（即现在的比利时）。19 日法兰西国民议会为推翻政府提供了援助。1778 年 3 月，债券价格的下跌是由于不久前美国与法国缔结了两个条约，促使英国对法宣战。1803 年 3 月，拿破仑吞并意大利领土、干预瑞士内政，引起伦敦方面极大关注，5 月，英法战争再次爆发。1814 年 3 月收益率的增长是个例外，当时拿破仑在拉昂和奥布河畔阿尔战败，3 月 12 日布格涅失守，3 月 31 日巴黎沦陷。而 1974 年 6 月收益率 13%的增幅却是由于刚执政的工党政府在政治上接二连三受挫：5 月 28 日北爱尔兰的协议失败，6 月

17日威斯敏斯特议会大楼外发生炸弹爆炸。预示着阿尔斯特危机进一步的恶化。同时政府遭到国会多次弹劾，9月20日内阁再次解散，这距上次大选仅7个月而已。

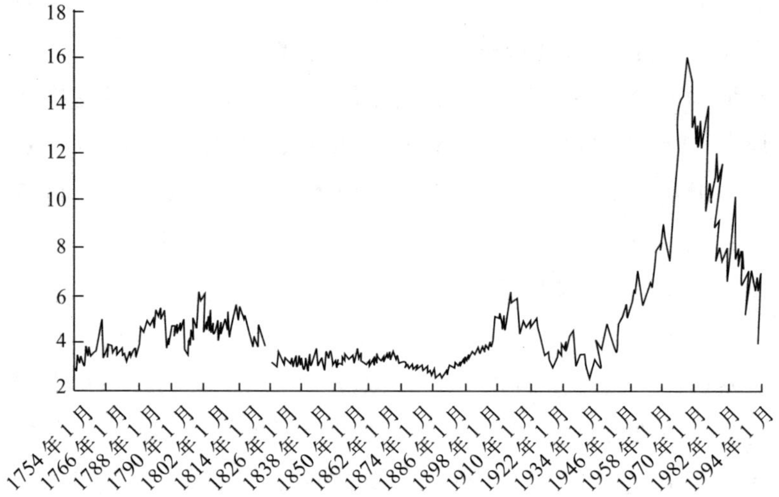

注：存在这样一种可能，当统一公债的收益率达到100%时，它就可能被赎回，这就影响了19世纪末收益率的准确统计，克罗夫兰德曾提出过这个问题。

图14　统一公债收益率（月末值，1754~1998年）

两次世界大战期间法国的经历更能反映出政治事件和债券市场之间的密切联系（见图15）。第三共和国时期，法国国债收益率的最大增幅发生在1925年8月，这初看时颇让人惊讶。当年6月，法国与德国签订了初步协议，确立了西欧边境，10月该协议在洛迦诺最终确定；7月13日，法军撤离莱茵，但其他地方却不那么平静。1925年5月摩洛哥发生反对西班牙和法国统治的暴动事件，法国政府派出贝当元帅率领的精锐部队，决心平息这场暴乱。这场战争一直持续到1926年5月。法国债券市场其他几次主要危机较为容易理解。在1933~1939年间发生了四次事件，促使债券收益率增幅达到8.5%~10%，它们分别发生在1933年3月、1935年3月、1937年4月以及1939年1月。潜藏在这几次增长背后的，是法德关系的恶化和一场大战即将爆发的可能性。1933年3月5日，纳粹党赢得压倒性大选胜利，巩固了它在德国的统治。11天后，德国新政府违反日内瓦裁军计划，它坚称褐衫军，即纳粹突击队，不属于德国军队的一部分。3 月 23 日的《授权法案》赋予希特勒独裁统治的权利。1935 年 3 月 1 日，德国收回萨尔州，希特勒撕毁《凡尔赛和约》，重新开始征募军队。1937 年 4 月，比利时退出洛迦诺条约。同月德国将格尔尼卡炸为平地。1939 年 1 月的事件与之前事件的不同之处在于它与意大利相关，而非德国（事实上，1938 年 12 月 6 日法德签署了互不侵犯对方边境的条约）。12 月 7 日意大利宣布废止与法国签订的有关科西嘉和突尼斯的条约，此事促使法国总统达拉第对上述两地进行访问。1 月 10 日，英国首相张伯伦与外交大臣哈利法克斯在罗马与墨索里尼的会谈破坏了达拉第的计划。

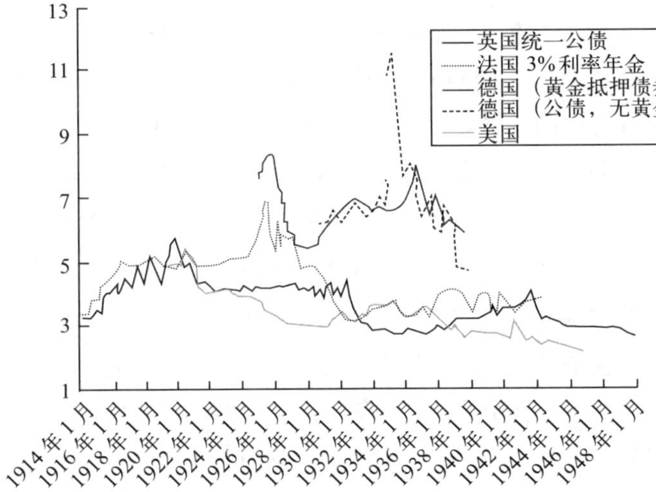

图 15　公债收益率月报（1914~1945 年）

我们若将此与同期德国债券市场的波动作个比照，则能得到更全面的理解，虽然德国 1923 年的极度通货膨胀、1931 年的银行危机以及 1935 年的法定最高利率导致部分数据不完整，但当市场机制基本能够正常运转时，政治事件的影响（在这个实例中主要是国内政治事件的影响）再次显现出来。公债收益率的两次最大增幅分别发生在 1932 年（8%）和 1934 年（9%）。前一次的增长恰逢德国总理巴本决定解散国会，重新进行大选，这个决定给纳粹党一个可乘之机，德国各大城市爆发了空前的政治暴乱。1934 年的主要政治事件是发生在 6 月 30 日的“长刀之夜”，当时 170 多名纳粹激进分子和政治嫌疑犯被杀害，其中包括纳粹突击队领导人厄恩斯特·罗姆和德国前总理施莱克尔。对于希特勒被任命为总理，债券市场呈现出摇摆不定的反应：1933年1月，债券收益率跌幅为6%，2月又有回升，3、4月再次下降之后5月增长了4%，该月发生了抵制犹太人事件。

至于纳粹统治的其他时期的投资者预期，需要在德国控制的经济之外进行查证。一项对在瑞士交易的德国债券价格波动进行考察的研究非常具有启发意义，该价格波动反映了投资者对第三帝国在二战中取胜并不看好。瑞士市场中的德国债券价格在1939年9月下跌了39%，而在3月德国入侵捷克斯洛伐克前夕，德国债券市价已下跌了17%。在战情发生逆转时，德国债券市价又出现进一步下滑，主要发生在珍珠港事件后美国宣布参战（下跌了5%），以及1942年11月苏联斯大林格勒保卫战（下跌了7%）。当轴心国在雅尔塔会议上无条件投降后，德国债券价格飞速下跌（下跌了34%）。

对1919年后美国债券收益率也可以进行同样的分析。美国长期债券收益率最大的5次增幅均发生在1979年到1984年之间（见图16）。当然，债券市场会跟随联邦储备银行短期利率的增长而增长，1979年10月正是这种情况。当时保罗·沃尔克推出控制非借款准备金的新政策，并将利率提高到12%。同月长期债券收益率随之上升了9%或76个基点。而在1980年2月，债券收益率的增幅是上一次的两倍（上升了18%或152个基点），这是又一个对货币紧缩政策的反应呢，还是对苏联派兵阿富汗导致两个超级大国关系出现紧张的反应呢？苏联军队进入阿富汗发生在上一年的圣诞节，1月8日美国总统卡特谴责其为二战以来对世界和平的最大威胁。1月23日，即在喀布尔宣布军事管制后一天，卡特总统又进一步警告苏联，禁止它干涉波斯湾地区。政治事件与债券市场波动的契合再次发生在1982年1月。1981年12月29日，里根总统为报复波兰的军事管制，对苏联进行经济制裁，其时债券收益率上升了10%（85个基点）。1981年8月和1984年5月，债券收益率也有所上涨，两次均为8.7%。1981年8月，里根总统宣布进行中子弹的制造，10天后美国飞机击落两架利比亚战斗机。1984年5月24日，伊朗飞机袭击了沙特阿拉伯海岸的油轮，促使美国向沙特运送了“刺针”对空导弹。

论述到这里，我们不能再将政治事件和债券市场危机的同时发生看成是

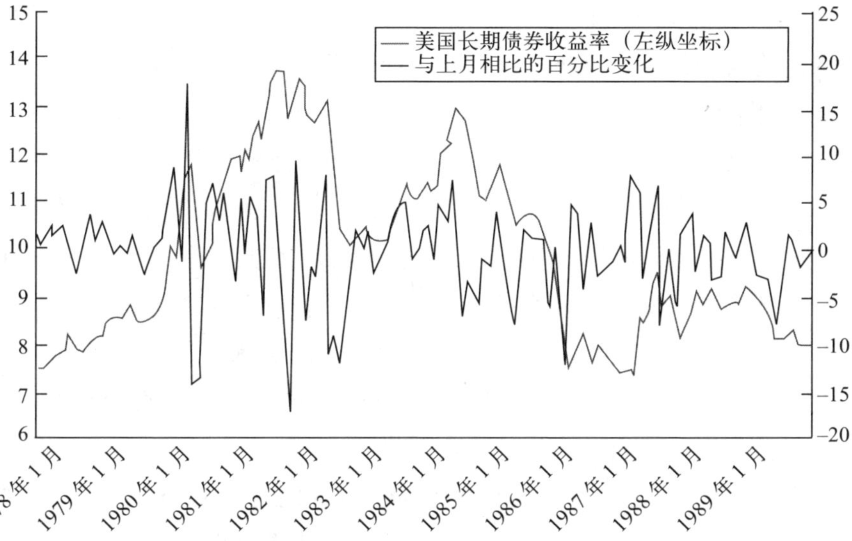

图16　美国长期债券收益率（1979~1989）

一种巧合，稍后我们会阐述两者之间的因果关系。现在我们将每周债券市场数据与当时的金融时评相比照，也能对政治事件和债券市场两者之间的因果关系有所认识。为此我计算了伦敦市场1845~1910年统一公债收益率的每周波动幅度，并参考了当时《经济学人》杂志的评析。这段期间的统一公债最为稳定，因为市场的流动性强、英国仍为金本位制、预算有盈余、没有债务拖欠风险，所以每周债券波动不大。尽管如此，它仍出现了若干次重大变动，而《经济学人》因统一公债对读者的重要性，也紧跟这些变动作了时评。

再一次，公债最大短期涨幅的发生日期明显对政治史学家比对经济学家更重要。1848年巴黎爆发法国大革命，紧随其后的是英国债券市场出现大幅震荡（2月22日大革命爆发，由于临近周末，无法立即影响英国当周的债券市场）。从大革命爆发之日起到3月3日，统一公债的收益率上涨了7.6%。这就像在19世纪30年代，英国投资者对革命不断的法国极为担忧，因为18世纪90年代的经历让他们担心会与革命不断的法国再次开战。3月31日，统一公债的收益率再次上涨2.4%，《经济学人》将它称为“预期战争爆发的产物”。公债收益率第二大涨幅和第三大涨幅的成因也是战争，它们分别发生在1854年3月31日那周（4.2%）和1859年4月29日那周（6%）。1854年

3 月 28 日，英国对俄罗斯发动战争。11 月 7 日，统一公债价格再次下跌，《经济学人》将其归结为“克里米亚的战况比预期更为严峻”。1859 年 4 月 29 日，奥地利在对卡武尔伯爵政府下达解除武装的最后通牒 10 天后，派兵穿过撒丁岛边境，正如《经济学人》的评论：“人们怀抱着和平的希望，直到最后一刻。”

如果这项分析持续到 7 年之后，那么统一公债收益率第二大涨幅的发生日期将是 1914 年 7 月 31 日这周，此周该收益率上升了 6.6%。若 1914 年 8 月 1 日债券市场仍然开放，那接下来一周的公债收益率的增幅将大于 1848 年的那次。《经济学人》称，德国发动对俄战争的那天（8 月 1 日），债券价格 5%的跌幅是史无前例的，买卖差价的历史平均值为 1/8 个百分点，而这天的买卖差价扩大到 1 个百分点，这十分罕见。

但我们怎能确定这不是政治危机与经济危机之间的巧合呢？表 7 给出了《经济学人》对统一公债市场重大变动所作的社论分析，为了能清楚地表示，我将该杂志给出的影响英国国债收益率的诸多因素分为 22 类，我采用了当时的分类方法，它与现代标准有几分类似。

表 7　影响统一公债价格波动的因素（1845~1900 年）

事件	数量	所占比例（%）
战争	237	15.7
国内政治	32	2.1
国外政治	134	8.9
政治	403	26.6
财政政策	43	2.8
债务转换	12	0.8
国债专员	34	2.2
英格兰银行	318	21.0
政策	407	26.9
货币市场	192	12.7
结算日	76	5.0
铁路	28	1.8
股市	5	0.3

（续）

事件	数量	所占比例（%）
工业	6	0.4
投机	51	3.4
投资	64	4.2
套期保值	9	0.6
破产	19	1.3
国内市场	450	29.7
国际收支	1	0.1
黄金	90	5.9
外国债券	65	4.3
汇兑市场	3	0.2
国外市场	45	3.0
国外市场	204	13.5
气候	48	3.2
农业	2	0.1
总计	1 514	100.0

当然，使用这些数据也需要谨慎。但是它们仍为我们提供了考察当时投资者想法的视角，帮助我们了解预期是如何形成的。《经济学人》将统一公债市场变动的很大一部分原因归结为外在经济因素：主要是战争的可能性，以及其他国际变化。根据这本杂志的计算，这些因素加起来占影响公债市场变动全部因素的 1/4 以上。财政政策和货币政策的影响力占比略高一些，其中英格兰银行的作用最为突出（有趣的是，《经济学人》经常将货币市场自发的短期利率变动和英格兰银行采取特别措施所引发的利率变动区分开）。当然，这张表囊括的影响因素相当广泛，其中甚至包括天气因素（主要由于它对农业的影响），但政治事件的影响力无疑是很大的。

对于经济决定论者来说，是经济变化影响了政治事件。但在金融市场上，政治事件也会产生经济后果。事实上，因果关系是双向的。当某个政治危机引发债券收益率上升 178 个基点（如 1974 年 6 月的英国），其经济后果不仅局限于债券市场，整体经济的利率结构都会为之改变。重要的是，即便不是实际债务成本，政府的名义债务成本也会上升，当财政赤字和债务利息占国内生产总值4%时，这种政治危机对经济的影响就显得严峻了。

当哈罗德·麦克米伦被问及政府面临的最大危险时，他回答道："突发事件，没错，就是突发事件。"这一名言适用于所有负债的人，安东尼奥在不幸的沉船事件后也发现了这点，但对于背负着巨额短期债务的政府来说，这句话尤为适用。

THE
CASH
NEXUS

第三部分

政治经济学

THE CASH NEXUS

第7章

永恒的债务和食税者：社会金融史

我们的政府正是用这种方式战胜法国的。首先，他们把以整个国家的收入作为抵押借得的6亿资金挥霍一空。他们再将1.5亿框定为死契，成为永久债务。接着他们开始掠走平民劳工阶层的炊具、铺盖和啤酒桶，将他们压榨成赤贫，将永久性的年利息支出限定在800万或900万，即债务本金为2亿。通过这些手段和设想，我们的政府认为即可长期压制着法国。目前看来，他们确信能够继续征收什一税以及英国其他林林总总的苛捐杂税。但他们却从未考虑过这些做法的后果……这些后果……即将来临……

——科贝特《骑马乡行记》

我们没必要再次强调马克思主义所认为的阶级分化是资本主义最重要的社会产物这一观点。埃米尔·佐拉在《小酒馆》（1877年）中生动地描绘了工人们如何在早上6点引领着社会大军从北站附近的夏贝大街出发。

你可以从他们的蓝色工装裤辨认出锁匠，从白色外套识别出泥瓦匠，从露底的长罩衫辨别出油漆工。从远处看，这群人无一例外是由褪色的蓝和肮脏的灰中和而成的毫无特征的泥灰色。时不时会有一个工人停下来点烟斗，而其他人则绕开他继续大步前行，他们从不微笑，也不交谈，只是面色苍白地向巴黎走去，这座城市将他们一个个吞噬……

然而到了 8 点，场景开始出现变化：

> 跟随在男工之后的是女工——磨光女工、裁缝、花匠，她们衣着单薄地聚集在一起，三五成群地沿着外大街噼啪作响地前进，她们一面闲聊一面发出咯咯的笑声，眼睛四处乱瞟……随后走来的是办公室职员，他们徐徐前行，边走边向手上呵气，嘴里嚼着廉价的面包；清瘦的年轻人穿着尺码过小的外套……而上了岁数的办公人员步履蹒跚，他们由于长期伏案工作，带着一脸的倦容，面色苍白，他们看看手表精确地校准着自己的速度。最后……当地的成功人士也信步加入阳光下的队伍。

而真正的有产阶级，比如出资建造了这雄伟北站的罗斯柴尔德家族，却不会出现在这样的队伍中。

佐拉的描写层次分明，从中可以看出工人阶级依据职业、性别、年龄的不同，也可分出若干等级，这些不同的阶层甚至可以从他们起床的时间分辨出来。然而马克思认为，这些差异与处于根本对立的广大无产阶级和少数有产阶级相比，显得微不足道。而工业化和城市化进程无疑扩大了这一鸿沟。1820 年，商人、实业家、物业业主以及食利者占据了巴黎 53%的财富。到 1911 年，这一比例达到 81%。其他地方也出现了相同的情况。1850~1880 年，英国实际经济增长约为 130%，但最新研究显示，实际平均收入仅增长了 25%。在同一时期，39 个人去世之后均留下高达 100 多万英镑的不动产，其中包括 18 名工业家、12 名银行家、4 名土地拥有者、2 名商人、2 名船主以及 1 名建筑商。他们的不动产价值总计为 5 700 万英镑，相当于国民生产总值的 2/5。

但是由于阶级的划分有着明显的用意和主观性，因此它也存在局限性。特别是当国家在发挥资源再分配的作用时，我们难以通过划分阶级进行分析，除非国家只被简单地看成（海因里希 · 海因曾开玩笑地说道）“资产阶级社会的监督委员会”。由于大量公债是在工业革命前夕涌现的，于是债券持有人和纳税人之间产生了利益冲突，而这两个群体之间的矛盾却很少像有产阶级和无产阶级的矛盾那么明显。

当然也可以运用阶级三分法来分析财政冲突，这一方法自李嘉图以来就受到经济学家们的青睐，并被马克思采纳，它把社会分为食利者、工厂主和工人。虽然这种方法在理论上相当便捷，但它对社会群体的划分和财政政策的划分却有些不现实。因为日益增长的国家债权人在类别上相互重叠，比如国债债券持有人也可以是养老金享有者。此外，公共债务也使得资源在上下代之间进行重新分配，正如我们在第 4 章中所论述的，政府今日的借款意味着在未来某日必须紧缩开支或增加税收。考虑到下一代目前没有投票权，他们因此在政治上只享有间接代议权（只有极少数具有超常远见的立法者才会考虑到他们的利益），因此目前的纳税人和国家福利接受者之间的关系逐渐成为 20 世纪政策制定者首要考虑的事项。人们现在愈发意识到上下代人之间利益冲突问题的重要性，这也许是未来公共财政的关键。

食利者的诞生

当君主依赖银行家们获得贷款时，如 18 世纪末之前许多德国城邦的做法，这些银行家们很容易遭受到君主赖账的风险，而这种赖账通常以反控告银行家有不法欺诈行为作为掩饰。比如 1451 年，金融家雅克 · 克尔因被控告非法挪用公款而被迫逃离法国。对王室债权人定期的“大清洗”，很快就以司法形式被体制化。即便到了 18 世纪，金融家们仍很容易成为这种做法的受害者，尤其是犹太裔银行家，约瑟夫 · 萨斯 · 奥本海默就是其中一例。奥本海默从担任符腾堡公爵的宫廷官员起家，后来成为枢密院官员，1773 年又成为驻法兰克福特使。但 4 年之后，他被判滥用政治职权，损害符腾堡家族地位而被处死。托马斯 · 卡莱尔在回顾罗斯柴尔德家族的鼎盛时期时，提到约翰国王的“铁钳”手段：“阁下，现在国家需要借用您靠金融业务积累的几百万资金，您不想借？很好！”国王转了转手腕——“现在您肯借了吗？”又转了转手腕，直到那几百万被拱手让出。

而当公债债权人发展成为人数众多的阶层时，他们在政治上对政府也构成威慑。早在文艺复兴时期，在意大利城邦复杂的公债体系下就产生了类似食利者群体。1323 年的热那亚，食利者们通过选举食利者保护人来保障他们在政治上稳定的代议权。1380年的佛罗伦萨约有5 000个公债债权人，其中云集了众多城邦首富。而在中世纪的英格兰，与这种阶层最为接近的是伦敦商会。亨利六世的倒台与伦敦商会决定停止向兰卡斯特王室提供财政支持不无关系。查理一世倒台的部分原因同样也在于缺少信贷融资。英国内战带给人们的“降临到贵族头上的风暴”的记忆尚未完全褪去，虽然历史学家试图从阶级角度来解释这场战争，但它更主要的原因是由于斯图亚特王朝未能赢得人数相对较少但真正具备潜力的债权人的信心。光荣革命使得公债债务人从国王转变成“受制于国会的国王”，债券持有人成为一批有影响力的国会说客，它降低了英国政府拖欠债务的风险，从而使英国政府能够以更低的债务成本筹得资金。

在旧体制下的法国，王室债务的债权人范围可能更为广泛：这个食利阶层包括贵族和资产阶级、主教和其他神职人员、政府官员和政府职员、商人和手工业者、男佣女仆。但是他们大部分人在体制上都没有政治“发言权”，这也解释了18世纪的法国债务拖欠为何如此频繁的原因。它或许也解释了为什么革命政权的国会不愿公开拖欠王室的长期债务，并把重心转向其他债务类型，比如官职的出售和税款包收人的短期贷款。内克尔曾试图通过将贴现银行改制成国家银行，从而将短期债务转变成类似于现代的长期债务，但在贵族阶级代表对“财阀”的恶意攻击下，这项计划破产了。屈斯蒂纳伯爵这样说道：“我无法理解有什么必要……起用一个御用银行家和几个财政代理人来完成偿付债款……以及提供融资的工作。”他们是“吸附在体制上的蚂蟥……吸取着人民用血汗创造的财富”。米拉博劝导人们：“让我们对资本感到恐惧吧，它嗜好寻找发国难财的机会。”这种对“寄生”金融的革命性批判源自于哲学家们的著作。孟德斯鸠和休谟对公债都持否定态度，他们认为公债扩充了懒散的食利者阶层。到法国大革命前夕，“反金融”成为巴黎革命者的宣传口号。

虽然与法国相比，1688年后的英国公债制度被普遍认为更具体制优势，但在拿破仑战争之后，这一体制造成的财富再分配方面的后果激发了“反金融”的呼声。在1830年出版的《骑马乡行记》中，威廉·科贝特描写了英国农业在拿破仑战争造成的债务重负下喘息的情景。科贝特藐视当时诸如理查德之流为政府的战时贷款辩护的经济学家，他将矛头指向国家债务所带来的社会和政治后果。他认为国家债务的政治目的是“破坏法国的自由体制，压制英国的改革”，但它在战后的主要影响表现在财富的再分配上，“国家债务，以及它所连带引发的税收和投机，都不可避免地将大量财富转移到少数人手中”。“债务，该死的债务，就像套在这个国家脖子上的重担”。资金就像“旋涡”，把穷人的钱卷入新财阀的腰包中。而政府如果决定恢复金本位，只会导致实际债务负担加重。科贝特敏锐地看到，战时和战后政府养老金规模的扩大是连接昔日贵族和今日财阀的纽带，正是这些构成预算沉重负担的养老金，调和了贵族阶层和日益壮大的债券持有人阶层之间的矛盾。随着地租的不断下跌，那些“笨头笨脑”的地主也意识到自身阶级的没落。科贝特认为，“土地和资金之间一定会引起一场斗争”，否则这个国家的土地将一块块落入“那些放贷者的手中……包括贷款交易商、股票经纪人、犹太人、食税者，他们的贷款维持着这怪物般的体制”。

和许多激进分子一样，科贝特认为选举改革而非革命才是良方。因为毕竟“所有的债务都是经议院通过的，是议院在立法上确立了沉重的债务负担，议院于 1797 年暂停黄金兑换，议院一致通过皮尔首相的提案（恢复金本位）。”若对下院进行改革，既可以削弱王室资助者的“旧腐败阶级”，又可以削弱债券持有人和养老金享有者构成的“新腐败阶级”（和卡莱尔一样），科贝特本质上也属于保守的浪漫主义者，他怀念随着伦敦“巨人”无情地向外扩张而日渐没落的东南乡村生活。从科贝特的分析中也可以看出早期社会主义思想的痕迹。他指出了国债、财富的集中以及工业生产的发展三者之间的因果关系。在《资本论》一书中，马克思也认同了科贝特的观点，他将英国国债的增长与“银行财阀、金融家、食利者、掮客、股票经纪人的突然涌现”联系起来，并认为这是工业资本主义诞生的前奏。一位革命性不及马克思的德国革命者海因也认同科贝特的看法，他认为“国债体制破坏了土地在经济上的支配地位，它加强了资产和收入的流动性，并将土地昔日的特权地位赋予金钱。”

尽管种族主义右翼在 1848 年后与社会主义者分道扬镳，但它也在科贝特的反犹太论调中找到了共同点。几乎所有德国反犹太运动的早期领导人都强烈谴责过证券市场的“资本掠夺性”，并呼吁德国人民把自己从犹太金融家族的“利息奴隶制”中解放出来。这在纳粹早期的宣传中同样也能听到。迪特里希·埃卡特 1919 年的《致所有劳动者》就是对罗斯柴尔德家族及其他金融巨头的抨击，从中也可以看到 19 世纪 80 年代反犹太论调的痕迹。

> （他们）只需看管好自己的财富，保证它们被妥善安置。他们从不劳动，至少从不从事我们所说的劳动。然而是谁为他们提供了巨额财富？……究竟是谁呢？是你们！不是别人，正是你们！没错，这些钱其实都是你们的，你们兢兢业业千辛万苦赚来的钱像磁铁一样被吸进了他们的保险箱。

虽然科贝特对犹太人的抨击对于现代读者来说过于激烈，而且我们也知道这种论调最终会导致怎样的结果，但是我们也应承认他在国债的社会再分配效应方面立论的合理性。19 世纪 20 年代的英国依靠累退性的消费税作为偿付债务的资金来源，如此一来，财富的确从占人口多数的低收入群体转移到了占人口少数的有产阶级群体手中。

食税阶级

确定公债债券持有人的人数不是件容易的事，但我们可以知道政府所发行的各类债券的账户数量。据最新统计，1804 年英国政府债券的账户数约为 30 万，1815 年约为 34 万，1822 年约为 30 万，若剔除财政部的年金债券，上述 3 年数据分别为 29.65 万、33.45 万、29 万。到 1850 年该数据降至 27.4 万，1870 年降至 22.55 万。对于债券持有者来说，每人可以持有一个以上的账户，因此若要得到债券持有者人数，我们要将这些数据减去 20% 左右。也就是说，1815 年的债券持有者人数约为 27 万，而 55 年后该人数少于 20 万。若与英格兰和威尔士人口总数相比，债券持有人只构成总人口的一小部分，且其比例不断在缩小：它从拿破仑一世战败时占总人口的 2.4%，降到拿破仑三世战败时的 0.8%。

科贝特同样也看到了这一少数有产阶级所享受的公债的高回报率。图 17 显示了在《骑马乡行记》时期，英国国债的实际回报率情况。在 1820~1929 年，该回报率超过 9.6%。19 世纪 70 年代，同样的现象再度出现，在这段被称为“大萧条”的时期，更确切地说是“高通货紧缩”时期，美国物价的下跌导致债券的实际回报率高达 12%。

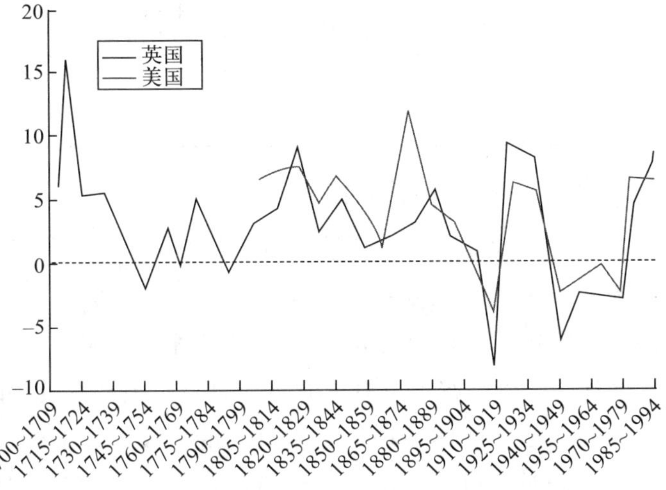

图 17　自 1700 年起，英国和美国公债的实际收益率（每 10 年平均值）

这种财政体系所导致的社会财富再分配实际上是具有累退性的。如表 8 所示，1804 年，英国公债的名义价值相当于国民收入的 200%。债券持有人每年所得的利息收入约为国民收入的 7%。政府 1815 年的利息支出少于其总支出的 1/4，但到 1822 年，该比例几乎为 1/2，1850 年该比例仍保持在 2/5 左右，1870 年为 1/3。如前文所述，19 世纪 20 年代英国政府财政收入的绝大部分来自于间接税，1822 年间接税收入占财政总收入的 69%，在随后的 50 年中，该比例略有下降。美国 19 世纪 70 年代的税制同样具有累退性，而此时的债券回报率正处于峰值。这些数据反映出财富从占人口多数的贫困大众转移到少数债券持有者手中这一极度不平等的再分配体制。

表 8　债券持有人和英国国债（1804~1870 年）

年份	债券持有人数	债券持有人占总人口比例（%）	长期债务总额（百万英镑）	利息支出（百万英镑）	长期债务总额占国民收入比例（%）	长期债务利息支出占国民收入比例（%）	长期债务利息支出占政府支出比例（%）	关税和国内货物税收入占政府收入比例（%）
1804	237 200	2.5	504.3	17.9	204	7.2	33.8	63.7
1815	267 600	2.4	684.6	25.6	191	7.1	22.7	56.9
1822	232 000	1.9	798.5	28.4	n/a	n/a	48.6	69.2
1850	219 200	1.2	775.7	24.2	145	4.5	43.6	65.3
1870	180 400	0.8	741.5	22.4	64	1.9	33.4	58.8

19 世纪并没有发生科贝特和其他激进分子所期盼的“资本统治”的终结，反倒是债券持有人抵御政府赖账风险或没收风险的保障措施有所加强。金本位的广泛被采用反映出债券持有人倾向于用稳定的物价和黄金兑换率来保障他们的投资。同样，1914 年之前各国货币体系的稳定也与当时的代议权仅限于少数人享有这一体制密不可分，它可让食利阶级享有过高的代议权。

债券持有人的势力不仅体现在议会中过高的代议权，他们作为国债的债权人，在经济上也能对政府产生影响。现行国债的价格波动既是过去财政政策的产物，对目前和未来的财政政策也会产生重大影响。简单而言，假如政府打算发行更多的债券来融资，那么现行债券价格的下跌将对此产生极大的负面作用，因为这将会提高新发行债券的收益率，也意味着政府每发行 100 英镑的名义公债，将相应地付出更高的代价。政府债券价格下跌也可以看成是市场对财政政策的反对票，或是市场对任何可能增加债务拖欠、通货膨胀以及货币贬值可能性的政策的反对票。

因此债券的价格和收益率在政治上意义重大，不容历史学家忽视。它也是个人投资者和机构投资者对经济形势评测的整体反映。同时，它在某种程度上也是一项每日民意表达，它体现了债权人对发行债券的政府所持的信心。当然，在现行的民主体制下，这种民意的彰显相当不具备代表性，因为只有债券持有人（或如今的基金经理）才享有投票权，并且他们若买卖其他国家发行的债券，也能对这些国家表达民意。而在 19 世纪，这种民意的表达更不具代表性。在当时大部分国家的大部分时期中，政府债券的买卖者享有高度代议权，甚至有时他们自己就是政治家。简单来说，当债券买卖者抬高政府债券价格时，政府会感到有保障；反之，政府将花更多的时间融资。

一个颇具讽刺意味的例子是，1830 年威灵顿公爵称选举制度是“人类才智所能设计出的最完美的体制”，随后便发生了债券价格的滑坡，继而引发了选举体制的改革。在这次债券价格滑坡中，统一公债的价格从 84 跌至 77.5（收益率上升了约 30 个基点），这也说明即便债券持有者不赞成选举改革，但他们也明白抵制改革的后果是危险的。而当劳埃德 · 乔治 1909~1910 年的“人民预算”政策遭到伦敦大公们反对时，正是债券稳定的收益率保障了他的胜利。虽然自命为伦敦代言人的大公们反对该政策所带来的所得税和遗产税的提高，但债券市场整体上却首肯了这一政策，认为这是迈向平衡预算的一步。

但是 19 世纪债券持有人的影响力也不应过分夸大。除了统一公债的投资者（或英国政府承诺支付的其他债券的投资者），债券持有人的地位在 1880 年前较少民主的半个世纪中，相比 1914 年后较为民主的半个世纪而言，风险更高。在这短暂的“黄金时代”前后，战争、债务拖欠、货币贬值时有发生，这让这些剪息票者不得安宁。而将这些事件仅仅描述为“可理解的突发事件”可就大大低估了它们的不可预见性。

此外，虽然科贝特通过立法来削减国债的希望破灭了，但通过债务的清偿、实际利率的降低以及经济增长的提高，“该死的债务”也终于得到了缓解。如表 8 所示，1850~1870 年，国民收入的债务负担和偿债成本均大幅降低。到 1870 年，国债的利息支出占国民生产总值不到 2%。其他方面，金本位被各国广泛采用，这不仅减低了曾有过债务拖欠或货币贬值记录国家的债券投资风险，它同时也降低了债券的收益率。在 19 世纪 80 年代中期开始新一轮的经济增长与通货膨胀之后，这种债券收益率的下降仍在延续，而此时债券收益率下降的效果更为明显，如表 17 所示。英国和美国的债券实际回报率在 19 世纪 90 年代降为 3%，而在 20 世纪最初的 10 年里几乎跌到零。债券持有者的黄金时代在金本位陷入危机前至少 10 年就已成为过去。

食利者的安乐死?

由于经济的增长、温和的通货膨胀以及债券的低收益率，债券持有者的利益在无形中被削减，但这一无痛的变化在1914年戛然而止。一战将整个欧洲带回到100年前的英国。1918年，各国的债务都有大幅增长：英国和美国的债务增长了9倍，德国增长了6倍，意大利为4倍，法国为3倍；由于各国纷纷中止金本位制并发行过量的银行券，物价上涨了至少2~3倍。鲜有国家能够像1815年后的英国一样，选择通货紧缩这项有利于债券持有人这一少数群体的政策，之所以说鲜有国家，是因为这次又只有英国采取了这样的政策。这是为什么呢?

阿尔伯特·阿莱西亚很大程度上承袭了先驱查尔斯·梅尔对一战后法国、意大利、德国的研究，他设立了一个简单的模型对各阶级之间财富再分配的矛盾进行分析。这个模型和其他我们所熟悉的阶级模型一样，把社会分成三个群体，每个群体对国债的态度各不相同。首先，食利者会反对债务拖欠和高通货膨胀，支持增加税收，只要增税来自消费税而非高收入所得税(因为他们很有可能处于所得税的高税率档)。其次，商人会赞成通货膨胀甚至债务拖欠，但他们和食税者一样拥护累退税制反对累进税制。对他们而言，通货膨胀的有利之处在于它不仅能够降低政府债务的实际价值，也能降低企业债务的实际价值；它还可以降低实际工资；如果汇率也同时下跌，还可以刺激出口。而如果对财富征税的征税范围扩大到有形资本，自然会遭到商人的反对。最后一个群体是工人阶级，由于他们不是债券持有人，所以他们赞成政府拖欠债务，同时他们也支持对各种财富进行征税的累进税制。对于通货膨胀，工人阶级抱着矛盾的态度：如果谈判不力，通货膨胀将会降低他们的实际工资；但另一方面，伴随通货膨胀的通常是政府的扩张性财政政策和货币政策，它可以促进就业。因此，一战后意大利、法国和德国之所以发生高通货膨胀的原因，就在于工人阶级的强大力量形成了一定的威慑力……“食利者”和“商人”不敢对工人阶级采取过于苛刻的措施，唯恐发生暴动。尤其是德国，在国家的推动下，大企业和工会在通货膨胀上态度达成一致。这种团体的结合后来被形象地称之为“组合主义”。而英国的情况有所不同，食利者和商人在财政的传统思想引导下，联手将通货紧缩政策所付出的高失业率代价强加给工人阶级。

许多关于德国恶性通货膨胀的现代文学作品都正面地看待凯恩斯的“食利者的安乐”。凯恩斯在 1923 年的《论货币改革》中指出，虽然在“改变财富分配”方面，通货膨胀比通货紧缩更“糟糕”，但通货紧缩在“抑制财富生产”方面“危害更大”。所以他宁可选择前者，因为在一个贫困的社会里，失业率的扩大比债券所有人利益受损更糟。这一分析让许多历史学家得出这样的结论，即在“平衡重大利害方面”，德国的极度通货膨胀是“利大于弊的”。或许错综复杂的通货膨胀经济史能够印证这一观点，它表明通货膨胀即便不能使财富分配更为公平，但至少能够使收入分配更为公平。因此通货膨胀可以说是现代意义上索伦的《解负令》：它是所有债务的大赦，其中也包括政府债务，构成人口大多数的债务人均从中受益。

英国的政策制定者也清楚地意识到，通货紧缩政策将产生累退性的社会后果。早在 1918 年 1 月，英国财政部就有一篇题为“强征财富”的文章，它不无担心地预见到战后各社会群体的利益冲突：

> 只要我们的国债仍高达 60 亿英镑到 80 亿英镑，我们每年就须支付 3 亿到 4 亿英镑的利息费用，这让食利者不断成为嫉妒和攻击的对象。很大一部分公众认为，其他形式财富资本拥有者的财产将会被挪用，以满足对食利者的支付要求，这些财富资本拥有者的地位也岌岌可危。社会的整体繁荣复苏得越慢，纳税的压力也就越大，公众也就愈加不满。

和 19 世纪 20 年代一样，一战时期的通货紧缩意味着债务负担和偿债成本的骤增，债券持有人成为少数富有阶级。1914 年后发行的政府债券的私人持有者中，资产超过 1 万英镑的个人持有者占了 3/4。和 19 世纪 20 年代一样，一战时期的债券投资回报率格外高，如图 17 所示，20 世纪 20 年代的债券回报率高达 9.5%，而到 20 世纪 30 年代也仅下降了 1 个百分点。

但另一方面，一战期间的债券格局也不同于 19 世纪 20 年代。首先，一战期间债券持有人的人口占比大大高于1815年，这是由于战争期间政府向小投资者推销债券取得成功，也是因为储蓄机构变得日益重要的缘故。到1924年，约12%的英国国内债券为小储户持有。其次，战时债券的许多大持有者是机构而非个人，比如保险公司和储蓄银行等。1924年，5.5%的英国债券掌握在保险公司手中，而它们战时的大量购买也是代表小储户进行的。此外，1918年后的税收政策比1815年以后的税收政策更具累进性。最后一点也很重要，恢复了金本位的各国都享受到了低利率的好处。

我们同样也不能低估通货膨胀路线的风险。当时很少有人能像约翰 · 梅纳德 · 凯恩斯那样，对通货膨胀的危害性进行如此生动的描绘。在1919年的《和平时期的经济后果》一书中，凯恩斯严厉地批评了高通货膨胀率对财富分配产生的影响：

> 政府利用持续的通货膨胀，能够隐秘地、不为人知地剥夺国民的大量财富。这种手段不仅是对民脂的刮取，更是蛮横的剥夺。它在让大多数人陷入贫困的同时，也让少部分人大发横财。这种对财富的蛮横再分配不仅破坏了人们的经济保障，也动摇了人们对财富分配体制公正性的信心。那些靠这种体制大发横财的人……成了“牟取暴利者”，他们成为资产阶级敌视的对象。资产阶级在这一过程中被剥夺的程度不亚于无产阶级。随着通货膨胀的发展……构成资本主义最终基础的债权人和债务人之间的恒定关系，变得混乱无序，甚至丧失意义……要颠覆现存的社会基础，再没有比这更阴险、更有效的手段了。

亦如凯恩斯在《论货币改革》中所言：通货膨胀让中产阶级陷入贫困，而中产阶级却是许多美好事物的源泉。通货膨胀同时也冲破了人们对长期不公平分配的容忍底线。无论宏观经济成本和收益如何，德国资产阶级对自由体制失去信任，成为魏玛政权的致命一击。而凯恩斯在二战期间对通货膨胀的敌视态度并未减弱，他主张“延期偿付”，反对“自愿储蓄”。他认为依赖传统的政府借款体制，只会像一战那样，走向“恶性的”、“荒唐的”战时螺旋形通货膨胀。

颇具讽刺意味的是，造成20世纪70年代通货膨胀的政策经常被打上

“凯恩斯主义”的烙印。如果说两次世界大战期间，英国果断摒弃了让食利者安乐死的政策，那么它在 1945 年后所采取的政策却是让食利者慢慢地饿死。从 1940 年到 1970 年，每隔 10 年，英国公债的实际收益率都会下降，平均每 10 年的降幅为 4%。美国的债券持有人的境况也好不了多少。在这一时期，由于经济增长和通货膨胀，世界大战所产生的债务实际价值已大幅下降。用现代政治术语来说，债券持有人承担了历史上最高的“隐性税”。让人最难以理解的，也许是债券持有人对这种低收益率的反应如此缓慢。德国魏玛时期债券持有人的悲惨处境和我们在第 5 章所看到的“妇女选举联盟会”成员一样，他们有理由称自己是一场迅速而不可预料的恶性通货膨胀的受害者。在 20 世纪 50、60 年代，即使是名义收益率也少得可怜。一定是某种强大的“货币幻觉”（或体制惰性）导致投资者即使在高通货膨胀的 20 世纪 70 年代仍持有金边债券或其他国库券。

新食税者

20 世纪中期，食利者的安乐死并非财政政策在财富分配上趋于平等的唯一手段。如我们所见，20 世纪初，大多数工业国家采取更为累进性的税制，而公共支出也由于“社会福利”政策有所增长，这种政策直接或间接地将收入从富人手中重新分配给穷人。一战后，这种趋势更为明显。在两次大战之间的间歇期，社会财富从富人手中（占人口少数的直接纳税人）转移到穷人手中（同样占人口少数的失业者和贫困的老年人）。而二战后，西欧国家出现的全民社会福利体制几乎能够调节每一个人的收入。

1948 年，有 100 万英国人接受国家补助（占总人口的 2%），到 20 世纪 90 年代中期，有 500 多万人接受与前者类似的收入补贴（占总人口的 9%）。养老金领取者的一半收入来自社保。英国人口中最低收入的 1/5 家庭的年收入中，约有 74% 来自于国家补助，换言之，即有 1/5 的家庭其收入的 3/4 依靠国家来提供（见表 9）。但这仅占享受国家福利人口的一小部分，福利社会的全民补贴目标意味着几乎每个人都能成为某种形式的财富转移的接受者。

1993 年，社会保障部门估计，至少接受一项社保福利的人数约为 4600 万，约占总人数的 80%，或者说每 5 个英国人中即有 4 人接受了国家福利。

表 9 英国 1992 年通过税收和国家补助对收入进行再分配情况表，按家庭收入分为 5 等（英镑 / 每年）

	最低	中下	中等	中上	最高	合计
原始收入	1 920	5 020	12 860	20 850	39 370	16 000
所得福利	8 060	7 350	6 110	4 410	3 140	5 810
所缴税额	2 500	3 150	5 800	8 320	14 220	6 790
所得净国家补助	5 560	4 200	310	–3 910	–11 080	–980
最终收入	7 480	9 220	13 190	16 940	28 270	15 020
净补助占最终收入比	74	46	2	–23	–39	–7

19 世纪法国自由主义者弗雷德 · 巴师夏认为，国家是个“庞大的虚假的实体，每个人都希望以他人为代价来谋求自身的生存”。这在巴师夏当时的年代有些言过其实了，但它却恰好概括了 20 世纪末的社会保障体系。当然，几乎每个人同时也是纳税人，虽然他们有些人只缴纳间接税。

“谁谁？”（Who whom？）这是列宁的一个著名问题，到了福利国家，这个问题就变成“谁支付给谁？”在税收和社保尚未形成完整体系时，个体很难分清楚自己是属于福利的受益者还是贡献者。据估计，46%的家庭属于受益者，另外 54%的家庭属于贡献者。但多数家庭仍难以确定自己属于哪个范畴。以可自由支配的收入为标准，表 9 显示处于中等收入水平的家庭所接受的福利与所缴纳的税收基本相当。引用英国福利体系两位批评家的话：“这种税制以它现代的、极其荒谬的方式将剥削者和被剥削者融为一体。”这种将右边口袋里的钱放到左边口袋的体制不仅毫无意义，而且成本昂贵。表 9 最后一列显示，这种再分配体系导致社会整体所接受的国家资助低于所缴纳的税额，平均每户家庭每年的净贡献额近 1 000 英镑。更为不合理的是，在这种全民福利的体制下，大量福利都流向富人而非穷人，其中包括医疗津贴、教育津贴以及交通津贴。据估计，英国最富有的 1/5 人口比最贫穷的 1/5 人口多接受了 40%的公共医疗福利、多接受了 80%的中等教育津贴、500%的高等教育津贴以及 1 000%的铁路津贴。

然而，累进税制大幅降低了社会财富分配的不平等程度。图 18 显示，在累进税制和转移支付产生之前，几乎所有工业经济国家都存在数量可观的“（相对）高度贫困户”。在福利体制产生前，图 18 中所列举的 15 个国家中有 11 个国家，其高度贫困户（家庭收入低于中等家庭收入的 40%）户数的占比达到 20%以上。而经过累进税制和转移支付之后，所有欧洲大陆国家都将高度贫困户的比例降低到 5%或更少。英国和其前殖民地加拿大和澳大利亚在进行财政再分配后，贫困户占比略高于欧洲大陆国家。但美国是个例外，在实行了累进税制和转移支付后，它的高度贫困户占比仍高达 12%。换言之，图中除了一个国家外，其他所有国家通过财政再分配将高度贫困户数量降低了 2/3 之多，其中比利时高度贫困户的下降幅度达 90%，而美国只为 44%。

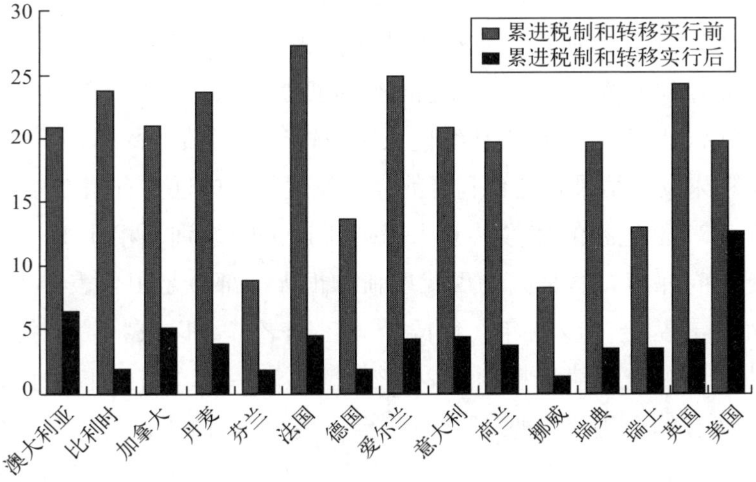

注：贫困率为家庭收入低于中位数 40%的家庭占比。

图 18　累进税制和转移支付前后相对贫困率的对比（1991 年）

但是，平等是否也有不利的一面？欧洲更为平等的福利体系是否能够解释它近年来经济增长缓慢的现象？在这个问题上，经验数据无法做出明确解答。尽管 1994 年以来，美国和欧洲在生产力增长上差距不断扩大，但仍没有足够的证据表明平等主义必将导致经济发展迟缓。但无法否认的是，全民福利体制的确诱发了不良动机，它引发了导致政府开支增长的不当行为。英国保守派没有限定领取失业补助的期限，这是个代价惨重的失误，经验数据表明无限期地享受失业补助降低了求职的积极性。另一个显著例子是，在过去几十年中，财政政策在对待已婚已育的家庭上比单亲家庭或无子女家庭更为苛刻。将缴纳的税额和接受的福利都考虑在内，1971~1993 年，收入最低的 1/10 的人口中，两个孩子的单身母亲，每周实际所得增长了 145%，而由已婚男子和全职太太组成的家庭，其相应收入仅增长了 38%。这也诱使人们保持单身或离异，从而造成住房紧张以及福利经费的增长。1981~1995 年，支付给单亲家庭的补助经费增长了 4.5 倍。

从某些方面说，这些不良动机是否会阻碍经济增长并不重要。重要的是这种财政体制究竟能够维持多久？考虑到它急剧增长的开支以及它的融资方式，这的确是一个令人担忧的问题。

1960~1992 年，工业国家的转移支付和补助津贴从占国内生产总值的 8% 增长到 12%。如我们所见，这些开支上涨的经济来源很大一部分来自于政府借款。而公债的增长将一个古老的变量再次引入再分配体制中（表 9 中省略）：它将财富以利息的形式从纳税人手中转移到了债券持有人手中。福利体制一个始料未及的结果就是食利者的复兴，这个群体远没有消亡。

然而，21 世纪初的债券持有人吸取了过去的教训，相比 19 世纪，他们在人数上更有保障。这是因为现代国债的很大一部分是由代表个人的机构所持有，如养老基金。1975 年，保险公司、养老基金以及投资信托公司所持有的金边债券占金边债券总额的 29.5%，到 1999 年，该比例达到 62.3%。同期，个人持有的金边债券从 18% 下降至不到 9%。由于住房投资和股权投资的普及，政府债券的投资占私营部门资产的比例有所下降，1970 年英国金边债券占国民资产的 40%，但 25 年后，该比例仅为 1/4。但是 20 世纪 70 年代后期，通过机构间接持股的个人人数不断增长，这也许可以从政治经济学的角度解释，为什么债券的实际收益率在 20 世纪 80、90 年代有所上升。20 世纪 90 年代初，英国债券的实际回报率高达 9%，这多少有些类似于 19 世纪 20 年代和 20 世纪 20 年代（见图 17）。1997 年初，英国金边债券投资者可以享受到 14.85%的年回报率。

然而，即便是由机构代表的现代债券持有人也会感到不安，因为在一些发达国家，公债的增长也许并不能长久。但是，威胁现代食利者的并不是工人阶级和企业联合起来的强大的政治力量，而是现代民主国家尚无选举权的最大群体：青少年和未来的新生代。

世代间的游戏

如我们所知，关于公债，李嘉图的理论认为，政府今日借款的增加会被私人储蓄的增加所抵消，因为这一代人知道，如果没有这笔积蓄，下一代人还需从自己的收入中支付政府的债务。李嘉图认为虽然个人没有为下一代作永久计划的打算，但遗赠关系能够将数代人联系起来。但经验数据表明，这不是世人的行事方式。无论是出于“财政幻觉”还是出于对下一代人的经济命运的漠不关心，当前一代人并不是为下代人利益着想的利他主义者，他们倾向于“忽视下代人的经济负担，或认定政府靠借债支撑的公共开支是免费享有的”。因此他们将本可以通过“税收摊销”解决的债务问题留给了下代人。换言之，“债务的积累就是过去的纳税人从未来的纳税人那里得到的转移支付的累计额”。要分析这种现象应采用一种新的分析技术，即第 4 章所说的“世代账目法”。

关于世代账目，简单说就是个人一生中所缴纳的净税额，即某个时间点出生的个人在当前政策下，终身所要缴纳的税额减去所接受的转移支付。将现在新生代的世代账目与未来新生代的世代账目相比较，并经过必要的人口增长和经济增长的调整，就能衡量出世代之间是否处于平衡状态。如果未来几代人的世代账目高于当今的新生代，则说明当前的政策是世代不平衡的，也是无法持续发展的。由于跨期预算限制的存在，在当前政策下，政府无法对未来新生代征收等同于当今新生代的净税额。

计算世代失衡程度是一种反事实分析法，它可以提供信息，但它不能提供某种政策下的未来社会蓝图，因为它反映的是政府为了满足下代人的跨期预算限制而必须进行的财政调整。这样的计算传递了一个明确信息，即财政政策需要进行多大程度的调整。这个问题也就转化为：如何在未来几代人时期不做过多政策调整的前提下，达到世代平衡。一种方法就是，我们可以计算出政府的未来购买需要缩减多少，才能降低未来几代人的世代账目，以达到世代平衡的目标。无论需要缩减多少比例，我们都可以通过长期地、每年以相同比例缩减政府的未来购买来达到调整目的。另一种方法是，我们可以通过长期同比增加政府每年的税收收入来达到调整目的，这么做将会增加本代人的世代账目，从而降低未来几代人的世代账目。

“世代账目”构建完成后，我们可以清楚地发现，多数发达国家现行的财政政策其实是“使得本代人去世时仍无法偿清政府开支而将负担推延至下代”。图 19 基于 19 个国家世代账目的计算结果，它显示了这些国家为达到世代平衡而采取的两种互斥的办法：或者提高税收或者缩减转移支付。这两种政策都可以通过长期的调整比例来定量。这两种调整值也间接地反映了各国世代失衡的程度。

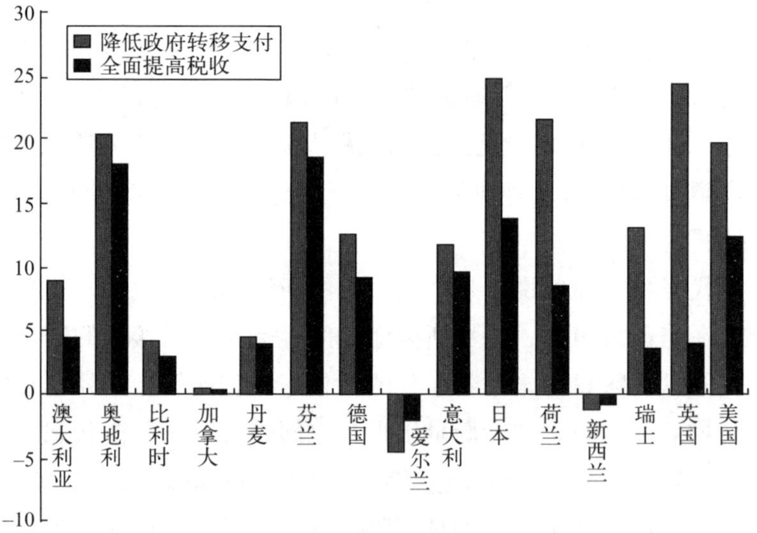

图 19　达到世代平衡的两种途径（所需达到的比例）

图 19 显示，7 个国家需要增加 10%以上的税收来达到世代平衡。奥地利和芬兰所需达到的税收增幅接近 20%。如果德国全面提高税收，那么所有各级政府（联邦、大区、地方）和所有税种（增值税、工资税、企业所得税、

个人所得税、国内货物税、销售税、财产税、不动产税、馈赠税）的税率会在一夜之间增长 9%。美国相应税率需增长 11%，日本为 16%。如果奥地利、芬兰和法国仅增收个人所得税，那么他们都需将个人所得税税率提高 50%。只需通过温和地提税来达到世代平衡的国家有：澳大利亚、比利时、加拿大、丹麦、葡萄牙和英国，它们所需达到的税收增幅低于 5%。只有爱尔兰和新西兰无须通过提高税收来达到世代平衡。爱尔兰甚至可以降低 5%的个人所得税，而无须为未来几代人的负担担心。

众所周知，提税在政治上难得民心。那么另一种方式，即削减政府的转移支付（它很大程度上也是近年来政府开支增长和债务增长的根源）又将如何呢？图 19 显示，19 个国家中有 5 个国家若想达到世代平衡，则需缩减 20%以上的转移支付，它们是奥地利、芬兰、日本、荷兰以及美国。日本的形势最为严峻，它的转移支付的削减幅度需达到 25%。爱尔兰仍是形势最为乐观的国家，它可以增加 4%的转移支付。新西兰同样可以对转移支付略作上调。

这些数字发人深省。全世界的发达国家中，只有两三个国家的现行财政政策可达到世代平衡。而世界上最大的两个经济体——美国和日本，则属于失衡程度最为严重的国家。同时，这也暴露出美国自 1998 年以来计划的预算盈余只是空想。当美国总统候选人在辩论如何使用所谓的预算盈余时，它还属于世代账目形势最为严峻的国家之一，根据这里的计算方法，它的情况比意大利更为险恶。除非官方对未来经济增长的预测被证实过于保守，美国的危急状况才会有所缓解，否则它的养老金体制改革势在必行，副总统戈尔曾一针见血地将养老金体制概括为“世代之间神圣的契约”。

另外，世代账目法对欧洲财政状况的评定结果也不同于传统的以债务和赤字占国内生产总值之比来衡量的结果。这种传统的衡量方法在马斯特里赫特条约和 1997 年的《稳定和增长公约》中均有明确。若以债务占国内生产总值的比例为衡量标准（马斯特里赫特条约毫无意义地规定任何想加入经济及货币同盟的国家，其债务占国内生产总值之比不可超过 60%），则比利时、意大利和荷兰的财政问题最为严重。但若以世代平衡的标准来衡量，则奥地利、芬兰、西班牙和瑞典的问题更为严重。在发达国家中，英国及其前殖民地，澳大利亚、加拿大、爱尔兰和新西兰的世代失衡程度最低。事实上，只要英国的劳动力生产率比预测高出0.25%，并且政府开支的增长不超过税收收入的增长，它的世代失衡状况即会消除。反言之，如果劳动力生产率的增长无法达到要求，又不实行财政紧缩，那么它的状况则会恶化。如果政府试图仅依靠增加个人所得税来达到世代平衡（必须承认，这几乎没有可能），那么它必须从1999年起长期将个人所得税提高9.5%，而到2004年，需要提高的幅度为11%，若留待10年后，该提升幅度将为15%。

为什么各国之间存在差异呢？部分原因在于各国的财政政策有别，但主要原因在于各国现今和未来的人口结构存在差异。表10列出了依赖比率，它表示低于或高于工作年龄（即15岁以下或65岁以上）的人数与处于工作年龄（即15~65岁）的人数之比，最后两列表示低于或高于工作年龄的人数与实际工作人口之比。表10显示，与一些较为悲观的预测相反，主要国家（法国除外）的依赖比率低于100年前。不同之处在于，1900年被抚养的人口大部分是儿童：这些国家平均1/3的人口年龄低于15岁。如今儿童的人口占比仅为17%。而65岁以上的人口占比从5.6%上升到16%。世代账目的决定因素是未来50年中，人口老龄化将达到何种程度。在表10列举的所有6个国家中，预计的人口老龄化程度将导致依赖比率在2050年达到一个前所未有的高度。如果参考有效经济依赖比率，则日本、德国、法国和意大利的被抚养人口将超过实际工作人口。在这些国家，10年内年龄达到或超过65岁的人口占比将高于1/5。德国如果延续提早退休政策，则情况会变得更糟，虽然在20世纪70、80年代，提早退休被视为为年轻人提供工作机会的途径。在德国，年龄在55~64岁的人口中仅有39%还在工作。而与之形成对比的是像泰国这样的国家，它的人口结构相当年轻：到2010年，年龄超过64岁的人口占比仅为10%，这一优势以及它别具特色的税收体制，使得它的世代失衡为正面失衡。换言之，它未来几代人在财政上的受惠程度高于本代人。

表10 依赖比率，实际状况及预测（1900~2050年）

	依赖比率*（%）					有效经济依赖比率**（%）	
	1900	1938	1950	2000	2050	2000	2050
美国	0.62	0.47	0.51	0.52	0.66	0.72	0.93
日本	0.63	0.71	0.48	0.47	0.86	0.63	1.16
德国	0.61	0.42	0.52	0.47	0.69	0.75	1.11
法国	0.52	0.52	0.57	0.53	0.73	0.91	1.26
英国	0.59	0.44	0.56	0.53	0.69	0.77	0.99
意大利	0.68	0.62	0.55	0.48	0.78	0.91	1.47

* 0~14岁+65岁或以上/15~64岁

** 0~15岁+65岁或以上/实际就业人数

这些数据告诉我们，一种新的分配冲突正在取代20世纪传统的阶级间的分配冲突。从某种意义上说，福利制度的设立是为了消除食利者、工厂主以及工人阶级之间的斗争，事实上它在很大程度上也做到了这点。但代价是建立了全民享受福利的体制，而这种体制已难以为继。如果世代失衡，就如欧洲大部分国家以及日本和美国一样，那么未来大幅削减开支或增加税收将不可避免。一种选择是，下代人为本代人的养老金以及包括债券利息在内（债券利息占个人养老金的很大部分）的其他转移支付而缴纳更高的税款。另一种选择是，缩减老年福利，如削减国家养老金、拖欠国家债务或是一场意外的高通货膨胀，这样账单又回到了若干年前欠账的那一代。

当然，世代之间的再分配并非新事物，公债和未备基金养老金通常意味着将财富从年轻人或未出生的人转移给老人，正如对教育的公共支出是将资源从老人转移给年轻人一样。但是现今的时代失衡程度可谓空前。老人很大程度上成为“起始世界”财政体系的受惠者，他们不仅享受着养老金，也是医疗福利的最大消费群，于是他们成为削减开支的突出目标。但是与年青一代和未出生的一代不同，他们享有投票权，于是问题就变成客观的世代间的利益冲突会在多大程度上转化为主观的政治冲突。

在过去，世代之间争论的通常是政治、艺术品位或者头发的长度，而很少因为财政政策下的再分配体制出现矛盾。在屠格涅夫笔下的《父与子》中，巴扎罗夫满腹牢骚，但是老一代的公共开支并未由他们承担。今天，世代间财政上的冲突也是有限的，因为处于当前政策不利地位的年青一代没有投票权。用意大利经济学家吉多·塔伯利尼的话说："如果年青一代在债务问题上享有投票权的话，他们都会投反对票。"然而基本可以肯定的是，养老金改革之争会使世代间未来的财政冲突更为明晰突出。

1979 年英国的例子可以说明，新老交替在政治上影响重大。当时的撒切尔政府继承了一个双重养老金体系：一是设立已久的基本养老金体系，该体系下的养老金发放会根据零售价指数和平均收入指数每年递增；二是 1978 年新引入的附加养老金，即与工资挂钩的国家养老金。在第一次预算中，新政府对基本养老金每年递增发放的条例进行了修改，规定它只与零售价格指数挂钩，废除了它与平均收入指数之间的联系。6 年后，附加养老金发放也变得更为苛刻。这些政策的改变，以及 1980 年后的收入增长高于通货膨胀的增长（1980 年为 120%，1995 年为 180%），促使政府的短期财政存款大幅上升，而长期财政存款增幅更大（英国的未备基金养老金的负担远低于欧洲大陆的多数国家：到 2050 年前，英国仅为 5%，意大利为 70%，法国为 105%，德国为 110%）。担任 1983~1989 年财政部长的奈杰尔·劳森说道："这个政治上的大胆决定……是重新获取公共支出控制权的关键一环。"这点毋庸置疑。但是这些政策所反映的世代转移损害了那些即将退休群体的利益。意外的是，这些受害者的反应却是迟缓而温和的。

不同的年龄阶层在政治阵营的选择上虽说不是泾渭分明，但很大一部分的年轻人支持工党，而老一代则倾向于支持保守党。英国选举学家认为，选举年龄的下限从 21 岁降低到 18 岁，"很大程度上导致保守党的支持率从 60% 降到 30%，并对工党 1974 年的连任起了决定作用。"此外在 1997 年，很大一部分年龄低于 30 岁的人群从支持保守党转而投向工党。而那些老年人，即便在撒切尔政府削减了养老金后，却仍对保守党忠心耿耿。1992 年，年龄超过 64 岁的老年人中近一半的人支持托利党（保守党），这个支持率比托利党的整体支持率高出 4%，到 1997 年，托利党的老年支持率仅下降了 3%，而此时保守党的全国支持率已从 43% 下降到 31%。老年人是支持托利党多于工党的唯一群体。1997 年，工党放出消息称社会保障部秘书彼得·利利正考虑要废除养老金制度，这极大地动摇了老年人对保守党的信心。工党根据保守党的支持群体，对利利的改革提案予以重击，虽然托利党强有力的辩驳在投票前夕逆转了这一局面，但托利党 65 岁以上支持者的支持率随之急剧下降。在美国 2000 年大选中，戈尔也以同样的方式来对付布什。在其他国家的选举中，靠“操纵老年人的恐惧心理”来拉取选票的手法被普遍采用。引一段 1999 年 11 月出版的欧共体条约文件中的几句话：

> 社会资源的再分配中，转移给退休人口的资源占比不断扩大，这种就业人口和被供养人口之间的资源分配趋势能得到多大程度的扭转，并且不引发重大危机与世代间的冲突，很难测算……如果现行的劳动力市场、税收体制和社会保障制度无法得到改革，那么未来 50 年中，人口老化带来的经济效应将致使欧共体不堪重负。

一个不受欢迎的解决方案

解决人口老龄化问题的一个显而易见的办法就是吸收移民，虽然这在上面引用的欧共体报告中并未提及，移民通常处于就业年龄，而且他们的经济动机高于平均水平。事实上移民也正在发生。据估计 20 世纪 90 年代初约有 8 000 万人居住在非出生国，到 2000 年，这个数字上升到 1.2 亿人，约为世界总人口的 2%。美国自 20 世纪 80 年代起，平均每年约有 85 万的移民流入，只要这个庞大的移民流被迅速纳入美国税收体制，他们就可能成为美国社会保障体系最大的希望。德国同样也能从大规模的移民中获益（正如它在 20 世纪 50 年代一样），如今有 730 万外国人居住在德国，约占该国人口的 9%。

不幸的是，许多最需要移民的国家却是最抵制移民的国家。奥地利是世代失衡最为严重的欧洲国家之一，但奥地利的反移民政策得到了最广泛的国民支持，公开仇外的自由党也因此在 2000 年进入了政府。但反移民法存在反效益，因为大部分国界实际上无法封锁，所以这些法令产生了大批非法移民，他们游离在纳税体制之外，因此对财政体系没有直接贡献。比如，欧盟国家中约有300万非法移民；墨西哥出生的居住于美国的700万人中有200万是非法移民，美国非法移民的总人数大约为600万。如果过去的历史仍将延续的话，那么这些具有不完全效力的反移民法在近期也不会有所松懈。美国和其他劳工输入国从一战前开始限制移民，当时排斥的是中国和日本的移民，那时正值全球化的高峰时期。

反移民立法能够生效说明民主的偏好与社会的长期经济利益背道而驰（通常来说，移民会侵害非技术工人的实际工资，但整体上它有利于东道国的经济）。同样，绝大多数世代账目法的倡导者对他们的建议是否会引起注意抱着悲观态度，无论这些建议是要提高税收还是要削减开支。政客们通常被认为目光仅局限于本届任期，他们不可能赞同符合下一代人利益但需要牺牲当今选民利益的政策。

为进一步探索这个问题，下一章将从分配冲突的领域转移到政治的角斗场。如我们所见，科贝特的理想是通过民主化进程来改进财政政策：即选举权的扩大可以迫使政客们削减“该死的债务”，从而终结“食税者”的主导地位。然而事实上，新的债台又高筑起来，食税者的队伍非但没有削减，反而庞大起来，这是为什么呢？

THE CASH NEXUS

第8章 富足感因素的神话

你现在比 4 年前更富裕了吗？

——罗纳德 · 里根，1980 年

经济态势和政府能否取得民心存在因果关系，这已成为现代政治中的一条公理。简单地说，经济表现直接影响着现任政府竞选的成败。这种新的经济决定论有一个很好的例子，就是克林顿总统虽然在他的绯闻官司中作伪证并妨碍司法公正，却没受到弹劾。到 1999 年 2 月，多数美国人认为克林顿确实犯有被指控的行为，但只有少数人希望他辞去总统职务。根据罗伯特 · 伯德参议员和其他评论家的说法，这种现象可以解释为"当经济处于强劲增长态势时……没有哪个总统会被解职。当民众表达民意时，他们是根据自己的钱包来投票的"。

《金融时报》记者指出，这就是克林顿总统和理查德 · 尼克松总统之间的区别，后者于 1974 年 8 月被迫离开白宫。在尼克松下台前的一年半时间里，"他的支持率从 60% 左右降至 30% 不到……在那期间，生产发展速度为二战以来最低，失业人口上涨了 100 万，通货膨胀翻了一番……华尔街股市跌幅达到 1/3"。而克林顿的支持率却从 40% 的低谷（在 1994 年肯尼思 · 斯塔尔被任命为特别检察官之时），上升到 1999 年底的 70% 以上，此时距莫妮卡 · 莱温斯基绯闻事件仅有一年。《金融时报》记者指出，这是因为"自莱温斯基事件曝光以来……美国增添了300万个就业机会，失业率降至40年来最低水平，美国经济处于十多年来最强劲的发展态势。在华尔街，道琼斯工业平均指数上涨了15个百分点”。

初看，图20似乎证实了这一分析。换言之，克林顿在1992年的竞选口号“经济决定一切，笨蛋”似乎在他的任期中得到了印证。

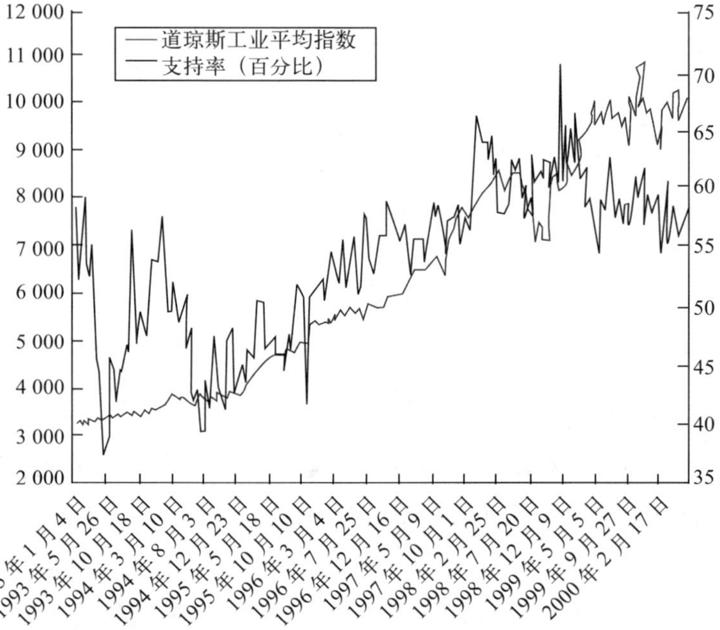

注：道琼斯工业平均指数以收盘点位计，支持率根据受访者对“你是否赞同克林顿处理总统事务的方式”作出的回答统计得出。

图20　克林顿总统的支持率与道琼斯指数

你比4年前更富裕了吗?

在美国政治中，以经济为导向的观念早在20世纪90年代前即已出现。1980年，在吉米·卡特的一次电视辩论中，罗纳德·里根曾说过：“当你在作出（投票）决定的那一刻，你不妨自问，你是否比4年前更富裕了……我们国家的失业人口比4年前是增加了还是减少了？”

英国政客们长期以来也是经济决定论者。事实上，经济状况能够决定政府竞选的成败这一观点可以追溯到维多利亚时代中期。皮尔首相认为政府影响经济的能力是有限的。格拉德斯通也继承了这一观点。托利党的自由派施政纲领中有这么一条“公共经济即为公共美德”，它认为政府的目标就是削减税收，如果可能的话，也要降低国家债务。19世纪40年代对辉格党经济政策的攻击都集中在它的财政政策上，人们要求限制预算，但对经济增长却没有要求。但在19世纪70年代，这种观点出现了变化。迪斯雷利1872年在水晶宫的演说中提到，保守党的“历史职责”是“提高人民生活水平”，但是政府应采取怎样的措施来促进经济增长仍不得而知。在实践中，迪斯雷利倾向于依靠预算，试图通过税收减免来取媚某些利益集团，而不是提高综合生产。维多利亚时代的政治佐证了俾斯麦在1878年的一番话：“经济事项在国内事务中日益突出，成为首要问题……政党可以作为某些利益集团形象鲜明的代表，这些集团可以为政党提供支持，并要求政党实施符合集团利益的政策。”无论是自由党还是保守党，它们“与之前相比，都将被迫在经济问题上采取某一立场，并在利益集团的压力下履行职责”。典型例子是，格拉德斯通在1874年竞选失败后抱怨道：自己“被杜松子酒和啤酒的洪流冲倒了”，这是酿酒商和酒吧业主反对他改革麦芽税的后果。历史再次重演，1880年自由党的竞选获胜，有些人认为这是由于托利党那不得人心并终被废止的法案，即将自来水厂收归公有。因此人们乐此不疲地开着这么一个玩笑：“托利党被啤酒冲上台，又被自来水冲下台。”

在1880年的竞选中，人们第一次将综合经济差强人意的表现归咎到现任政府头上。在曼彻斯特印制的一份名为“事实就是铁证”的自由党传单中，罗列了“格拉德斯通上台时”和“身退时”索尔福德济贫院院内、院外接受救济金的人数，并与“洛德 · 比肯斯菲尔德勋爵上台时”和“1880年1月1日”的数据进行比较。这份传单最后讽刺地总结道：“托利党执政时期，横征暴敛、贸易委靡，如果你还没受够这一切的话，就投托利党的票吧。”迪斯雷利自己也颇为这些言论打动，他曾对索尔兹伯里说：“时局艰难是我们的死敌，也是我们遭到口诛笔伐最终倒台的原因。”

如果有人能够为“艰难时局”开出一剂政府良方，那它可能会揭开政治经济学的序幕。事实上，不少人为此做过尝试。19 世纪 80 年代，许多自由党人怀疑伦道夫 · 丘吉尔的“保守党的民主制度”只是为了达到竞选目的而对经济进行操纵的工具。1883 年自由党杂志《真理》对丘吉尔的做法作出尖刻的讽刺：

“在这位贵族父权式的统治下……我们这些低微的民众将被给予较好的住房、一份义务全民保险计划、公共用地、公园、博物馆、图书馆和济贫院，以此作为政治权利的回报……这种托利党民主体制的目的是为了置自由党于少数党地位，它便可见缝插针地上台执政，从而尽其所能地攫取公共利益。”

丘吉尔自己辩驳道：“除了保护并提高人民的物质利益，别无其他动机”。颇有讽刺意味的是，他后来因为经济问题和削减开支问题，辞去了财务大臣的职务，而 1893 年格拉德斯通也由于同样的问题被迫请辞。另一位后维多利亚时期以经济为导向的政治家是约瑟夫 · 张伯伦，他曾在 1892 年说道：“我们这个时代最紧迫的问题是……关于广大人民物质生活水平的社会问题。”可是他仍囿于旧的意识形态，他提出的“帝国偏好”和“关税改革”虽然套用宏观经济学术语可称之为刺激就业的手段，但在许多选民看来，这也仅仅是 1846 年前保守党贸易保护主义的回归。当自由党重新启用贸易自由主义针锋相对的宣传口号“你的食物将更贵”，并将他们的“大面包”和统一党的“小面包”并置于选民面前时，他们在 1906 年大获全胜。

格拉德斯通的自由贸易、稳健的货币政策和财政政策的正统观点是如此具有生命力，在经历了一战时期大规模的财政扩张后，它再次成为主导思想。贸易保护主义和一战前一样，在投票中再度失利。之后继任的政府，直至 1929 年的工党政府，即便面对持续的高失业率，也只是延续旧的治理方法：低关税、高利率以及平衡预算。1930 年，随着全球经济衰退的加剧，温斯顿 · 丘吉尔提出：“现在不是一派政党与另一派政党相斗的时候，也不是一帮政治家嘲笑另一帮政治家的时候。现在要求我们几代政府前赴后继地共同面对经济问题，而其成败将决定对我们的评判。”然而在 20 世纪 30 年代，直到金本位和自由贸易被中止，反周期的经济政策才最终成为可能，这未曾预料到的和传统格拉德斯通主义的脱离，促成了联合政府的成立，它在 1945 年前有效地抑制了党派间的公开纷争。

战后，两种截然不同的经济管理模式展开了对权力的角逐：一种是工党温和的社会主义，它倡导特定行业的国有化，并提供普遍的福利；另一种是保守党的、大众化了的凯恩斯主义。对 20 世纪 40 年代后期的许多选民而言，前者意味着清贫的生活，是战时管制的延续。保守党在 20 世纪 50 年代早期对此作出应对政策，凯恩斯的需求管理理念得到第一次公开应用，他们向选民兜售自己的经济政策，财政政策和货币政策成为政治工具，用来博取选民的支持。他们把“智者”巴特勒 1953 年的预算看做是后来在南森德兰递补选举中获胜的关键因素（这是 30 年来政府对反对党的第一次胜利）。或许没有哪个政治家像哈罗德 · 麦克米伦那样深受凯恩斯《通论》的影响，或者说是深受罗伊 · 哈罗德大众版通论的影响。麦克米伦认为温和的通货膨胀和低失业率是保守党获胜的基础。他在 1957 年 7 月与贝德福德的保守党人著名的谈话中说道：“大多数英国人从没过过这样的好日子。”两年后，保守党的选举口号是“保守党让人民过上好日子，不要让工党毁了它。”当自由党在 1962 年 3 月奥平顿的递补选举中获胜时，麦克米伦把它归咎为自己财政部长的经济政策不当。

工党也很快采用了相同的操作模式。哈罗德 · 威尔逊就对新的失业数字和两次递补选举在时间上的重合表示担忧，他认为前者会影响后者。1968 年，他曾对《金融时报》说：“以往的政治历史表明，政府的地位以及在大选中让选民对其保持信心的能力，都依赖于它的经济政策的成功。”

因此到 20 世纪 70 年代，认为政府的支持率取决于经济表现、经济政策可以并且应该被用来维持选民的支持这一观点几乎成了公理。1975 年 7 月，巴巴拉 · 卡斯尔沮丧地总结道：“3% 的失业率可能会持续到 1978~1979 年，这为托利党获胜制造了良机，他们将乘机攫取我们以自我牺牲换来的成果。”两年后，当威尔逊的继任吉姆 · 卡拉汉开始为选举做准备时，约翰 · 西尔金在契克斯别墅的部长会议上说道：“人们投票给工党是出于希望，我们的问题在于缺乏信心。我们必须想办法降低失业率。”卡拉汉在总结发言中说：“要取得竞选胜利，我们应做好计划……工资收入对人民来说很重要，我们应考虑为人民的标准生活水平提供保障，充分就业是关键。”

这一时期政治家们对经济的操纵在托尼·本的日记中有充分体现。1977年9月13日，本“去见吉姆”：

> “你对选举日期有什么看法？”他问。
>
> “越晚越好。”
>
> 我们谈论了增加货币投入的规模和时间，我建议我们要秘密地增加货币投入。“我们没必要公开它。你说你不想制造选举前的繁荣，我们为什么不提早做呢？比如提高退休金，在补助发放上宽松一点，再推动一下公共部门，尤其是公共医疗。”

1978年9月，卡拉汉在结束内阁会议时说：“不要忘记，人民口袋里有钱，政府才好运作。那么我们该怎么做？”

撒切尔时期的保守党人虽然在其他方面与他们的前辈鲜有共同之处，但在经济问题上，他们都坚信经济是政治成功的关键。从1979年的“工党无用”到1992年的“工党的税收炸弹”，经济问题始终是保守党竞选时的核心议题。按照莫里斯·萨奇的话来说：“保守党在竞选中始终关注经济问题……保守党在处理经济事项时方法更实际、更精明……他们懂得如何照看好你的财富，这方面工党有所不及。”撒切尔和她的顾问们“在对社会主义进行批判时，把经济作为核心议题”。

1979年保守党竞选时对失业率的强调很快成了一把双刃剑，在杰弗里·豪刚推出通货紧缩的财政政策后，失业人口飙升到320万人，这个数字是保守党上台时的2.5倍。玛格丽特·撒切尔在回忆录中，用纯粹的经济学语言解释了她早期不受欢迎的原因：

> 形势……非常严峻。通货膨胀率始终盘踞在11%~12%，利率高达16%。更糟的是，失业率不断攀升。1982年1月失业人口会达到300万人成为头条新闻，1981年秋我们就看到这已经不可逆转了。因此大多数人都无法相信经济衰退就快结束了……在党务会议前夕，我被媒体描述成“自选举以来最不受欢迎的首相”。

虽然福克兰群岛之战的胜利意义重大，但撒切尔仍坚定地认为1983年选举的结果将最终取决于经济。同样，1987年大选临近时，她把经济复苏视为抚愈政治创伤（如韦斯特兰事件造成的政治创伤）的一剂良方，“我们的政策带来低通货膨胀下的高经济增长、提高了生活水平……失业率得到稳步下降”。1986年保守党大会恰逢“繁荣迹象明显，失业率下降显著”，这“极大地提高了我们的士气……为我们下次竞选获胜开辟了良好局面”。

奈杰尔·劳森于1983~1989年担任撒切尔的财政部长，他在回忆录中也表达了类似的看法。他也认为保守党在1983年获胜，经济因素所起的作用与福克兰群岛之战的胜利同样重要。“政府命运的转机出现在1981年最后几个月，经济复苏的迹象开始显现……经济迅速回暖，失业率大幅下降……有人因此提出应提前举行大选。”由于担心通货膨胀会在秋天再次回升，劳森的前任支持提前举行大选。而劳森和其他部长认为“不管何时举行大选，我们都能获胜。而经济复苏势态良好、通货膨胀率维持在较低水平时，我们更有取胜的把握”。劳森将他回忆录中1987年大选那章的标题就定为“立足经济获得大选胜利”。

撒切尔时期的其他大臣也认同这样的观点：他们能够上台执政主要归因于经济。诺曼·特比特在解释卡拉汉政府竞选失败原因时，主要也是从经济角度进行分析，他建议1983年提前举行大选，也完全出于经济上的考虑：“到10月份，通货膨胀率可能会从仲夏时的较低水平开始回升，失业率也会开始季节性地增长”。那年4月“通货膨胀率达到15年来最低”，这促使特比特要求6月份举行大选。在筹划1987年保守党竞选时，他认为“应尽早扫除诸如失业率等不利因素，并最终体现出我们的强项——经济、税收和国防”。他所提到的4个竞选关键因素中有3个与经济相关。诺曼·福勒也把1987年大选看做是基于经济上的胜利：“我们之所以能够赢得大选，是因为我们的政策带来低通货膨胀率，良好的经济增长、税收的降低、住房条件的改善……许多人感到富裕了，他们担心工党会中断这一切。”而肯尼思·贝克则把1989年春政府的困境归结为经济困难带来的后果：“利率高、出现贸易逆差、民心开始背离。”到该年夏天，“经济开始步入衰退期，出现收支逆差，失业率开始上升，高利率使得我们大批支持者倒戈”。撒切尔的大臣中，最极端的经济决定论者当属尼古拉斯·里德利。里德利认为，不仅撒切尔的上台执政要归因于经济，经济这把双刃剑也导致她下台。

> 1989 年秋的民意调查中，她的支持率非常低……托利党最核心的竞选资本就是他们被视为最善于管理经济的政党，而这一点突然间遭到了质疑。历史上，利率的高低与政府支持率的高低有直接联系。从长期看，利率越高，政府在民意调查中支持率就越低，反之亦然。

经济决定论的一个问题

然而上述那些政治家们如果目睹了 1997 年 5 月的大选，他们便无法用经济决定论来解释大选结果了。工党在这次大选中取得全面胜利，标志着经济和政治支持率之间存在关系的传统观点彻底瓦解。保守党宣言的第一章标题是“生活水准翻一番”，它的竞选口号“英国正在繁荣”是建立在这样的假设上的：即经济繁荣会使选民再次投票给他们。英国的确在繁荣，自 1992 年 4 月上次大选以来，银行的基准利率从 10.5% 下降到 6%，通货膨胀率从 9.5% 降至 7.2%，实际国民生产总值上升了 15.8%，平均经济增长率为稳健的 2.4%。更值得一提的是，1997 年的选民知道经济发展良好，选举前一周的民意调查结果显示，近一半的选民认同“政府为英国经济的复苏打下坚固基础”，但对保守党来说，不幸的是被调查的人中只有 1/5 的人认为保守党有资格获胜。虽然保守党成功地把工党自 1994 年 12 月以来的领先差距在选举前大大缩小了，但他们的得票率仍下降了近 11%，并在众议院的席位减少了 170 个。前副首相迈克尔 · 赫塞尔廷在 1999 年 2 月说：“经济衰退……摧垮了政府。”但梅杰政府的下台绝不是因为经济衰退。

于是，经济评论家们开始修改自己的分析模型以便与事实相符。按财政研究院的说法，尽管 1992 年以来收入增长是事实，但其增长幅度不如前几届政府。1991~1996 年，普通的拥有两个孩子的家庭，其税收实际收入每年增长 756 英镑，但 1983~1987 年，相应数字是它的 2.5 倍，1987~1992 年更是达到了 3 倍。简言之，1997 年“让人们感到富裕的动力不足”。记者威尔 · 赫顿认为 1992 年以来，经济“成功”是表面的，“在经济的深层表现中”没有发生任何改观，而选民意识到了这点。第三种理论是，人们没有原谅保守党在经济管理上的失误，它导致了 1990 年的经济衰退和 1992 年英镑脱离欧洲汇率机制。这一理论也是保守党竞选的主策划人提出来的：

> 1997 年选举失利和此前的四次选举胜利相比，只有一件事改变了。在“英国陷入经济困境时，哪个党派在管理经济上有最佳办法？”在这一基本问题上，我们被扣去了 40 分，从+20 变为–20。在胜利和失败之间，唯一发生变化的是人们对政党的相对经济管理能力的看法出现了反转。

本章会阐述这个观点，即从长期来看，经济因素对选举结果所起的作用不大（至少英国的例子是这样的）。事实上，只在较短的时期内，即凯恩斯的需求管理理论盛行的 20 世纪 60 年代，经济和选举结果的关系较为贴近于“富足感”理论所指的关系。在其他时期，经济和政治胜利之间很少有稳定的联系。这有两方面原因。第一，试图操纵经济周期的政治构想通常会带来无法预测的负面后果：20 世纪 70 年代表现得尤为明显，以刺激就业为目的的财政和货币政策被指责为引发了通货膨胀。第二，选民不是简单地在经济增长时就奖励现任政府，经济衰退时就施以惩罚，选民面对经济变化时的反应更为复杂。

英国的实例

为了对经济在英国政治上的作用有个长远整体的认识，我们有必要追溯到 1832 年 12 月，《改革法案》后的第一次大选。如表 11 所示，政府的组建与解散并非总是由大选决定。1832 年以来约有 51 届政府，如果把每次选举都当做换届的话，得到的数字会略高于 51，如果只计算首相更迭，得到的数字会略低于 51。在此期间共有 41 次大选。在我们列出的 50 次政府更迭中，只有 18 次被认为是选举失败的结果。有 22 次现任政府赢得了选举（另两次的选举结果比较反常：保守党在 1852 年选举中失利，但在几个月后才最后下台；而1885年11月的选举是平局，爱尔兰民族主义者获得权力制衡，这在某种意义上对他们来说是一种胜利）。其他政府更迭的原因在表中列出。

表11　政府更迭或首相变更的原因（1832~1997年）

选举	18
经济问题	4
宪法问题	1
爱尔兰问题	4
外交问题	4
军事问题	5
君主	2
死亡或疾病	11
其他	1

从中可以看出，经济原因直接导致政府更迭的情况只有4次：皮尔因为在1846年要废除《谷物法案》而下台（严格地说，他是在《爱尔兰强制法案》上被击败的）；德比政府在1852年因为预算问题下台；阿瑟·鲍尔弗政府因为1905年的关税改革而下台；拉姆齐·麦克唐纳的工党政府因为在1931年削减失业福利而下台。与之相比，它与爱尔兰问题在导致政府更迭上所起的作用相当，而外交政策和国防问题更容易造成政府更迭（共带来9次政府更迭）。有11次首相的变更是由于健康原因，但没有一次引发执政党派别的改变。

那么长期来看，对经济因素在选举中发挥的作用有没有更精确的描述呢？表12提供了一些确凿的数据，描述了自1922年以来英国经济因素在选举上发挥的作用。在1945年以前没有出现民意调查的阶段，我们可以观察选举前执政党在两次选举之间得票率的上升或下降的变化，然后把它与同时段两项重要的经济指标，即通货膨胀率和失业率的变化进行对比。数据表明，在20世纪的英国，经济成功和政治成功之间基本没有关联。在21次选举中，只有10次出现了通货膨胀率上升和政府得票率下降同时发生的情况。在失业率上（假设失业率上升会导致支持率下降），这样的情况有9次。简单的相关性分析显示政府的支持率和通货膨胀之间存在负相关，这意味着如果政府降低通货膨胀率的话，政府的状况可能有所改善。然而回归分析显示这具有欺骗性。统计分析显示唯一存在明显相关性的是政府的支持率和失业率这两项数据。

表 12　英国经济指标和选举结果（1918~1997 年），与上次选举时各项数据相比其增减幅度（%）

	零售价格通货膨胀率	失业率	政府得票率上升/下降
1922 年 11 月 15 日	–30.2	11.8	5.6
1923 年 12 月 6 日	9.6	–2.4	–0.1
1924 年 10 月 29 日	2.3	0.3	2.5
1929 年 5 月 30 日	–2.4	–1.2	–10.1
1931 年 10 月 27 日	–5.2	12.0	17.0
1935 年 11 月 14 日	9.1	–7.2	–1.5
1945 年 7 月 5 日	1.0	–13.5	–13.9
1950 年 2 月 23 日	0.6	0.8	–1.7
1951 年 10 月 25 日	8.2	–0.5	2.7
1955 年 5 月 26 日	–8.3	–0.3	1.7
1959 年 10 月 8 日	–3.8	0.9	–0.3
1964 年 10 月 15 日	4.3	–0.4	–6.0
1966 年 3 月 31 日	0.2	–0.2	3.8
1970 年 6 月 18 日	1.6	1.1	–4.9
1974 年 2 月 28 日	7.3	0.3	–8.5
1974 年 10 月 10 日	3.9	0	2.1
1979 年 5 月 3 日	–6.8	2.7	–2.3
1983 年 6 月 9 日	–6.6	7.0	–1.5
1987 年 6 月 11 日	0.5	–2.3	1.0
1992 年 4 月 10 日	0.1	–0.6	–1.1
1997 年 5 月 1 日	–1.7	–2.3	–10.9

从这些数字中，我们还可以得出另一项与我们直觉相悖的推论。重大的政府失利总发生在经济相对繁荣的时候，至少在以下几次选举中出现了这样

的情况：1923 年 12 月、1929 年 5 月、1997 年 5 月。1906 年的选举也同样如此，那次选举中自由党的完胜和 1997 年工党的胜利非常相似。虽然在那次选举中，经济政策问题在影响选举结果上起了一定作用（这里指保守党在关税改革上的内部分歧）但当时经济状况良好：自 1904 年起失业率持续下降、出口额自上次选举以来大幅增长。相反，几次政府取得连任都发生在经济恶化时期，战前一个典型的例子是在 1931 年 10 月，当时是经济萧条最为严重的时期。1922 年 4 月政府取得连任也发生在经济衰退期，而（如果"人们感觉更富裕"理论起决定性作用的话）这本应是工党趁势获胜的机会。

我们可以利用每月的民意调查结果、失业率和通货膨胀率这些数据，对 1945 年后政治与经济的关系进行进一步的考察。图 21 把民意调查中政府的领先百分比与"困苦指数"（即将当前的失业率和通货膨胀率简单相加）进

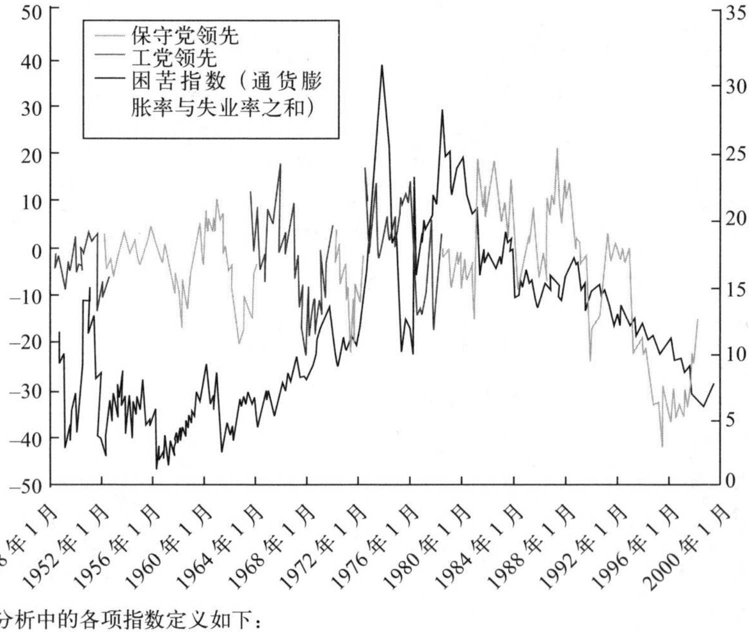

注：分析中的各项指数定义如下：

政府领先：民意调查假设明天举行选举，受访者中会投票给执政党的人数比例减去会投票给主要反对党的人数比例。

通货膨胀率数据：本年零售价格指数与上一年相比的百分比变化。

失业率数据（根据定义，1971 年之后以领取失业金的人数计算）未作出季节性调整。

图 21　政府领先百分比和"困苦指数"（1948~2000 年）

行了对比。从表面上看，两者的关系如“富足感”模型所预测，呈现出负相关的迹象，即通货膨胀率和失业率上升会致使政府支持率下滑。1951 年“困苦指数”急剧上升，阿特利政府的支持率下降，并导致它在 10 月的大选中失败。随后困苦指数走低，恰逢保守党在 1955 年夏和 1960 年秋人气高涨。1962 年 5 月困苦指数上升到 7 以上，这也伴随着保守党领先地位的下挫。但自 20 世纪 60 年代中期后，这种相关性便不太明显了。1966 年 7 月 14 日在一次内阁会议上，威尔逊对一次民意调查结果发表评论，在这次民意调查中工党领先保守党 16 个百分点，威尔逊说：“他无法理解为什么会这样！似乎我们的政策越不得人心，我们的支持率就越高。”然而，在这之后政府的支持率便急泻而下，而支持率下降的幅度远远超过困苦指数上升的幅度。1974~1977 年，政府支持率大幅下滑似乎也可以从经济角度来解释。但 1980 年和 1981 年，高困苦指数对撒切尔政府的影响就小得多。自此之后，政府支持率的变化基本不再受困苦指数的影响。

如果用更精细的统计方法来分别分析失业率、通货膨胀率、利率对政治的影响，我们便可以清楚地看到经济因素影响力下降的趋势（见附录B）。当然如图 21 所示，经济因素的影响力在初期是存在的。20 世纪 50 年代保守党执政时期，失业率每上升 1%，政府支持率便下降 5%。通货膨胀率和利率的上升虽然破坏力较小，但同样也具有负面作用。对于第一届威尔逊政府而言，失业率上升导致的后果更为严重，失业率每上升 1% 可使政府支持率下滑近 10%。利率上升也与政府支持率下降相关，而高通货膨胀率的影响力较弱。有趣的是希思执政时期，数据的相关性与之前保守党执政时期非常相似。而 1974~1979 年，威尔逊和卡拉汉执政时期的情形也与之前的工党政府时期很接近，失业率通常伴随着较大幅度的支持率下滑。

然而，也只有失业率这一经济因素与威尔逊–卡拉汉政府的支持率在统计上呈现较明显的相关性。事实上，之后几届政府的支持率也只与三项经济指标中的一项相关：对保守党而言是利率，对于工党是失业率。这或许意味着撒切尔夫人已成功地把公众对失业率的关注转移开，在 1979~1992 年，失业率与政府支持率的相关性并不明显。另一点也让人颇感意外，虽然撒切尔政府积极倡导反通货膨胀，但通货膨胀率与政府支持率的相关性也不强。但是，里德利“定律”似乎仍然适用，即利率越高政府在民意调查中的支持率就越低：在撒切尔执政期间，基础利率每上涨1%，便伴随着政府支持率下降3%。

1997年大选之前的这段时期情况如何呢？从约翰·梅杰要不惜代价地保证物价稳定的承诺中，我们就可以得知1992~1997年通货膨胀率和政府支持率之间存在非常强的负相关性。但是1992~1997年有一点颇让人感到意外：利率和政府在民意调查中的支持率呈正相关。英格兰银行基础利率每上升1%，政府的支持率便上升8%；或者准确地说，1992年9月之后，利率的下降伴随着政府支持率的滑坡。保守党所信奉的“感觉富有”模型恰恰与现实相反，这也注定了保守党的失败。更令人费解的是，1997年后失业率和政府支持率也呈现为正相关，表现为当失业率下降时，布莱尔政府的支持率也出现下降，这是现代工党历史上从未出现过的现象。

政治商业周期

有两种方法可以解释为什么选举结果并不取决于经济，或者说至少不总是取决于经济。一种解释是，政治家缺少成功操控经济的技巧。

在1957年出版的《民主的经济理论》一书中，安东尼·唐斯认为，“政党是为赢得选举而制定政策，而不是为制定政策而赢得选举”；而一旦当选，“民主政府会理性行事，以获取最大的政治支持”。这一论断成为威廉·诺德豪斯“政治商业周期”理论的基础，这一理论认为政府会操控经济，使得经济周期在下次大选前达到波峰。从本的日记以及其他我们引用过的数据源来看，政府的确试图这么操作过。对于这样的行为也有现实数据作为明证。至少在有些国家，比如美国、德国和新西兰，失业率似乎遵循着政治周期，它在政府执政的前两年上升，后两年下降。我们看到英国的数据似乎没有呈现出相同的模式。但是通过稍稍不同的方式我们就能看出，在20世纪70年代以前2/3的选举中，选举前一年可支配收入的增幅高于平均增幅。

通过扩张性政策来降低失业率带来的麻烦是，这会引发高于预期的通货膨胀率。当政治家越来越频繁地给经济注资，菲利普曲线（反映就业率和通货膨胀率相关性的曲线）会变得陡直起来。许多评论家得出的结论是政治周期不可能长久维持下去。因为这会提高“对政治的过度期望”，塞缪尔 · 布里坦说。彼得 · 杰伊在 20 世纪 70 年代中期写道，“政治经济危机”似乎即将来临。在英国和美国，这种危机表现为撒切尔和里根政府反通货膨胀政策的反冲力。

由于 20 世纪 70 年代后政治出现两极分化，政治商业周期理论也不免要针对党派特征进行修正。不同的党派有不同的政策偏好。左翼政党因为其劳工阶层成分而更关注失业率问题，而保守党因为代表着食利阶层的利益，故而更关注通货膨胀率。1997 年，一份具有深远影响的研究显示，平均而言，战后英国在保守党执政期间的失业率要高于工党执政期间。同样，相比共和党，民主党更倾向于促进低失业率、高通货膨胀率的政策。因此许多国家保守党执政时，一旦发现通货膨胀在政治上弊大于利，就会对它进行调控。20 世纪 80 年代英国人一直抱怨，一些政治家的回忆录也证实，保守党执政时总是以利率变动造成的政治影响为前提，适时地对利率进行调整。在 1983~1987 年，面对宽松货币政策所招致的不满，保守党“为了影响民意，确实调控过货币供应量”。对于保守党几次适时地大规模增加公共开支行为，有理论解释为保守党要（通过减税）提高财政赤字，目的是为了制约与之竞争的左翼政党，如果他们上台的话，将被迫限制甚至削减预算其他方面的公共开支。

然而，一旦选民看穿了政客们的意图的话，这种对名义经济指标所做的政治修补可能不会带来多少实质影响。在这样的情况下，政治商业周期就只能表现在财政政策或货币政策上，而无法体现在经济增长率、失业率、通货膨胀率这些数字上。对经济合作与发展组织所有成员国的比较研究证实了这一点。因此 20 世纪 70 年代后，经济因素在政治上影响力的下降可以解释为人们认识到无论哪个政府，它的政策总会产生新的经济问题，幻象因此破灭。换言之，一个政府越想集中解决某个经济变量的问题，这个经济变量和支持率之间的关系就越淡化，因为其他经济问题会随之产生。这也是著名的古德哈特定律的变形，即仅依据一个经济变量来制定政策的行为不利于该政策达到预期效果。

然而，对于政治商业周期效应的消失或减弱还有另一种解释，这与选举方程式中另一个更复杂的变量有关，即选民。

投票函数

政治学家赫尔穆特 · 诺尔波特曾写道："几乎在任何地方，经济都如同一条纽带将选民与政府像连体婴儿一般紧紧绑在一起……投经济票的观念在民主社会的公民头脑中已根深蒂固。"然而事实证明，这一过程错综复杂并时有意外发生。事实上，对民主社会大量的实证研究表明，认为经济和支持率直接相关的简单观念应被抛弃。

诺尔波特所使用的数据范围包括 38 个国家，但他只对最近选举中执政党的得票率做了分析，在（用简单的回归分析）比较了执政党的得票率和选举前后国内生产总值的实际增长率后，他发现"选举年国内生产总值每增长 1%，执政党的得票率即会上升 1.5%"。另一项研究发现，在 20 世纪 80 年代早期，欧洲和美国也有类似的"投经济票"现象。然而，帕尔达姆在 1991 年对 17 个经济合作与发展组织成员国 40 年来 "投票函数"的调查发现，执政党的得票率和各项经济指标（失业率、物价上涨率、国内生产总值增长率）之间只有表面的相关性。如果用更为严格的统计方法来检验，即使把政府的政治派别、党派数量、国家规模这些因素都考虑进来，这些相关性也会变得非常弱。只有做出以下调整：执政党对经济表现应负责任的程度不同（考虑到政治制度不同），并且考察通货膨胀率和失业率的相对值而不是绝对值，经济和选举之间的明显相关性才会体现出来。

对某些国家更为详尽的调查研究（需要强调的是调查研究大量集中在美国），对经济和投票行为之间的相互关系提出了 8 个问题：

1. 选民在意通货膨胀率、失业率或其他经济衡量指标吗？
2. 选民是被个人利益驱动，还是会考虑共同利益？
3. 选民会因为对党派存有看法而影响他对经济的评判吗？
4. 选民会因为自身所处的阶层而对经济产生不同的看法吗？
5. 选民的行为是不对等的吗，即他们会重罚轻赏吗？
6. 选民依据的是历史还是预期？
7. 选民是短视的还是理性的？

8. “富足感”，即繁荣的主观感受，比起真实的生活改善，哪个更重要？

以下段落总结了政治学家给出的主要分析结果。

1. 经济指标。对大量国家的分别研究表明，各项经济指标对于选民的重要性在不同国家有很大不同。比如，一项针对 1896~1964 年美国议会选举的研究发现，选举结果与实际收入变化的相关性较为明显，和价格呈负相关但相关程度稍弱，而和失业率没有实质联系。在分析了 20 世纪美国总统选举后，雷 · 费尔发现选举前一年实际国内生产总值的变化和失业率的变化对于选举至关重要。准确地说，实际国内生产总值每上升 1%，现任政府的得票率将会上升 1.2%，而同幅度的失业率上涨会导致得票率下降 2.3%。2000 年竞选时，对于戈尔的支持者来说这一基于经济增长的模型是一个巨大的鼓励(当时戈尔在选票上落后)。

在英国，人们关注更多的是通货膨胀率和失业率。发表于 1970 年的一份关于英国选举的研究发现，这两项经济指标对战后英国政府的支持率都有影响（同时要将以下因素考虑进来：失业率变化带来的影响有 6 个月的滞后期、新政府当选后的“极度喜悦”、转而支持选举前的在任政府）。之后对撒切尔政府执政时期的数据分析也得出了类似的结论。然而，也有其他分析人士认为在这段时期，相比失业率，通货膨胀率是更为重要的经济指标。历史记录显示，人们的关注点在转变。吉姆 · 卡拉汉不再认同托尼 · 本所提出的选举获胜的关键在于“充分就业”这一观点，标志着 1977 年 9 月经济大环境发生了转变。

“坦率地说，”吉姆说道，“我不知道怎么办。失业率非常重要么？我记得 1935 年大选时失业人口为 300 万，但工党仍然败北。”

本：“但是 1945 年大选时，失业率是竞选的核心问题。”

“事实是，”卡拉汉说，“通货膨胀率会影响所有人，而失业率只影响少数人。”

随着通货膨胀率的上升，卡拉汉开始怀疑选举前“给经济注资”的功效。当时的财政大臣丹尼斯 · 希利也赞同这一点。1978 年 9 月 14 日，希利对他的内阁同事讲：“在民意测验中，失业问题之所以在人们最关心的问题中排在第一，完全是因为现在物价稳定。如果物价开始上涨，通货膨胀问题将重新回到第一的位置。”

公众对通货膨胀率关注程度的提高，一定程度上解释了为什么20世纪80年代的英国比起其他欧洲国家来采取的反通货膨胀政策更为激烈。1971~1986年的联邦德国在说服选民改投政党时，失业率比通货膨胀率更为重要。1978~1987年的法国，这两项指标与执政党的支持率都有关系。但是这些国家20世纪70年代的通货膨胀率都没达到英国的水平。1975年8月英国的通货膨胀率达到27%的峰值。与此同时，法国的通货膨胀率仅为11%，而德国则低于6%。另一方面，英国的保守党还必须努力维护反通货膨胀政策，这一政策的主要负面作用是致使失业率翻一倍。撒切尔后来回忆她第一届任期时写道：“通货膨胀率从20%下降到4%，这是13年来的最低水平，（1983年）大选临近的时候，反通货膨胀成功是我们最具吸引力的唯一成就……然而它带来污点当然是失业率，当时的失业人口高于300万。我们要在竞选中向公众解释为什么会出现这种情况，并且我们正为此采取哪些行动，这是至关重要的。”奈杰尔·劳森同样把1983年的选举看做是对“失业率的上升对执政党即意味着灾难”这一传统观念的颠覆。他认为，到这个时候失业率已不再是衡量“富足感”的好指标了，“为了解决几十年来人浮于事的问题而引发的失业，在经济状况明显改善、在职者生活水平提高的情况下，与以往的失业是完全不同的”。

虽然对“投票函数”的研究大都集中在实际收入、通货膨胀和失业率这些指标上，但该函数也存在着其他变量。税收政策值得更多的关注，乔治·布什在1998年8月就曾做过臭名昭著的许诺：“相信我，不再会有新的税收了。”近年来这种承诺在竞选中变得相当重要。贸易政策对竞选也起着重要作用（如同在19世纪），1988年加拿大大选前夕，由于自由党拖延《北美自由贸易协定》的通过，导致大批选民改旗易帜。另外也有证据显示20世纪80年代的私有化为英国保守党赢得了不少选民。事实上，特定指标对政治的影响力会随时间而改变（也会随地点而改变），比如在美国，家庭收入与政府支持率的相关性在20世纪50年代很强，60年代减弱，但到70年代再次加强。正是由于这种不稳定性，使得“富足感”模型在20世纪60年代之后的英国变得不那么可靠了。

2. 个人利益还是共同利益? 对美国的调查研究表明，选民在作投票决定时更易受整体经济状况的影响，而不是考虑其个人的经济状况。这意味着选民的行为是“社会型的”，或者可能是“利他型的”。这种现象也可以解释为，“自立”的美国人不愿把个人财富状况归咎于政府。比如 1984 年，只有约 5% 的美国选民把他们个人经济状况的改变归咎于政府的税收政策。然而，要区分投票决定是受个人经济状况影响还是受整体经济状况影响还是比较困难的，仍有许多预测家把“比起一年前，你是更富有了还是更贫困了”这个问题，看做是衡量选民投票意愿的好指标。

3. 不对称的党派预期。 一个更为复杂的因素是，选民对不同的政党有不同的经济预期。他们认为右翼政党会带来低通货膨胀率、高失业率，而左翼政党会带来低失业率、高通货膨胀率。假如不存在其他原因的话，这似乎能够解释为什么选民在 20 世纪 80 年代早期失业率上升的时候，没有抛弃撒切尔政府和里根政府。但是，如果我们仔细考察，就需要对上述描述做重大修正：比如 1979 年，英国选民认为工党比保守党更擅长应对通货膨胀，并且民意调查显示通货膨胀是当时选举的重要议题，可是工党还是失利了。此外，在随后的 3 年中，失业率上升，选民们没有转向工党，而是转向了新的社会民主党。

4. 阶级投票。 我们之前的论述都是将选民当成无差别的同质群体。但政治学家们长久以来都在论证，选民的经济偏好在某种程度上是随其所属的阶级而变化的。英国的政治评论家认为，社会阶级和党派拥护之间的密切性在 20 世纪 50 年代达到顶峰后已开始减弱。早期“富足感”理论的支持者，比如安东尼 · 克罗斯兰，就深受这个观点的影响。他们认为当选民放弃旧的阶级归属意识时，就会追随任何一个政党，只要这个政党能够带来低物价和高就业。近来还有人认为，阶级已经被其他社会特征所取代，在如今，种族和宗教更为重要（尽管影响投票行为的一些“新”决定因素，比如所属行会、屋主身份，仍很难脱离阶层范畴）。这就为为什么 20 世纪 50、60 年代经济与政治存在较强的相关性提供了另一种可能的解释，即它与当时选民阶级归属感较强有关，而 20 世纪 70 年代后，阶级意识的消除也削弱了宏观经济指标在政治上的影响力。然而，如今仍有人认为阶层意识仍发挥着重要作用。如果用个粗略的衡量方法，比如“奥尔福德指数”，这个指数是衡量投票给工党的手工业者和非手工业者的比率的差异，那么它会显示出阶层的政治归属意识已经淡化。但是用更精准的方法（比如把手工业者占总人口比例下降的因素考虑进来），那它会显示出阶层的政治归属感依旧存在。大量研究表明即便是在近期，相比其他阶层，失业率的上升更容易引发工人阶层对左翼政党的支持。

5. 不知感恩。一些政治学家认为选民的行为是不对称的，奖少罚多，即对经济表现不良的政治家的惩罚多于对经济表现良好的政治家的奖励。比如1963年和1964年，在被调查的英国选民中，那些认为经济状况在过去一年中恶化的选民，相比那些认为经济状况有所改善的选民，有两倍的可能性要对政府作出回应。自1951年保守党执政以来，经济增长迅猛，应该可以肯定的是经济状况恶化的个人仅占少数，但1960年开始，政府的支持率却开始急转直下，哈罗德·麦克米伦对此臆断道：“可能经历了10年前所未有的繁荣后，人们厌倦了。”从选民的不对称行为角度说，这些从来没有如此富足过的大多数人比起那些要惩罚政府的少数经济失利者，似乎更不愿意去奖励政府。

6. 农民还是银行家？这里提出这样一个问题，选民对政治家的评定是建立在他们过去的表现上的，还是建立在对他们未来表现的预测上的？用学术术语来说，就是选民是属于往后看的“农民”，还是往前看的“银行家”？有证据表明，美国存在根据以往历史进行投票的行为，比起在议会选举中的表现这点在总统选举中表现得更为明显，而根据以往历史做出的投票决定往往也掺杂着其他因素，比如对某一政党的长期拥护（“我们这个家庭/街区/城镇一直以来投的都是共和党”）。当然更为明智的做法是应考虑未来的政府会怎样做，而不是过去的政府做了什么，然后再作出投票决定。一些美国的调查表明，影响选民投票决定的是预期而不是以往的记录。英国1992年的选举可以被看成是预期式选举的例证：选民没有因为过去的经济萧条而惩罚保守党，对经济增长的期望让选民再次选择保守党。有这么一种说法，20世纪80年代，保守党的支持者都是以前瞻性的眼光进行投票，但他们对工党的评判却仍顽固地建立在以往的历史上。由于这个原因，“谁将成为最好的首相”这一问题的答案，相比根据以往记录进行评定打分，更能引导投票意愿。

然而，这是一种错误的两分法，因为对未来的预期在一定程度上必然建立在过去的经验上。但是，即便同时建立在过去记录和未来预期的模型也可能是错误的。保守党在 1997 年的选举前抱有“巨大希望”：“在过去 12 个月中，个人实际可支配收入的增长，将会提高人们对下一年个人财务状况有进一步改善的预期，从而人们投票给保守党的意愿也会加强”，然而这一切都没发生。

7. **愚弄民众**。农民还是银行家的问题引出了一个理论上的根本性分歧。有经济学家（包括政治商业周期早期支持者）认为选民是短视的，看不到大选前“贿赂选民”所导致的通货膨胀代价。然而新古典主义经济学家认为选民的行为是理性的，并具有前瞻性，因此“不会总被政府愚弄”。这一说法也解释了为什么在一个总统任职期内，美国选民常会改变所拥护的政党。

8. **感觉还是事实**。主观的富足感和事实上的富足并不等同。莫里斯 · 萨奇认为，影响投票决定的是“经济的主观感受”，而不是“经济的客观事实”。如果真是这样的话，那么愚弄民众比起往他们钱包里塞钱更重要。

对于选举行为有这么多种解释，而几乎所有这些解释都有经验数据相佐证，无怪乎，选举行为是如此的随机不定、难以预料，政治学和经济学是如此的纷繁复杂。事实上，政治方程式不是线性的。经济关系虽然存在一定的规律性，但经常被政治事件干扰，从而使这些规律性无法得到体现。英国近代历史上有三起显著的例子：福克兰群岛之战，它无疑帮助保守党在 1983 年的选举中转败为胜；1990 年开征的人头税，这项违背了经济和政治理性的措施，引发了一场本可避免的危机；1992 年英国脱离欧洲汇率机制，而这在根本上是由于德国统一导致欧洲利率上涨而引发的。唯一能挽救政治和经济之间残存的一些线性关系的方法是，把这些事件纳入模型中来。把政治变量纳入模型中，以便精确考察这些事件的影响，就能对 1979 年以来保守党的选举表现进行解释，并且至少有两次能够作出比较准确的预测。

这样做是否就能挽救“富足感”理论了呢？这仍值得怀疑。戴维 · 桑德斯试图用来解释 1979~1997 年保守党得票情况的等式的 8 个变量中，只有两个是经济变量：税收指数的变化和家庭财务状况正负预期相抵后的净额；而政治变量有 4 个（除了上面提到的 3 个外，还有托尼 · 布莱尔作为一个值得信任的工党领袖出现）。为了使模型的预测结果和纷繁错综的现实相吻合，只要模型构建者认为有必要，添加更多这样的变量到这一等式中也没什么不可以。

政治疲劳

如果那些逐渐主导英国和美国政治的广告商和舆论导向专家是正确的，那么实际经济指标和政府支持率之间关系的破除也就无关紧要了。如果仅仅是主观感知起作用，那么政治家们只需把精力放在购买到最有效的竞选方案上，而理想的主题就应该是："在过去几年我们的领导下，你们感到了富足，如果你们再次推选我们，你们将会感受到更加美好的未来。"

有 3 个原因导致这种策略不能持久。第一个原因是，经济增长带来的满意度的增长是边际递减的。调查显示，富人比穷人更有幸福感，但如果这些被调查者在经济快速增长 5 年后再次接受调查，那么他们幸福度的增长不及他们收入的增长。比如日本，自 1950 年以来，实际收入增长了 5 倍，但调查显示他们的幸福度却没有变化。最富有的国家的人并非就最幸福，一份调查全球各国幸福度的结果显示，美国人的幸福度世界排名第十三，冰岛第一。然而以人均国内生产总值计算，美国排在第七位，冰岛排在第十六位。

有理论认为，经济增长可能会为执政政府加分，但当经济繁荣成为常态，对政府的嘉奖便会减退或变得平缓。促成 20 世纪 50、60 年代选举结果的是进一步的经济增长，人们在 20 世纪 50、60 年代感受到的是"越来越富有"，而不是一般的"感觉富有"。一种更激进的观点是，在超过某个临界点后，收入增长不会再提升感觉。用心理学家唐纳德 · 坎贝尔的话来说，富人会因无法得到消费满足感而陷入枯燥的享乐中。经济的快速增长导致生活节奏加快也会增加人们的不安全感。我们使用的衡量经济繁荣程度的传统指标，没有包括增长所带来的负面效应，比如污染和交通拥堵。

选民们逐渐不再相信政治家所做出的感觉将会越来越好的承诺，其第二个原因是，选民们在整体上对政治的幻想破灭。这一现象德文称为 Politikverdrossenheit，可以翻译成政治疲劳。它的一个明显症状表现为参加投票人数的下降。有人认为投票率主要是由选举的重要性来决定的。如果某项选举十分重要，并且参加投票会对选举结果产生影响，那么选民们就不会待在家里。但这一观点忽略了一点，即从整体上说，选举的重要性已不及 30

年前。对于英国的大选，投票率从 1959 年的 85% 下降为 1997 年的 70%。而在地方选举和欧洲选举中，下降趋势更为明显。欧洲从 1994 年的 57% 降至 1999 年的 49%。

与此同时，投票的易变性，即选民改投其他政党的情况有显著增加。1964 年英国选民中的 47% 具有高度党派忠诚度，到 1987 年该比例仅为 16%。1981 年的冰岛，24% 的选民表示他们并不对任何一党感觉比较亲近，8 年后这个比例增长了一倍多，达到 58%。20 世纪 90 年代的欧洲大陆，这种易变度也在增长。涵盖了欧洲 13 个国家的佩德森易变指数（计算方法为将各个政党在前后两次选举中得票率的变动值相加再除以 2），在 1948~1989 年约为 8%，到 1990~1994 年达到 14%。另一种衡量易变度的方法是净转移总计（等于支持率上升的各个政党的得票率变动值合计），根据这计算方法，意大利 1994 年的投票易变度为 37%，这一数字是 1985 年到 1989 年间欧洲各次选举中最高值之一（德国在革命后的 1919 年，该数字为 48%；法国在结束纳粹占领后，该数字为 36%）。

德国的政治疲劳现象由于其显而易见的历史原因尤其值得关注，因此我们需要更细致地考察德国的情况。德国人中声称对政治感兴趣的人数比例从 1990 年的 57% 降到 1997 年的 40%，但如果过分强调这一下降趋势则是有误导性的。是德国的统一促进了人们在 1989 年后提高对政治的兴趣，虽然这一促进作用在 1992 年后逐渐减弱，但在 1994 年、1995 年仍能被感受到。而对政治感兴趣的人数占比在 20 世纪 50、60 年代远低于 40%（1952 年 6 月该人数比例仅为 27%）。然而在过去的 20 年中，对政治家这个群体，人们的态度显然有了巨大的转变。1972 年，对于“你是否认为当选伯恩的联邦议会代表必须具备相当的能力？”63% 的联邦德国人的答案是肯定的，只有 23% 的人回答是否定的。但到 1996 年，只有 23% 的人回答是肯定的，而答案是否定的人数比例达到 59%。而自统一后，民主德国对政治的幻想也迅速破灭。1991 年，对于上面提到的代表能力问题，44% 的民主德国人回答是肯定的，而到 1996 年这一比例下降到 22%。1995 年接受调查的德国人中有 2/3 多认为，联邦议会代表这一重要角色应代表公民的意志和利益，但只有 1/3 的受调查者相信他们选出的代表履行了这一职责；同样约有 1/3 的人认为，代表们同等程度地考虑其自身的想法和目标；而一多半的人认为他们选出的代表薪酬过高，78%的人反对给代表涨工资，这点我们会在下一章再次提到。

对四大党派表示失望的人数比例也呈现出间歇性地上涨。1983 年只有 29%的联邦德国选民表示对所有各大党派不抱希望，而 10 年后这一比例上升到 57%，虽然在 1993 年和 1994 年，这一比例大幅下降，但 1997 年 4 月，它再次升到 50%。民主德国人的态度自 20 世纪 90 年代以来，也表现出同样的变化趋势。而更令人费解的是，公众越来越不了解德国选举制度。德国选举制度规定每个选民可投两票，一票是推选本选区的代表，一票是推选党代表，而后者决定了联邦议会中政党席位的比例。1980 年的调查显示，54%的选民了解这个制度。而最近的调查显示，只有 1/4 的选民意识到第二票才是决定性的。

如果把这些现象称为“魏玛现象”则有些言过其实。今天绝大多数的德国人都从以往的历史中汲取教训，认识到应抵制反民主的政治主张，尤其是那些披着民族主义和种族主义外衣的反民主政治主张。而政治疲劳也不仅只存在于德国。1999 年 11 月，法国选民被问到如何看待政治时，57%的人的回答为“持怀疑态度”，27%的人表示“感到厌倦”，20%的人表示“厌恶”，只有 25%的人认为政党或领袖很好地代表了他们。我们始终不能忘记的是，一个民主制度的坍塌，其之前总会出现以下不良前兆：选民投票易变度高、党派纷争不断、公然的政治腐败。

政府感到越来越难以使民众感觉富有，其第三个原因是，在满意度边际递减和政治疲劳上升的情况下，现代政党竞选宣传所需要的经费将超出其支付能力。

1956 年，民主党总统候选人阿德莱 · 史蒂文森在党内会议上说：“把竞选高位的候选人当早餐麦片来包装推销，获取选票……是对民主制度的极大亵渎。”他保存了尊严，却连续两次在竞选中败给德怀特 · 艾森豪威尔。可能如“富足感”理论所认为的，艾森豪威尔的胜利归因于 20 世纪 50 年代美国经济的快速发展。但他的胜利同样应当归因于他在竞选中的资金优势。我们现在就要转向金钱关系这一议题，探讨政党的财务状况和取得竞选胜利之间的联系。

第9章

银桥综合征：选举经济学

“我寻求的是游戏，如果游戏渐渐消失了，就再不会兴起，那时谁又会在乎选举呢？”

——特罗洛普《你能原谅她吗》

当安东尼·特罗洛普笔下意气风发的青年英雄菲尼亚斯·芬恩作为自由党人竞选议员时，选举的结果已不言自明了。当时只有307名在册选民，“他们是如此远隔世事，对世间的美好事物又是如此无知，他们压根儿对贿赂一无所知”。并且本地的豪绅图纳伯爵也在与自己的哥哥（当时的保守党议员）发生争执后不再支持他。特罗洛普在完成《菲尼亚斯·芬恩》这本书一年后，自己也成为议会候选人，然而他却没有他笔下的主人公那么幸运。他所竞选的选区是约克郡东赖丁地区的贝弗利区，那里是当时英国最为腐败的地区之一。1857年保守党成员亨利·爱德华兹爵士来到此地后，便对选民进行了系统的“收买”，以至于“工薪阶层（1867年刚获得选举权）把投票的权利当成一种赚钱的手段”。爱德华兹付钱让酒店老板免费散发啤酒。在进行市政选举时，这位保守党代表坐在名副其实的“金球酒吧”里，散发钱币，并把收受人的名字仔细地记录下来。特罗洛普在他的竞选活动中花费了400英镑，但以740的得票数败北，而爱德华兹则获得了1132票。贿选是如此明目张胆，以至于成立了一个皇家委员会来调查贝弗利区的选举，结果发现800

多名选民接受了贿赂，这个选区的投票权因此被剥夺。

读一读特罗洛普在他的小说《首相》、《公爵的孩子们》中描述的他的这段经历，我们将会认识到从1750年到1860年间，英国的政治生活并无多大改观。在虚构的被称为“银桥”的选区，候选人被迫交付给本地律师500英镑的支票，“诚实的公民”明目张胆地索要“少量的金钱资助”来换取他们的选票，本地酿酒师不敌依附贵族的年轻人，落选的候选人扬言要用武力报复他的对手。虽然在1832年和1867年通过了两个主要的改革法案，但是特罗洛普笔下银桥竞选的腐败程度也只是略微逊于威廉·霍格恩在1753年生动描绘的汉诺威竞选。

有人可能认为这样的事情不会发生在现代的“银桥”。如今，如果议员竞选活动的支出被发现超出法定最高数额，哪怕只有几英镑，就会被逐出下院。而且候选人的竞选经费也不会直接塞进选民的腰包。然而21世纪初的政治在其他一些方面，和特罗洛普时代确有相似之处。现代民主社会的选票不能直接用金钱收买，但仍需要花费金钱来确保获得选票。今天的选民不是被贿赂，而是被铺天盖地的政治宣传聒噪着去投票。正是这种竞选费用的上升，而不是个别政治家道德上的不检点，使得新形式的腐败在政治体系中悄然蔓延。

从政如从商

1997年5月工党选举获胜的第二天早晨，《国际先驱导报》祝贺了“布莱尔集团”的选举胜利。3个月后，在解释为什么用“公民陪审团”对特定政策进行民意取样时，这位新首相阐述了自己的想法：“如果你在经营一家公司，比如塞思斯伯里、马克斯–斯宾塞这样的企业，你需要时不时地检验一下你做的事情。”《卫报》评论道：“首席执行官托尼·布莱尔想保住他的工作，所以他给顾客提供他们真正想要的东西。”同时，《观察家报》敦促布莱尔“像经营现代公司”一样来经营他的政党，使每个人都能在从“这一新的治国企业中获利”。这样带有比喻性的言论很快被付诸行动。在工党组阁的政府中，没有哪届政府像 1997 年布莱尔的政府一样，有那么多大臣来自商界。而保守党，这个自斯坦利 · 鲍德温时期以来被公认为商界的政党，也马上效仿这种把政党商业化的模式。保守党在这次败北后，开始转而向前麦肯锡管理咨询家和阿斯达连锁超市董事长寻求领导之方。威廉 · 黑格和阿奇 · 诺曼很快为这个政党设计了新的管理架构，它赋予“董事会”极大的决策权。

这不是英国特有的现象。在全世界，管理语言和政治语言趋于融合。1992 年和 1996 年罗斯 · 佩罗特竞选总统所依据的就是这样的理念，他提出只有商人才能使“美国扭亏为盈”，好像美国是家规模庞大的亏损企业。1999 年 7 月，西门子首席执行官敦促德国总理施罗德，制定财政政策要基于“同业标准，这是个在商界司空见惯的概念，但在政界却不常见”。同月，俄罗斯安全委员会主席鲍里斯 · 贝雷佐夫斯基解释了为什么他认为应该有更多的商人竞选议员：“简单来讲，资本雇佣当局来工作，雇佣的形式就是选举，只要选举是竞争性的，投票就是理性的。”贝雷佐夫斯基本人在从政前就通过经销汽车和广告赚了上千万。《华尔街时报》阐述了类似的观点，认为理念是“政治市场唯一的商品……最佳理念卖得最好，消费者就是选民，他们在投票时做出了选择”。人们普遍认为，商人为政界带来了独特的技巧，这种技巧虽取之于商界，但同样适用于政界，这也是意大利传媒大亨西尔维奥 · 贝尔鲁斯康尼政治魅力的核心所在。在极端形式下，这个观念被简化为：政治本身就是一门生意。

但是赢得支持率和赢得商业成功之间的相似程度究竟有多大呢？为了理解这一类比，我们可以把选举看成是一场对某个公用事业控制权的争夺战，而这个公用事业，鉴于它的核心业务，我们将它称为公共福利公司。这家公共福利公司规模庞大，虽然它在许多重要市场都享有垄断权，并拥有庞大的客户消费群（纳税人以及他们供养的家属），这些消费者绝大多数也是股东（选民），其中许多人能够获得分红（享受国家福利），但是这家公司却陷入了重重困境。这家公共福利公司为消费者提供广泛多样的服务。它开办医院、学校，修建大规模的公路网；它还是家保安公司，设立警察、监狱和军队；它还对一系列其他行业，从大学到广播公司实行控股。但它的问题是，自 1973 年以来连年亏损，为了能继续分红，它被迫：a. 削减资本投资；b. 全面提高它提供的服务价格；c. 间歇性冻结雇员工资；d. 降低分红的实际价值，并对某些阶层的股东完全停止分红；e. 加强对区域、地方分支机构的中央集权。无怪乎，消费者（约 5 800 万）、股东（约 4 300 万）、雇员（360 万）都感到不满。

再来看看政治党派，他们是小得多的实体，其主要目的是赢得并保持对公共福利公司的控制权。为此，主要反对党需要发动一场旷日持久的争夺运动，指出当前管理层的弊病。这些运动的目的是为了说服股东（即选民）在每 5 年一次的下次大选中投他们一票。如果反对党成功地做到这点，他们就会与公共福利公司合并，公共福利公司的董事会将被反对党的董事会所取代。反对党为了取得运动的胜利，也可以采用控制公共福利公司的下属机构（比如地方政府）或策反公司员工的方法，尽管今年来公共财政的集权化，以及公共部门工会的衰退致使这些战术不及以前有效。

政界商业和真正的商业之间最明显的区别在于，反对党要赢得公共福利公司的控制权相当困难。作为反对党，它只是个集智囊团、广告机构和休闲俱乐部于一身的混杂体（虽然最后一项功能已经消退）。在野期间，它实际上并不参与它自称十分擅长的管理活动，除非它在地方或大区上拥有实质的权力。而执政党却管理着这个规模宏大的公司，即现代国家。和 19 世纪一样，反对党必须说服选民改变他们所拥立的政党，但他们无法再依靠在酒吧散发免费啤酒的办法，他们必须用对未来的许诺来说服选民，许诺要改善公共福利公司的管理，无论是许诺增加投资、降低价格（税收）、改善员工待遇，还是提高分红或是调整结构以提高效率。而执政党却可以立即提供这些，并且执政党拥有更雄厚的资本来开展研究、宣传政策。

政治和商业之间最关键的区别正在于此：财务领域。现代民主制度最显著的特征可能就是政党自身的预算规模与他们所谋求执掌国家的预算规模之间的巨大落差。如我们所见，在过去一个世纪中，后者随着国内生产总值的增长而不断攀升，而前者却大幅下降。1880 年候选人竞选总开支超过 170 万英镑，以 1997 年的物价计算，每一票的成本超过 20 英镑，相比 1997 年每一票仅为 42 分。自 1880 年以来，候选人的竞选开支占国内生产总值之比竟下降了 98%，见图 22。

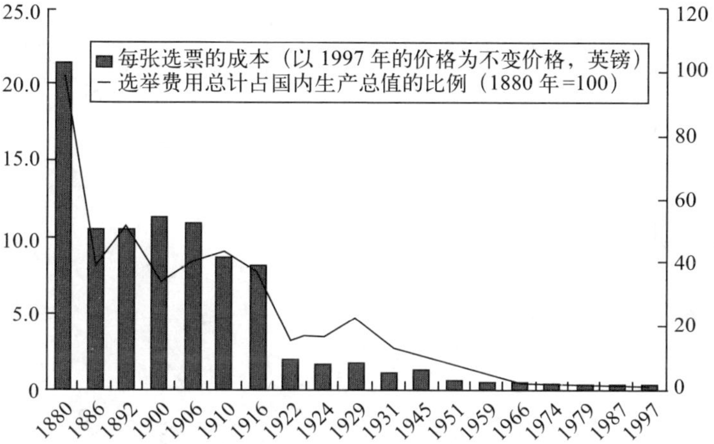

图 22 英国选举的实际成本：候选人公布的大选费用（1880~1997 年）

当然，各政党在过去 20 年中，经费开支有所上涨也是个不争的事实。现在政党很少依靠不计报酬的志愿者，而是更多地依靠专业行政管理人员和咨询家。众所周知，1997 年的竞选费用远高于 1992 年的竞选费用。保守党的竞选开支为 2 400 万英镑，工党为 1 700 万英镑，自由民主党近 300 万英镑，合计为 4 400 万英镑。而 5 年前 3 个政党的合计开支为 3 200 万英镑。图 23 的数据剔除了通货膨胀因素，它显示出 3 个主要政党的实际竞选费用自 20 世纪 70 年代后有显著增长。保守党在 1997 年的竞选开支是其在 1974 年 2 月的 3 倍，工党也是如此。即便按照占国内生产总值的比值来计算，各政党的竞选开支合计自 1979 年以来也上涨了近 55%。而这些数字尚未把各政党不断增长的日常管理费用计算在内。如果对主要政党的各项费用开支进行分析，包括日常的、非竞选支出，那么政党开支上涨将会得到进一步证实。其中最明显的是工党。保守党自 20 世纪 80 年代中期以来，在日常费用支出方面也呈现出明显的上升趋势。

这种现象绝非英国仅有，欧洲也有相同的情况。奥地利的竞选费用从 1975 年到 1990 年翻了一番，瑞典从 1982 年到 1988 年也同样如此。爱尔兰政党在竞选上的花费也不断上涨：联合爱尔兰政党的竞选预算从 1969 年到 1989 年增长了 3 倍（荷兰是个例外，那里的竞选费用略有降低）。

在竞选开支上美国尤为声名狼藉。根据 1999 年年中的预测，在选举克林

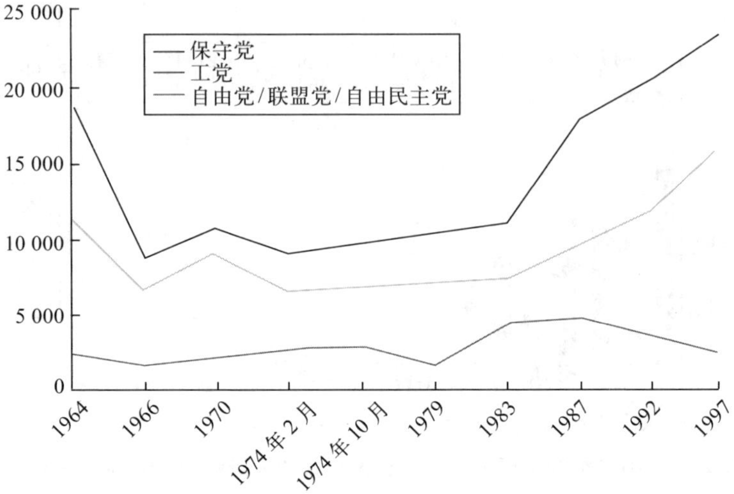

图 23　英国三大政党的竞选费用（1964~1997 年，千英镑，按 1997 年英镑价值计）

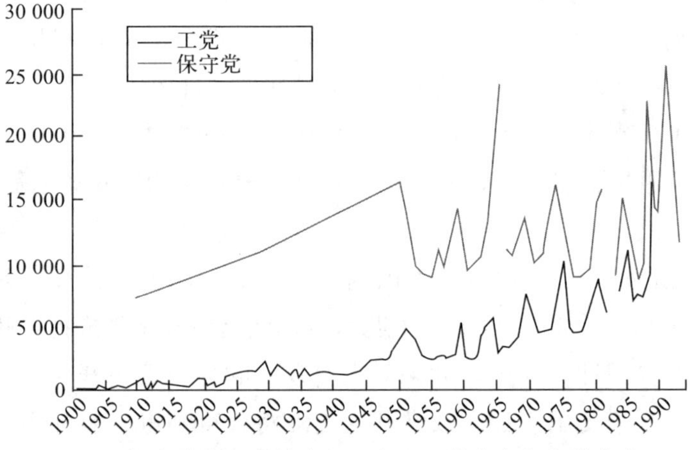

图 24　保守党和工党的主要开支（日常支出和竞选支出，1900~1992 年，千英镑，按 1997 年英镑价值计）

顿总统继任者上的花费比 1995~1996 年的大选高出 50%。在 1987~1988 年的两年选举周期里，参、众两院候选人的竞选开支为 4.59 亿美元，是 10 年前的两倍多。总统预选候选人还要额外支出 2.5 亿美元。总统候选人自己要支出 9 000 万美元。1995~1996 年，这 3 笔开支的对应数字分别为：7.65 亿美元、2.44 亿美元、1.53 亿美元。这些数字以欧洲的标准看是触目惊心的。英国三大政党在大选中的总费用约为 6 600 万美元，而 1995~1996 年美国联邦选举的总费用（包括预选、总统选举和国会、议会选举）超过了 20 亿美元。

和英国一样，对于美国我们也要从一个长期的角度来分析。以名义价值计算，1987~1988 年到 1995~1996 年，总统选举的总费用增长超过 25%。但剔除通货膨胀因素，以实际价值计算，这一费用基本没有变化。以占国内生产总值的比值计算，这一费用实际上从 0.016% 降到 0.014%。从这些微小的数字可以看出，美国民主政治的费用并不像一般人所设想的那么负担繁重。值得一提的是，1996 年选举费用的总额，比起飞利浦 · 莫里斯烟草公司在上一年的广告预算还略低了些。

然而，在多个重要方面，美国的政治费用呈现上升趋势。剔除通货膨胀因素，两大政党在联邦选举上的开支，从 1983~1984 年到 1995~1996 年增长超过 20%。这一增长几乎全部由民主党产生，它的竞选费用在扣除通货膨胀因素后增长了 86%。同样以实际价值计算，捐助总统候选人的联邦基金从 1980 年到 1996 年增长了 28%。虽然国会参议院选举的实际总费用在 20 世纪 90 年代基本保持不变，但由于竞选席位数量的下降，故而每个席位的竞选费用实际上有大幅增长。政治行动委员会实际支出也在增长：为众议员候选人的捐助增长了 54%，为参议员候选人的捐助增长了 64%。国家政党委员会为“政党建设活动”募集的“软资金”同样涨势惊人，它从 1992 年的 8 600 万美元增长到 1996 年的 2.62 亿美元。

现在的难题是，政党谋求的是赢得选举，而不是销售产品获取收入，因此从商业的角度看，政党的财政收入来源就显得颇有些不寻常。党费当然可以类同于订报费，但无论是政党还是报纸，都不能单纯依靠这些收入（而且政党还不能销售广告），此外各政党的党员人数也在普遍下降。

如表 13 所示，在 1953 年，英国工党成员人数近 300 万，到 20 世纪 90 年代末，这个数字下降了 86%，跌至仅 40 万人。工党个人成员人数在 1952 年达到 101.5 万的高峰，并拥有 500 多万的团体成员（主要是工会）。虽然“新工党”招募运动相当成功，但其个人成员人数在本书行文之时仅为 1953 年高峰时的 2/5。将工党的个人成员人数与英国总人口相比，可以更清楚地衡量出它的下降趋势。如图 25 所示，20 世纪 80 年代工党个人成员占总人口的比值达到了自20世纪20年代以来的最低。

表13　英国三大政党的个人成员（1953~1997年）

年份	工党	保守党	自由党/联盟党
1953	1 005 000	2 805 832	n/a
1960	790 192	2 800 000	243 600
1969	681 000	1 750 000	n/a
1974	691 889	1 500 000	190 000
1983	295 344	1 200 000	n/a
1987	288 829	1 000 000	137 500
1992	279 530	500 000	100 000
1997	420 000	400 000	103 000

在欧洲其他国家我们也可以看到类似的现象，比如在奥地利，主要政党的成员在1980年左右达到高峰，之后便持续下降。虽然自由党在吸纳新成员方面比较成功，但它的成员人数占选民总人数比例仍从1962年的29%下降到1990年的23%。在丹麦，四大主要政党的成员人数从1996年的60万降到1990年末的22万，在此期间出现的4个新政党也仅招募了2.8万名成员，仅占选民总人数的0.7%。同样，荷兰政党的成员人数从1960年的74.5万降至20世纪90年代初的32万，从1946年占选民总人数的15%下降到不足4%。在意大利，自1993年来3个主要政党的成员人数锐减，即使像北部联盟党这样新成立的组织也无法填补这一不足。挪威工党和保守党的成员人数也在下降，而留在党内的成员也不再支付党费。随着现代生活休闲方式的多样化，似乎党政活动失去了其社会、经济上的吸引力。成员们既不再满足于在政党集会时贴贴邮票，或是听个无足轻重的党内人物的一番训话，也不愿意把空闲时间浪费在走街串巷说服选民的事情上。

在脱离政党的大趋势下，仅有的例外是瑞典和比利时。在瑞典，政党成员人数稳定在150万人左右，因而它占总人口的比例也只是小幅下降（从1960年的21%下降到1989年的18%）。令人惊叹的是瑞典社会民主党成员人

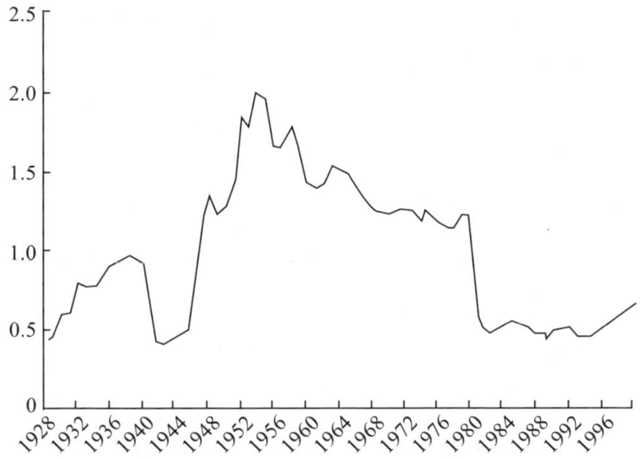

图 25 工党个人成员占英国人口比例（1928~1997 年）

数占选民总人数的比例仍然维持在 46%。在比利时，政党成员人数占选民总人数的比例同样保持稳定，只是比例低得多，为 8%~10%。

成员人数的下降给政党财政造成的影响不难想象。以英国保守党为例，党费收入占政党总收入的比例从 1988~1989 年的 14% 下降到 1994~1995 年的不足 6%。在奥地利，社会党的党费收入占其总收入的比例从 1975~1978 年的 43% 下降到 1986~1989 年的 36%。在德国，社会民主党的党费收入占其总收入的 50%、基督教民主党的相应比例为 40%、巴伐利亚CSU党的相应比例为 25%，虽然德国政党这些比例高于 20 世纪 60 年代，但是欧洲没有哪个政党可以在这样的党费水平下，依靠它作为收入来源而长久维持下去。

政党成员人数的下降，加上竞选费用的增长，致使许多政党陷入了严重的财政危机。保守党的累计赤字从 1975 年的 50 万英镑增加到 1992 年的 1 900 万英镑，现在已经降到 1 000 万英镑左右。1999 年，工党的债务估计达到 350 万英镑，另外还有 475 万英镑的透支，尽管影子公关公司的大批营销专家为他们提供的是免费服务。1992~1993 年，爱尔兰政党的债务估计达到 550 万英镑，对于这些规模较小的组织来说，这是个大数目。

所有这些解释了为什么如此多的政党越来越依赖私人捐款。近年来，保守党财务的神秘面纱被揭开。比如，保守党在 1987 年筹集到 1 500 万英镑，其中 400 万来自上市公司，400 万来自私人公司，还有约 600 万来自个人。

据估计，公司和个人捐款占保守党总收入的比例，从1988~1989年78%上升到1994~1995年的83%。在随后的一年，上市公司的捐款细目被披露，这份捐款细目显示保守党接受了总额为288万英镑的120项捐款，其中7项捐款金额超过10万英镑。在1979~1993年，联合饼干公司成为最大的资助者，它给保守党的捐款超过100万英镑。1998年11月保守党自己公布了一份更为详尽的清单，列出了33位捐款超过5 000英镑的捐赠人名单，但捐款总金额没有透露。在其财务主管伯利兹城大亨迈克尔·阿什克罗夫特（现在是勋爵）的资助下，保守党从1997年竞选失败的困境中被挽救出来。依赖国外资金并不新奇，在1992年的竞选前，保守党就接受了国外支持者约700万英镑的捐款，国外捐款人中有希腊船业大亨约翰·拉茨斯和欺诈嫌疑犯阿西尔·纳特。

在过去10年中出现的一个新特征，是商业捐款对工党的重要性加强了。我们可以看到过去工党的大部分资金来自于工会（1974占到92%）。1986年工党收入中的商业集资比例微乎其微，9年后《工党研究》显示，工党仅有12项总额达125万英镑的商业捐款。到1996年这个数字达到600万英镑，而工会捐款为800万英镑。从1996年6月到1997年3月，工党获得的商业捐款不低于1 500万英镑。虽然2000年传闻工会将增加捐款，但工党不太可能再像以前那样依赖工会组织了。

在很多方面，英国政党对出手阔绰的个人捐助者的依赖代表了一种体制的倒退：倒退到了特罗洛普时代的政治体制。但是按照美国的标准，英国的政治捐款是微不足道的。根据设立在华盛顿的政治学研究中心的调查，联邦政党和候选人可以在1997~1998年的中期选举中，以个人捐款、给政党行动委员会的捐款以及“软资金”的形式募集到约15亿美元，而在这段时期并没有举行总统选举。仅金融、保险和房地产部门的捐款就超过1.54亿美元。虽然这些捐款中大部分来自少数资金雄厚的机构，但也有迹象表明“小的政治投资者”数量在增加。1999年7月，约有16万名个人向乔治·W·布什和戈尔的竞选团捐款。

问题是：为什么不呢？

政治经济的行为不端

吉本讽刺地把腐败称为宪制自由下不可避免的弊病。可以肯定的是，20 世纪 90 年代几乎所有主要的民主国家都出现了大量的腐败丑闻。在 1996 年底，2/3 的英国选民认为保守党“行为不端、名声不佳”。在权力交接比英国更为频繁的地方，人们对政治家普遍也持有同样的观点。例如，1989 年奥地利的调查显示，69%的人同意“政治家是腐败的、接受贿赂的”，这一比例几乎是 10 年前的两倍。1999 年 11 月，61%的法国选民同意“在法国当选的政治家或政治领袖普遍都是腐败的”这一说法，而 18~25 岁的选民中有 75%认同这种观点。

但是现代政治就更容易贪赃枉法吗？假设有人揭露了这么一起丑闻：英国首相作出了一个决定，这个决定使得某家公司股票上涨了 25%，这样的事并不鲜见。但是在做出这个决定前，首相本人就拥有那家公司市值达 1 700 万英镑的股份，他的决定的直接结果就是，他的股票增加了 750 万英镑的价值。很难想象有哪位首相在这样的丑闻下还能幸存下来，哪怕他是深受拥戴的布莱尔先生。

事实上是威廉 · 尤尔特 · 格拉德斯通于 1875 年底，以 38%的面值价格（1.71 万英镑）获取了总面值达 4.5 万英镑的奥托曼–埃及贷款公司 1871 年债券。根据他的日记的编辑披露，到 1878 年（柏林会议那年），他又追加了 5 000 英镑（面值）的同种债券；1879 年，他又购入了 1.5 万英镑的奥托曼 1854 年债券，这批债券同样由埃及贷款公司作保。到 1882 年，这些债券（面值达 5.15 万英镑）占他总投资的比例不低于 37%。即便是在 1882 年，他亲自下令军事占领埃及之前，这也是一笔不错的投资：1871 年债券的价格在当年夏天从 38 上涨到 57。而英国对埃及的接管给这位首相带来更加丰厚的利润：到 12 月份，1871 年债券的价格攀升到 82，这意味着 1875 年最初的投资给他带来近 2 万英镑的资本收益。假设在 1882 年下半年，他所持的奥托曼–埃及债券价格都上涨 25%，那么格拉德斯通自己从占领埃及这个决定中获利 12 785 英镑，若以今天的物价换算，那它至少为 50 万英镑。若再将经济增长和通货膨胀因素考虑进来，那么格拉德斯通从占领埃及中获得等价于今天750万英镑的收益。

人们普遍认为如今的政治家比以前更腐败。1997年英国竞选运动中，保守党被所有的反对党指责为“行为不端”，这个指控主导了选举过程，并在某种程度上导致了保守党的失利。然而，以维多利亚时代的标准看，现在的英国政治家在区分他们的公众角色和私人利益上，还是相当谨慎的。

在讨论“行为不端”时，应把性侵犯，即人的劣性的一种，以及无伤大雅的贪财逐利，即人的劣性的另一种，同真正的贪污腐化区分开来。真正的贪污腐化是指，政府的政策被私人利益所制约或由它决定，无论这种私人利益是捐赠人还是大臣们自己的利益。约翰 · 梅杰政府时期，虽然前两种丑闻时有发生，但第三种却未有所闻。

把具有喜剧色彩但实质上无足轻重的第一类放到一边，保守党财务丑闻的起因主要是议员们为了提高收入。比如他们靠在议会中提问题来换取钱财，或者为某一私人利益而行事。这样的贪财行为对职业政治家相当有诱惑力，这主要是因为这些职业政治家的法定薪资低于从事其他行业的同辈人。英国议员的薪资从1911年到1964年，实际价值增长了一倍，但之后的30年便陷于停滞。每年平均收入不到3万英镑（以1997年物价计）。虽然，办公费用津贴自1961年设立以来实际价值有所增长（事实上该津贴在1996年超过了基本工资），但不能把它与薪资相等同。虽然议员的薪资在1996年提高了26%，达到4.3万英镑，但政治家这一职业仍没能成为在金钱上具有吸引力的工作，虽然有人会问有什么样的私营部门的工作能够与立法者的工作相提并论。而且，要求议员公布个人所得的规定愈加严格，这也使得政治家接受管理工作或咨询工作以补贴薪资收入变得更为困难。如果特罗洛普被告知议员不能有额外的收益，他会困惑不已。

更为不合理的是，政府大臣们的薪资和管理同样大预算的高级行政官的薪资之间的巨大差距。高薪资机构对此做调查时，把首相的工作与“要求大规模资本投入，并对世界经济有重要影响的某一板块（如石油）的超大型跨国公司”的总裁工作相类比。如果进行这样的类比，首相的薪资就至少应该为45万英镑，而他的内阁大臣的薪资，类同于上述公司的高层管理人员，应为 37.5 万英镑。但事实上，该调查机构提出的建议是，内阁大臣的薪资从 69 651 英镑涨至 10.3 万英镑，首相的薪资从 84 217 英镑涨到 14.3 万英镑。而该调查机构的总裁迈克尔 · 佩里爵士在前一年担任联合利华的董事长时，年收入达到 294 万英镑。所以，政治家想方设法去当执行官和咨询师来贴补薪资也就不足为奇了。

需要反复强调的是：当“腐败”一词表示的是私人利益影响了政府政策，从而损害了公共利益时，该词的提法才是有意义的，虽然人们通常只是通过主观臆断而不是确凿的证据来判定私人利益影响了政府决策。基于腐败的这种界定，塞钱给大臣比塞钱给议员更容易引发人们的担忧，因为议员的职能就是代表利益。议员在议会上代表某一公司提问，以此换取钱财，这种做法引起的唯一较为严重的不满，是当他这样做时，这个议员忽略了他所代表的其他选民的利益，而这些选民作为纳税人为他支付薪资。但是，议员每代表一个选民提出问题，就意味着他忽略了其他选民的利益。所有的利益都能被均等地代表，这是天方夜谭（18 世纪的政治家就已意识到这点）。而政府大臣们接受现金或其他好处时情况就不一样了。乔纳森 · 艾特肯 1993 年在法国丽兹酒店的免费食宿就与尼尔 · 汉密尔顿几年后的情况不一样，这主要是因为艾肯特当时是个新任的国防大臣，他的账单由沙特政府支付，而沙特政府当时正要投标租赁英国的潜水艇。同样的，1998 年公开的一则消息，彼得 · 曼德尔森在伦敦的房子是他靠从同僚杰弗里 · 鲁滨逊那里贷款购买的，这笔未公开的贷款金额为 37.3 万英镑，而真正的丑闻在于他借款的时候，曼德尔森自己的部门正在调查鲁滨逊的经济问题。这两种情况似乎都没有证据证实政府政策由此受到了影响，他们所犯的错误只是对交易的否认或隐瞒。

在英国最近的历史上，公开购买政策的例子相对较少，其中一个原因是由于荣誉制所起的作用。在劳埃德 · 乔治公开将贵族爵位以 5 万英镑拍卖掉后，出售荣誉被 1925 年的荣誉（防止滥用）法案认定为非法行为。但事实上，出售荣誉的行为仍然存在。仅有 6% 的公司为保守党出资捐款，但一半的骑士和贵族的头衔授给了这些公司的总裁。但从另一方面讲，并没有足够的理由证明这种金钱和荣誉的交易是不可接受的。作为给政府捐款的一种补偿，授予奖章和头衔，而不是上院的席位，这种做法尚不会招致公众多少非议，而荣誉制的批判者常忽略了这点。美国没有类似的制度，但是以25万美元在白宫林肯卧室住上一晚的款待，也可以被认为是一种礼遇，和授予头衔类似。

而出售接近政府官员的机会就不那么清白了。这里比尔·克林顿再次成为先驱，白宫录像显示他在早上和捐款人共饮咖啡。1998年，传闻工党官员的顾问也在出售接近他们上司的机会，以换取给本党的现金捐款。当然，和政府官员共饮的咖啡也仅仅是一杯用咖啡粉和热水冲泡的咖啡而已，没有必须履行的政府许诺。关键问题是，捐款与具体政治承诺到底有多大关联。较为公开的例子是，克林顿总统颁给资助民主党的公司许可证，允许他们向中国出口高技术仪器，而一些人认为这样可能会对美国国家安全造成潜在的危害。在涉及某些农业利益时，这种交易尤为公开：一些保护性的美国关税和补助（特别是保护花生和糖生产商的政策）始终存在，这无疑要归功于那些有附加条件的捐款。虽然英国的做法较为隐秘，但商人（和同业联盟会的领导人）也一定曾试图以金钱换取政策承诺。例如1997年大选前，伯尼·伊莱斯顿试图通过给工党100万英镑，以求在该党提出的体育赛事中禁止烟草广告的议案上，一级方程式赛车能够得到豁免。

在此，商业和政治的类似性不复存在了，因为现代民主的理念和现代商业在投资回报上的理念有着本质的不同。在理论上，捐资给政党是一种馈赠，它与捐款给那些为非洲贫民发放药品的慈善机构，在目的上并无二致。这种馈赠所获得的"回报"是一种无形的道义上的满足。而在实践上，大多数的巨额政治捐助者是期待回报的，从这个意义上说，他们把政治捐资看做是一种投资，而不是单纯的馈赠。但是以政治投资换取政策回报的想法，在许多自由政治理论家看来是非法的，选民同样也这么认为。正是由于这个原因，多数民主国家推出立法来对政治财政实行管制。然而管制的效果却是扭曲了政治市场，致使各政党不能像其他行业的公司那样运作。

从私人腐败到公共腐败

政治家们希望限制竞选成本，公众希望限制大捐助者的政治影响力。这可能是对政治财政实行管制最直接的理由。但对这两种说法，我们都要补充一些限制条件。对于政治家而言，竞选成本提出了一个类似于经典的囚犯两难选择的博弈问题。如果两个政党合作来限定竞选开支，选举的总成本就会降低，无论选举获胜者还是失利者都能获益。但是不合作的诱惑也很大，因为选举获胜带来的好处，即权利，要远远大于可能很高的竞选成本。无论规则如何，两个"囚犯"都极有可能违反约定，因为他们相信这样才能获胜。同时，公众希望把政党运作的花费由别人承担。人们不愿加入政党，就表明对政党这种形式的代表缺乏基本兴趣。如果富有的个人和企业愿意支付选举活动的账单，多数选民也不会反对，虽然结果是选出的政党欠投资捐助者一大笔钱。正是这样的两难选择，使得对政治财政实行管制如此困难。

大多数民主国家现在对选举财政做了些法律规定，只有荷兰、瑞典和泰国除外。许多民主国家试图通过以下三种方式来规范政党财政：限定政治开支的上限；限定个人捐款的上限；为政党提供公共资金以替代个人捐助。英国对地方选举费用的限制可以追溯到 1882 年的《腐败行为法案》，该法案按选区里的选举人数，规定了候选者个人选举开支的上限（不包括选举监察人的费用）。其效果是，席位竞选者的开支平均降低了一半。而这一开支上限的限额自 20 世纪 60 年代后经历了不断的调整，到 80 年代为 3 240 英镑，另外规定，在郡，每一投票者外加 3.7 便士，而在自治市镇，每一投票者外加 2.8 便士。候选者某些类型的开支也被认定为非法，比如广播、海报、往返于投票现场的费用、现金或等同于现金的贿赂等。而对中央选举开支限定上限是最近才出现的。1998 年 10 月，有尼尔勋爵担任主席的公共部门行动标准委员会建议，全国大选的开支要限定在每个政党 2 000 万英镑；压力集团为政党开展的宣传活动费用不得高于 100 万英镑。采取这一措施，是仿效加拿大的做法，加拿大 1974 年的竞选开支法案对中央和地方选举的政党开支都规定了严格限制。但加拿大的经验表明，限定开支并不一定能缩小各个政党财务实力上的差距。而限定竞选开支也只是使得政党转向日常运作开支。另外，不少国家通过禁止电视播出有偿的政治宣传来间接限制政党花费（根据最近的调查，45 个国家中只有 12 个国家允许电视播出有偿政治广告，而法国同时也禁止纸质媒体广告、海报，甚至免费电话线）。而这些规定产生的效果也只是转移开支而不是彻底阻断开支。

在美国，对开支的限定较为宽松。1974年的《联邦选举法》修正案意在规定开支上限，但这一修正案却在1976年被美国最高法院（巴克利诉瓦莱奥案）废除，理由是言论自由受到限制，因而违背了第一修正案。因此，对政治、财政的主要限制也只是：每人每年2.5万美元的政治捐款上限，这也是1974年法案的主要条款；以及禁止外国捐款的新规定。虽然在理论上，按照该法案，公司和工会的捐款也被禁止，但在1975年股东和员工的“自愿捐款”被承认合法。更重要的是，两大政党的全国委员会能够筹集到数百万美元的“软资金”，用于“政党建设”，以及某个候选人竞选无关的其他目的。但在实际操作中，有软资金资助的“事项性广告”与其他竞选宣传是没法区分的。

因此，对美国政治财政唯一的限制，是所有超过250美元的捐款都要公开，这使得美国竞选资金来源的信息比较容易获得。其他国家（包括英国和加拿大）也主要依赖信息公开而不是设定上限来规范私人捐款。所以尼尔勋爵建议只禁止外国对英国政党的捐款，但是所有超过5 000英镑的国内捐款都要公开。在德国，所有超过2万马克（约合1.03万美元）的捐赠必须公开。在法国，只要超过1 000法郎（约合150美元）的捐款就要公开。法国还规定对议会候选人的捐款不得超过5万法郎。

然而，规范或限定私人政治捐款只是政治财政巨大转型的一部分，几乎所有民主国家都直接为政党提供丰厚的公共资金，政治财政踏上了一个新台阶。各国的补助体系各不相同（最常见的是按选票或席位提供政党资金补助）。现在，只有大约7个民主国家不为政党提供直接补助。并且“只有荷兰、英国和美国，私人捐助占政党收入的比例仍高于公共资金的占比”。此外，13个国家还提供额外的间接补助（比如给政党捐款可以获得减税，美国、加拿大和德国即是如此）；至少23个民主国家为政党提供免费的电视时间。

即便在英国，为政党提供的公共资金也在增加。1979~1992年，主要反对党接受了900多万英镑的所谓的“短钱”，用以资助他们的议会工作，工党即接受了720万英镑。这是为了平衡执政党在公共服务资金方面的优势。此外，大选期间，会议大厅、邮政服务以及电视播出都可免费使用；给政党的捐赠可以免除税费。在美国，国家为政党提供的资金也远比一般人所知道的要多。总统竞选基金为每笔给主要候选人的 250 美元以上私人捐款，匹配 250 美元的等额资金，作为回报，候选人要承诺维持筹资的上限（通货膨胀因素调整后），然后该基金一次性支付给总统候选人，条件是这些候选人不得再接受任何私人捐助。1996 年，美国两个主要候选人都从联邦匹配资金那里得到了 1 350 万美元，每个主要政党还能获得公共补助（1992 年为 1 000 万美元）用以支付总统提名大会的开销。

在欧洲，公共资金的角色更为突出。早在 1989 年，国家对爱尔兰各政党的支出就达到 400 万爱尔兰镑，而这些政党通过其他途径获得的资金仅为 270 万镑。在荷兰，国家资金占政党收入的比例为 14%~31%。在德国，获得 2%以上选票的政党会自动得到竞选费用的补偿。另外国家提供给“近党”组织（如社会民主党的弗里德里希 · 埃伯特基金会）的补助也有所增加。会派党内由国家支付工资的雇员人数也从 20 世纪 60 年代的 115 人上升到 80 年代末的 619 人。联邦议会的议员将自己的一部分薪资交给他们的政党，这也可以被看成国家资金的一种形式。经历了一系列武器出售丑闻后，法国推出了国家补偿总统候选人的方案。候选人在第一轮投票中，若得票率低于 5%，则会获得 600 万法郎的补贴，若得票率高于 5%，则会获得 3000 万法郎的补贴。中央政党也为自己谋得了国家补助，1991 年补助为 2.62 亿法郎。欧洲其他各地的情况几乎都是如此：

- 丹麦为主要政党提供的直接公共资助从 1965 年的 57 262 克朗增加到 1990 年的 7 240 万克朗。
- 奥地利为各政党提供的国家资助和地区资助在过去的 20 年中从 4 亿先令增长到 17.5 亿先令。
- 在意大利，国家提供给议会团体和竞选活动的资金从 1974 年的 600 亿里拉增长到 1985 年的 1 830 亿里拉。
- 在挪威，国家提供给各政党的补助从 20 世纪 70 年代的 800 万克朗提高到 1991 年的 5 870 万克朗。
- 西班牙限定政党的私人捐资不得超过国家补助的 5%。

的确，我们说西方国家的政党正逐渐被国有化，这并不为过。他们有成为国家附属品的危险。

但是国家资金真的是治愈腐败问题（确切地说，是有附加条件的私人捐助）的一剂良药吗？或者它可能（像卡尔·克劳斯的心理分析学说那样）是一种“假装成良药的疾病”呢？首先，公共资金离取代私人捐资还远。虽然对私人捐资规定了上限，但公共资金也只是私人捐资的补充。尽管意大利各政党享有公共补助，但据估计，在1979~1987年他们平均每年收取了600亿里拉（以1986年物价计）的非法资金。另有估计，这些政党在1993年收取的这样的资金高达3.4万亿里拉，是他们官方收入的10倍。国家资金看起来也不能满足德国基督教民主党：该党在赫尔穆特·科尔的带领下非法筹资，其来源可能包括武器交易中所得的贿赂、法国国家石油公司埃尔夫，甚至民主德国共产党的资产。

即便这些非法行为得到阻止，但政党和国家趋为一体是否是件好事，也值得我们认真思考。如果人们把现代国家看成韦伯理论中的公平裁断者，那么这种趋同可能真的是向“非政治的政治”的理想境界迈进了一步。但是如果人们把国家看做“掠夺之手”，是自身利益的捍卫者，而不是公众利益的保护者，那么政党失去传统上的自治就很让人担忧了。在旧的德意志民主共和国，人们投票时虽然看似有许多政党选择，但它们都是国家内在的一部分，因此和统一社会党没有本质区别。一旦曾经独立的政党需要仰仗财政大臣，西欧重新建立的终将只是一个看似不同但同样虚假的民主。这些政治家的当选目的只是为了给自己拨款，以便再次当选，而选民们又能做什么呢？

走向政治市场

很清楚，成熟的政党是从一个拥有广大群众基础的自发自愿型的联合会发展成一个半商业化的组织，它为了获得“公共福利公司”的管理控制权，开展越来越复杂、昂贵的竞选活动。而对政治财政的种种管制也无法逆转政党的这种演变，增加对政治财政的管制只会增加民主生活中的虚伪和欺诈。

政治财政管制也部分导致了另一种发展趋势：这些成熟政党的地位日益受到来自非政府机构的挑战。在今天的英国，属于自愿或自助组织的成员人数是各政党成员的 20 倍。英国皇家鸟类协会，其组织的成员人数（共约 100 万人）比英国三大政党的合计人数还多。关于英国是否应该禁止猎狐的持久争论，展现了这些形态各异的新兴“草根”组织：一边是人数较少，但更激进积极活跃的动物权利保护组织；另一边是猎狐爱好者、农民、乡村居民以及城市同情者组成的松散的联盟。此外，比起过去，电子通信的发展更容易动员大批民众来支持某项事业。

引人注目的是，猎狐的反对者以艾克列斯方式，捐助给工党 100 万英镑，从而接近了他们的目标：全国禁止用猎狗猎狐。这种非议会组织和政党之间的交错关系并不新鲜：19 世纪中期的反谷物联盟、一直持续到 20 世纪 20 年代的英美禁酒运动、20 世纪 50 年代和 80 年代的核裁军运动，都曾扮演过类似的角色。如果说单议题组织还会在未来的民主国家中起重要作用，就是说过去的历史要在将来重演。和过去不同的是，现在的压力集团必须比过去更加商业化。像现在的政党一样，虽然比起成熟的政党，它们可以更依赖自愿者的支持，但非政府组织迟早会发现，在越来越昂贵的政治市场上，要想有效地进行说服，其成本会远远超过它们那些来自会费和一次性募捐的收入。从严格的经济意义上说，每次为了达到一个政策目标而建立一个新的政治组织是没有效率的，因为它会产生日常开支。19 世纪自由党成立的原因之一，就是一批维多利亚单议题组织看到了为获取立法权，把它们的资金汇集到一起，这种做法是明智的。

真正的问题是，是否应该将这些成熟的政党从目前许多不合理的限制中解放出来。取消对政治活动的个人捐款的限制，并废除公共捐资制度中扭曲性的做法，会产生怎样的影响呢？试想不再把纳税人的钱交给候选人去竞选议会，而把钱重新分配给大臣们，使得他们的薪资与私营部门同资历人员相当。这么做至少能以高薪吸引更多人才从政，同时也能缓解在任官员不得不代表富有的捐资人去行事的压力。还可以设想，对政党财政的唯一管制仅为公开捐款来源，并以上市公司的披露标准公开财务信息。

传统观点认为，这样的政治“自由市场”将使有钱人受益，而将穷人排除在政治影响力之外。这种做法可能会导致这样的结果，但它无法改变这么一个事实，即在民主国家里，所有的“股东”都有平等的投票权，而不论他们对政党资金的贡献如何。假如一个政党给纳税最多的5%的纳税人减税，那么虽然它会因富人的捐款而发财，但它很可能会输给另外一个政党，这个政党承诺能够提高公共服务而不加重税收负担，当然前提是这个政党可以得到每个受益人至少1英镑的捐资。相比之后可以看出，政治自由市场的风险要小于政治财政管制的风险。

关键问题在于，政党作为民主国家最重要的机构，由于为了削弱私人捐赠人的影响而设立的种种限定，无法筹集到它们所需的资金，同时政党还被迫不健康地依赖于国家。然而私人对政党的捐赠视为罪恶可耻的行为在很多方面是没有道理的。这就像在说，富人比起小投资者，不准在公司购买更多的股份，或者不准给慈善机构捐献更多的钱。更糟的是，政党的国有化会有这样的危险：用一个成分单一的国家机器来取代自由政治团体之间的真正竞争。

一个对公开的私人捐款没有上限、对公共资助没有下限的政治市场，未必会产生腐败，或许由于无须再寻找遁词，它还能减少腐败呢。这并不是提议回到特罗洛普的银桥综合征去，而是说明西方政治以及危险地接近了一种新的腐败，这种腐败与挫伤特罗洛普政治抱负的那种腐败同样恶劣。

THE CASH NEXUS

第四部分

全球力量

THE CASH NEXUS

第10章
主宰者和浮游生物：金融全球化

“宇宙的主宰竟是一群塑料玩偶，他们暴戾乖张、唯利是图，而他的女儿虽生得白璧无瑕，却很喜欢和这些玩偶厮混……他们粗俗异常，即便是以塑料玩偶的标准来说也是如此。一天客户打电话来委托他购买零息票债券，这种债券已为他带来了5万美元的佣金。天气也不错，他不禁得意起来，脑海中不由地冒出一个词：小意思！在华尔街，他和一些同行（到底多少人？300？400？还是500）已经切切实实成为宇宙之主。”

——汤姆·沃尔夫《空虚的营火》

人人自危

比尔·克林顿总统上任之初的100天可谓充满坎坷，在此期间，他的竞选经理詹姆斯·卡维尔就这样说：如果人真的可以投胎转世，那么他来生既不想当总统领导国家，也不想当教皇领导宗教，而是想成为债券市场的操纵者，因为谁控制了债券市场，谁就统治了全世界。“这样一来，”他还说，“你就能恐吓每一个人。”他暗指继吉米·卡特之后首位民主党总统入主白宫后，美国债券市场对此作出的反应（有点）过于紧张了。克林顿当选之前的两个月，当其他主要经济体的债券收益率在下降时，随着克林顿当选总统的概率不断增大，美国债券市场把长期债券收益率推高了35个基点。克林顿在医保和同性恋士兵方面的早期政策是无法消除那些宇宙之主们的忧虑的。

世界债券市场无疑是个庞然大物。1982~1997年，其交易总额达到25万亿美元，规模扩大了6倍。截至1999年第二季度，未偿付的债券总价值达34万亿美元，这个数字不仅超过了全球股票市场的资本总额（1999年为27.5万亿美元），而且比世界各国国内生产总值总和（1997年为30.1万亿美元）还要多。1999年，世界债券市场超过半数的债券是由各国政府以及其他公共部门机构发行的，而所有的债券中有近一半来自美国。

说起20世纪80年代债券市场的崛起，或者更准确地说是复兴，就不得不提及所罗门兄弟公司所经历的风风雨雨，到90年代，所罗门兄弟公司江河日下，美国机构成为主要做市商。1997年，仅20家公司债券发行量就占了当时债券发行总量的90%左右（其中美林、摩根士丹利、摩根大通3家公司就占了1/5）。卡维尔说的那番话意在表明，表面上看美国银行主导着美国债券市场，但事实上美国总统左右不了它，即使是刚在竞选中取得决定性胜利的总统亦是如此。个人投资者和机构投资者比比皆是，资金实力也是异常雄厚，但很多却不是美国人或美国机构。在克林顿宣誓就职之时，美国联邦政府发行的债券13%以上为外国人或外国机构所持有。

债券市场的发展固然引人注目，但若要对它进行考察，还需将它放入金融“全球化”这个更宏观的进程中。过去20年中，资本流量激增。在1980年的日本，债券和公司股票二者跨国交易总额相当于该国同年国内生产总值的8%，到1998年，这个数字增至91%。美国的增幅更大，从9%增长到230%。德国为最，从7%增至334%。国际银行贷款数额也显著扩大。1993~1997年，国际银行债权总额从3 150亿美元猛增到1.2万亿美元。1998年，虽然国际银行贷款数额增幅放缓，但是同年底其未得到偿付的债权总额仍创造了历史新高，达到11万亿美元。1995年，国际外汇市场日交易量为1.6万亿美元，1998年，该数字增至2万亿美元，由此可以得出，国际外汇市场年外汇流量达400多万亿美元。国际衍生工具市场的发展更为迅猛。1993年，交易所期货期权衍生产品交易总量为7.8万亿美元，1998年增至13.5万亿美元。在交易所外进行交易的所谓的“场外”衍生产品交易量从8.5万亿美元激增到 51 万亿美元。目前，场外衍生产品市场已经成为世界上最大的金融市场，它比 34 万亿美元规模的债券市场更具威慑力。

从严格意义上讲，只有约 14%的债券称得上是外债债券。1999 年，价值约 29 万亿美元的债券被称为国内债券，即这些债券只在国内发行（见附录 C）。而公共部门发行的外债债券占外债债券的总额不到 1/3。但是，外国投资者持有的公债占公债总额的比例仍保持较高水平。如表 14 所示，20 世纪 90 年代初，大多数主要经济体的公债中外债占比保持在 1/6~1/2 之间。尤其是在英美两国，该比例从 20 世纪 70 年代末开始一直呈明显上升趋势。1979 年，非英国居民所持有的英国长期公债（也称为金边债券）数额还占不到总额的 6%，1999 年，这个数字已增至 19%。在美国，1998 年外国投资者持有联邦债券总额的 23%，几乎是 15 年前的两倍，相当于美国同年国内生产总值的 14%。1999 年，美国国际收支赤字创 1960 年以来新高（1960 年美国国际收支赤字占该国同年国内生产总值的 3.9%）。在 20 世纪 90 年代的大部分时间里，外国投资者不断地大量购买美国的长期债券（通常称为国库券），这为填补美国国际收支赤字造成的资金缺口起到了至关重要的作用。在 1999 年，外国对美国的净投资额也攀至新高，占国内生产总值的 14.6%。

表 14　发达国家公债的外国持有比例（1993 年前后）

国家	外债占国债总额比例（%）
奥地利	19.1
比利时	15.8
芬兰	65.1
德国	48.7
意大利	14.5
荷兰	21.3
西班牙	17.0
挪威	29.9
瑞典	50.5
美国	14.2
英国	16.6

这样的金融全球化是否真的如“新经济”倡导者所言，是史无前例的呢？又是否如有人警告的那样，债券市场这个庞然大物对全球金融系统造成了潜在威胁呢？与英国在其全盛时期的净债权国地位相比，如今的唯一超级大国债务累累，这要紧吗？本书第二部分介绍了公债的管理机构，本章将回顾它在19世纪的国际化进程，分析全球化初期国际债券市场波澜起伏的历史经验教训。

资本流动：政治与市场的较量

国际资本流动并不是一个新现象，每当有大规模的货品或人口的跨国流动时，国际资本流动即会发生。

近代史上，大部分资本出口都是经济和政治双重作用的结果。资本出口的经济理念是寻求获得更高的回报。在中世纪，如果国际贸易不如国内贸易有利可图，外国商人可能连短期贷款都得不到。然而，大约从英法百年战争开始，由于海外作战的需要，资本的跨国流动也渐趋必要。当时历代英国国王宣布法国的全部或部分领土为其拥有。并派军穿过英吉利海峡到达法国，以加强在那里的统治。但是英国只有能力运输小部分军需物资到法国，所以运钱给驻法英军，由驻军在当地自行采购物资则更为切实可行。之后的历届政府又进一步认识到，付钱给英吉利海峡右海岸的国家，让它们去替英国拼命则更好些。后面两种做法都必须将资金直接从英国转移到海外战场。国际资本市场的相当一部分历史就和这种基本的军事需要密切相关。

理论上说，利润驱动的私人资本出口和战略驱动的公共资本出口应当可以被区分开来，但实践证明两者有所重合。由于私人海外投资通常是经过政策允许的，因此有时会附加政治条件。首先来看国家的对外贷款。历史上，帮助外国政府进行改革的国家对外贷款有很多，当然其贷款目的也只是为了将他们转化为更可靠的联盟。19世纪末的典型案例是法国为俄国提供巨额贷款，该项目不单单是为了资助俄国进行铁路建设，而且还有一旦法德战争爆发能取得俄国支持的目的。其次来看私人的对外贷款。对于对外投资者来说，有了政府的支持，就可以降低投产无法收回的风险，因此具有更大的吸引力。罗斯柴尔德家族在1865年到1914年间持有在伦敦发行的外国政府债券的1/4，欧内斯特·卡斯尔爵士在提到罗斯柴尔德家族时说："没有英国政府担保的东西，罗斯柴尔德家族几乎不会涉足。"这固然有些夸张，但却是可以理解的。日俄战争期间，日本政府在1904年向德国银行家马克思·沃伯格贷款时，沃伯格做出了"此时任何一个头脑健全的银行家都会做出的反应是：走进柏林外交部"。

若纯粹从经济角度考虑，对外投资存在三个根本性问题，虽然这三个问题同时也是对外投资的诱人之处。首先，在借贷双方均在同一国家管辖范围内的情况下，确保借方如期支付本息尚且不易，若双方不在同一国家管辖范围内，要确保这点则更难。违约情况对国外债券持有者和国内债券持有者都造成了很大麻烦，而前者受害更深，因为国外债券持有者在代表机构中没有发言权，在使用法律手段敦促政府还贷方面还处于弱势地位。其次，保证外国借款者正确使用海外资金也相当困难：一般来说，借贷双方相隔越远，经济学家所谓的"信息不对称性"就越严重。最后，跨国贷款还会带来与违约风险截然不同的另一种风险，即借贷双方货币汇率可能会发生不可预期的波动，但它并不经常发生。汇率波动究竟对哪方有利，还得视贷款合同的具体条款而定。

同时，把有附加条件的对外贷款作为政治杠杆的做法也存在三个根本性问题。第一个问题也是贷款的基本问题，若要约束外国借款者履行改革承诺或国际义务绝非易事，款项一旦交付给恶劣的政府，就可能助纣为虐（贷款给奥托曼萨尔坦就构成了这样的问题，而且长期得不到解决）。第二个问题是，如果偿债成本过高，可能会导致债务国发生政治剧变，在其税收制度为累退性税制时尤为如此，而这并不是债权国希望看到的。第三个问题是基于以上所讲的纯经济原因，私人债权人可能会不顾债权国为贷款延期而进行的政治交涉，而在短期内将资金全部撤回，这种突然性的资金大量外流不利于债务国的经济发展，并可能使之前大量资金流入带来的利益化为乌有。只有将私人的对外投资有效的国有化，政治上的考虑才能压倒经济上的利益，就像1917年美国政府从J·P·摩根手中接管英国战争借款那样。

当然以上分析都是假设世界上有一个或多个怀有政治或战略目的而进行

资本出口的大国存在为基础的，可以看到事实亦是如此。而20世纪末之所以不同寻常，正是由于缺少这样一个金融霸权国家。

债券市场的起源

虽然中世纪时期的君主们经常向外国银行家寻求贷款，而且意大利也允许在某些城邦将本国债券出售给非本国居民，但是直到16世纪，现代意义的国际债券市场才出现。菲利普二世和三世为战争融资的方式并不是把金银条从美洲经西班牙运到荷兰这么简单，他们也要依赖短期债券和永久年金债券国际市场的发展，以改善税收收入无法满足军事开支的状况。虽然伦敦在17世纪就发展成国际金融中心，但在伊丽莎白一世统治时期，英国王室相当一部分借款还是来自于比利时的安特卫普。

到18世纪中期，伦敦和阿姆斯特丹两地市场出现高度融合。荷英东印度公司、英格兰银行、南海公司的股票以及后来发行的英国统一公债开始在这两个中心以最低的差价和最短的时延进行交易。18世纪20年代，各主要金融中心的泡沫不断膨胀，最终几乎同时破灭。从股东姓名登记册上也可以发现市场融合的证据。截至1750年，英国3大公司中的外资比例超过19%。相当一部分国债（约14%）也由外国人持有，其中主要是荷兰投资者，到1776年，这个数字上升到16%。同时法兰克福在国际借贷方面所起的作用与荷兰不相上下，它向哈布斯堡王朝提供贷款，并帮助资金雄厚的选帝侯黑森-卡塞尔将资金投资于各种欧洲债务。奥地利的债券在安特卫普、阿姆斯特丹、伦敦、日内瓦和热那亚也都有发行和交易。

汉诺威时期，英国由于资助大陆盟国作战，也间接卷入战争。例如，1757~1760年，弗雷德里克大帝每年都要从英国得到67万英镑的资助贷款。从《美国独立宣言》发表到滑铁卢之战，战争规模之大、时间之长以及成本之高导致此类贷款急剧上升。1793~1815年，英国以资助贷款形式向其盟国提供了6 580万英镑，其中一半款项是在战争的最后5年支付的。这个数字相当于年均国民收入的1/5~1/4。截至1823年，英国单是提供奥地利的贷款就达到 2 350 万英镑，最终只收回 250 万英镑，其余债券不得不全部勾销。这些贷款的联合成本，加之英国扩军的需求，使得巨额跨国交易成为必要，但如果当时没有公债市场和商业票据市场的支持，这些也无法实现。

债券或许可以帮助政府在征得税收之前提前募集到资金，但是出售给外国人的债券数量还不足以使得战争拨款的真正到位便利化。七年战争期间，英国财政部从伦敦商人手中购买汇票，这些汇票需要从其海外联系人处提款，随后这些汇票被送到战区军需官手中，他们可以用此发放军饷，购买军需物资。外国人很乐于接受从伦敦提款的汇票，因为这些票据可以换取备受青睐的英国货品和殖民地物资。拿破仑推行的大陆封锁政策则试图遏制英国向大陆的出口，以削弱英国票据的地位。但一般来说，大陆商人都倾向于持有从伦敦提款的票据，或用闲款购买英国统一公债，因为他们预期英国会最终取得战争胜利。当这些票据只有以很低的折价才能作为支付手段时，内森·罗斯柴尔德走上了历史舞台。他利用自己广泛的信用网络买空所有能触及的金银，然后贷放给英国政府。仅在 1815 年，他和他的 4 个兄弟就向政府提供了 980 万英镑贷款，这些款项直接交付给英国军队和盟国。当这个项目不再有利可图时，他们又把所有的收益购买了统一债券，他们预测随着英镑恢复与黄金的兑换，预算也恢复平衡，这些债券的价格也会上升，事实证明他们的预测是正确的。

英国的敌对国也能进行类似的交易，虽然他们在规模上无法与罗斯柴尔德家族抗衡。为了填补美国这一新生国家赤字造成的资金缺口，汉密尔顿发行了利率为 6%、总额达 7700 万美元的国债，其中 1 200 万美元为外国人购买。截至 1803 年，美国近一半国债为外国人持有。美国在向法国购买路易斯安那时，如果后者拒绝接受此类债券形式的支付方式，这笔交易是不可能实现的。这位法兰西皇帝将 100 万法郎的私款投入普鲁士国家贷款项目，1811 年，他又投入 300 多万法郎购买英国债券。然而拿破仑在融资方面，更倾向于占领别国并从那里征税，而不是举借债款。但这种做法限制了他的资金来源，步他后尘的还有希特勒。英、法两国的体系具有互补性：英国贷款给奥地利，奥地利输掉战争，拿破仑通过增加战争赔款而占有本属于英国的部分资金。然而拿破仑本可以从胜利中获取更多的资金，例如，他可以利用阿姆斯特丹的资本市场，而不是将其扼杀。到1803年，“巴达维亚”共和国，即被征服后重新命名的荷兰，人均纳税额竟是法国的4倍，而一度是世界上最大的交易所却被瓦解。

“欧洲真正的主宰”

1815年后，现代意义上的英国金融体系逐渐推广开来。如我们所见，这种体制的主要特征是：专门设立的征税机构、议会和受议会监督的预算、经过议会同意并有专款作为偿付保证的长期国债、拥有部分纸币发行垄断权的中央银行。作为可供选择的该体制的附属物金本位和自由贸易是在后来出现的，而资本自由流动伊始就是该体制的一部分。只有依靠伦敦债券市场，欧洲大陆国家以及后来取得独立的南北诸共和国的财政体制才得以在战后稳定下来。

1818~1832年，共有26项政府间的贷款项目在伦敦运作，其名义价值达5 580万英镑。1818年的普鲁士借款是第一批中的一项，它很好地展示了英国是如何将它的资本连同它的体制模式一起出口给其他国家的。从英、普双方谈判的最初阶段，内森·罗斯柴尔德就要求每笔贷款都要有普鲁士王室领地的抵押物做担保，并且该贷款须经该国的代议机构同意。当普鲁士对此提出异议时，罗斯柴尔德随即详细地解释了这么做的理由：

> 为了促使英国资本家在合理的条件下将资金贷放给外国政府，相关贷款的运作须尽可能地仿效英国当前成熟的公债体制。借款政府不应只虚表诚意，而应让债权国有一定的安全感……如果缺少了这种安全感，是无法从英国国内为外国政权筹得巨额贷款的。英国人最近对法国公债的投资有所增加，就是因为他们普遍相信，法国现在已建立起代议制度，议院认可政府发行的国债，这就为公债债权人提供了保障，而公债债权人是不可能和在执行权上毫无约束的君主签订任何合同的。

简而言之，英国成立了君主立宪制，它在信贷风险方面比新的绝对君主制要低得多。

当然，罗斯柴尔德并不期望对普鲁士贷款能达到议会体制下公债借贷的标准。合同最终签署时，只是规定“为保障债权人的利益”，在普鲁士王室领地上应当有专门的抵押物，并且“依据 1809 年 11 月 6 日的《房屋法》（该法案是征得各省级团体同意，由普鲁士国王和皇室王子通过）”，该抵押物是完全可以自由支配的。这与英式的议会制度下的公债体制相距甚远，而另一方面，罗斯柴尔德与普鲁士之间的谈判和随后普鲁士在 1819 年 1 月颁布的《未来国债管理法》第二条有明显联系。它设定了国债数额上限，并规定王室领地内的所得收入须用于清偿债务，并声明：“如果国家未来为了维持或推动共同利益，需要发行新的国债，那么必须先与届时的团队代表大会协商，并经由大会同意方能发行。”这意味着普鲁士未来准备发行国债时，需要召集相关的团队代表参与。换而言之，这认可了公债发行和宪法改革之间的联系。如此一来，我们也就可以理解，19 世纪二三十年代德国所有联邦中，为什么唯有普鲁士借款最少，以及为什么 40 年代财政紧缩政策失败后会引发革命。

作为世界最大金融市场的主角，罗斯柴尔德是宇宙金融主宰的原型。1818 年 5 月，他向普鲁士财政部长发出一封信，这封信充分体现了他对自身权势（即财势）影响力的得意之情：“那些阴谋家（普鲁士宫廷中罗斯柴尔德贷款项目的反对者）对 N · M · 罗斯柴尔德无计可施，面对他的财势权势，他们只得望洋兴叹。而普鲁士国王应当感到高兴，并感谢罗斯柴尔德给他送来这么多钱，提高了普鲁士的信用。”难怪在 19 世纪的政治家往来信件以及报道、小说和诗歌中，到处都充斥着罗斯柴尔德家族与其对手权力对比的内容，而且一律以卡尔式风格出现。拜伦（1823 年）在《唐璜》的第七篇中问道：“是谁维系着世界的平衡？”

是谁主宰议会？不论它是保皇党还是自由党？
是谁逼反了衣不蔽体的爱国者？
（是谁让旧欧洲的各式报刊争相报道？）
是谁给新旧世界带来痛苦和欢乐？
是谁让政客们变得油嘴滑舌？
是勇猛无畏的拿破仑的鬼魂吗？

不，是犹太人罗斯柴尔德，还有基督徒巴林！
是他们，还有慷慨大方的拉菲特，
才是欧洲的真正主宰。
每笔贷款不仅能够投机赚钱，
而且也可以安邦定国，或是颠覆政权。

迪斯雷利在《康宁斯比》中描写了具有前瞻眼光的老西顿："25 年的战争令欧洲精疲力竭，如今这个大陆必须凭借资金才能维系和平。他的睿智精明给他带来了回报。欧洲的确需要资金，西顿也准备好向欧洲提供贷款。法国想要一些，奥地利要得更多，普鲁士可以少一点，俄国却得几百万，西顿都能一一满足。"如此一来，他理所当然地成为"世界货币市场的主宰者，从而实际上也控制了其他事物。意大利将其南部收入抵押给他，各国的国王和大臣都要附和他的意见，接受他的指导。"

罗斯柴尔德家族之所以拥有那么大的权力，关键在于它建立了真正的跨国合作关系。他们在伦敦、法兰克福、维也纳、那不勒斯和巴黎均设有机构。内森不但被视为时代的传奇人物，也是五大"金融沙皇"之首（这词是梅特涅秘书弗里德里希·根茨创造的）。而巴尔扎克笔下的努辛吉恩的原型就是内森的兄弟詹姆斯——"银行界的路易十四"、"金融大鳄"、"把议员卖给部长，把希腊人卖给土耳其人"，总之他是"我们所处的金钱时代"的象征。海涅在 19 世纪 20 年代把詹姆斯和他的兄弟们描写成抵御后维也纳反动秩序的坚强堡垒：

如果没有罗斯柴尔德家族的支持，大多数国家所面临的财政困难会被颠覆分子利用，他们企图挑唆群众、搅乱局势，不管当时是秩序井然还是秩序混乱。资金短缺通常会引发革命。而罗斯柴尔德家族通过弥补各国的资金缺口，对欧洲的和平起到了一定的作用。

衡量政治风险（1830~1870 年）

然而，虽然罗斯柴尔德家族的影响力得到很高评价，但是债券市场极易爆发严重危机，且难以预测，即使是罗斯柴尔德家族也难以控制。19 世纪 20 年代初，伦敦市场南美国家债券泛滥（其中一些南美国家并不存在）。而英国在 1825 年实行财政货币紧缩政策，加之各债务国政局动荡，导致了灾难性的经济危机。罗斯柴尔德家族发行的巴西债券价格从最初的 85 跌至 56，墨西哥、哥伦比亚以及秘鲁的债券价格均跌至 20 以下。事实证明，欧洲拉丁君主制国家也并不比拉美共和制国家可靠。虽然葡萄牙和西班牙的债券在 19 世纪 30 年代对投资者颇具吸引力，但他们的信用度最终被证实和 19 世纪 20 年代的拉美国家半斤八两。罗斯柴尔德兄弟在 20 世纪 30 年代的私人通信中把伊比利亚债券斥为“狗屎”。拖欠债款的不只有拉丁系国家，1837~1843 年还有 8 个北美邦州未能清偿债务。1847~1849 年，由于受歉收和革命的影响，欧洲爆发了 19 世纪最严重的金融危机。虽然在 20 世纪 50 年代开始恢复，但仍不稳定。之后，欧洲爆发了一系列战争，先是克里米亚战争，继而是同盟国对意、德轴心国作战，虽然这些战争促成了新债的发行，但也增加了投资者的风险。1870 年前，由于很少有国家能像英国一样实行金本位制，因此在债券风险中除了拖欠债务的违约风险外，还增添了贬值风险。

现代投资者在评估国家债券时，倾向于首先考察其财政货币政策的最新指标，比如预算赤字占国内生产总值的比例，或者货币月增长率。他们通常会结合上一年的数据进行衡量。用一位著名债券交易员的话来说：“美国商务部无论何时放出重要经济数据，美国债券市场都会作出迅速反应……市场决定什么信息重要，什么信息次要。这个月可能是美国贸易赤字，下个月可能变成消费者价格指数。”然而过去用于判断违约风险或未来通货膨胀和货币贬值的经济数据少之又少。虽然 19 世纪早期，投资者可以定期获得物价、黄金储备、利率以及黄金兑换率的详细数据，但除年度预算外，财政方面的数据却非常稀少，而且缺少对国民收入定期的、准确的预测。非议会制国家甚至连年度预算也很少公布，即使公布也未必可靠。一战前，报章也不刊登生活成本指数。

但当时有充分证据显示，19 世纪中期的投资者很有可能是从政治事件上推测财政货币政策的变化。这些推测以一系列假设为基础，其中投资者普遍认同的 4 个假设是：

1. 如果政治路线开始左倾，无论它是由于爆发革命所致还是由于选举换届所致，都可能会放宽财政货币政策。

2. 如果新一届政府比较激进，那么很可能会推行侵略性的外交政策，进而导致战争。

3. 无论哪个政府，只要卷入战争，贸易就会陷入混乱，从而导致税收降低。用19世纪20年代中期法国总理维莱尔的话来说就是“炮火伤财”。

4. 直接参战会增加国家开支，降低税收，从而导致大量新债的产生。

虽然这些假设在某种程度上是不言而喻的，但可以看出，所有假设很大程度上是基于1793~1815年的历史经验：革命不断的法国所卷入的战争是债券市场最恐怖的噩梦。的确18世纪90年代那段历史——革命、战争、债务拖欠以及通货膨胀，致使法国证券收益率从6%飙升到60%，它像《马赛进行曲》一样在之后的近一个世纪中又不断再现：1830年、1948年、1871年。按梅特涅的话来说，巴黎打喷嚏时，欧洲债券市场就会着凉（虽然当资金流出巴黎，穿过英吉利海峡，抵达更安全的伦敦市场后将得到挽救）。然而，随着布朗热危机（1887~1888年）的结束，人们对法国政治动乱可能导致欧洲战争的恐惧最终消失。

1843~1871年，世界五大强国均在伦敦市场发行债券，图26可以帮助我们颇为准确地回顾其中四种债券收益率每周波动情况（数据来源中缺少普鲁士债券的价格水平）。很明显，各国行情大不相同。英国的债券收益率始终低于其他国家，奥地利呈现上升趋势，法国和俄国处于两者之间。之所以出现这种情况，部分原因是由于各国与贵金属挂钩的政策不同，英国坚持金本位，法国采取复本位，而俄国和奥地利则实行银本位（时有脱钩）。而另一部分原因则是政治事件所产生的重大影响，特别是战争和革命。的确，只要对欧洲历史有基本了解的人，都能大致解释图中收益率几次大幅上升的原因。表15集中展示了这一时期因大战和革命引发的债券市场危机的严重程度。其中有不少令人注目的地方。例如，巴黎1848年革命爆发后的两个月，欧洲债券市场即爆发了19世纪以来最严重的危机。在伦敦市场，奥地利和法国两国债券均严重受挫，前者收益率上涨了662个基点，后者为505个基点。甚至于俄国虽未爆发革命，但它的债券也受到影响。同期只有英国债券的收益率下降，这一方面反映了投资者从大陆债券转向了更为安全的统一债券，另一方面也反映了英国货币市场已从1847年的金融危机中恢复过来。显然，市场并未预期伦敦会爆发革命，伦敦也就成了众多大陆投资者的天堂。克里米亚战争的爆发影响了所有主要债券，其中包括统一公债。有趣的是，奥地利债券收益率的增长速度快于俄国债券（前者为243个基点，后者为175个基点）。1859~1866年战争期间，过度扩张的哈布斯堡政权与对手之间的差异再次扩大，最终导致灾难性后果：奥地利被法国和意大利打败后，债券收益率猛增400个基点；奥地利战败于普鲁士后，债券收益率上升近300个基点（1866年，统一公债收益率也有所上升，但这是由于奥弗伦格尼贴现行倒闭导致金融危机造成，所以我没有引用相关数据）。1866年奥地利实行债务转换，该转换政策规定对国内、国外的国债持有人征收税款。随后在1870年5月，奥地利债券被伦敦市场摈弃，之后它的收益率便高居不下。

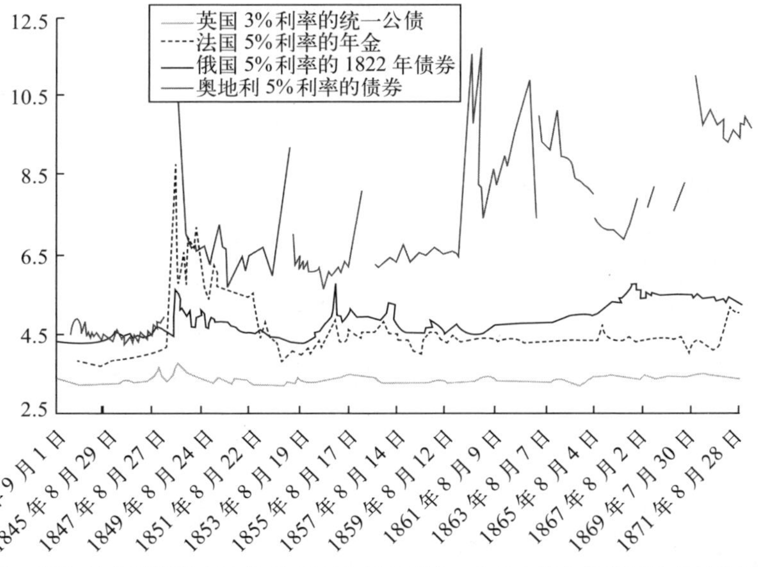

注：图中的中断处是由于证券市场关闭（1847~1848年），或者未能向伦敦证券交易所提供报价（尤其是1870年前的奥地利）。

图26　每周末欧洲债券在伦敦市场上的未调整收益率（1843~1871年）

表 15　战争、革命和债券市场（1830~1914 年）

	事件	美国	法国	俄国	奥地利				
	爆发日期	高峰期	增长	高峰期	增长	高峰期	增长	高峰期	增长
1	1830 年 7 月 27 日	1831 年 2 月 8 日	67	1831 年 4 月 2 日	273				
2	1848 年 2 月 22 日			1848 年 4 月 7 日	505	1848 年 4 月 7 日	172	1848 年 4 月 28 日	662
3	1853 年 6 月 2 日	1854 年 3 月 31 日	52	1854 年 4 月 7 日	106	1854 年 3 月 24 日	175	1854 年 3 月 31 日	243
4	1859 年 4 月 19 日	1859 年 4 月 29 日	18	1859 年 5 月 20 日	50	1859 年 5 月 27 日	46	1859 年 6 月 24 日	426
5	1866 年 6 月 7 日			1866 年 6 月 8 日	9	1866 年 6 月 8 日	29	1867 年 4 月 26 日	298
6	1870 年 7 月 2 日			1871 年 3 月 31 日	181				
7	1877 年 4 月 24 日	1877 年 5 月 4 日	5	1877 年 4 月 27 日	12	1877 年 4 月 27 日	60	1877 年 4 月 27 日	59
8	1904 年 2 月 4 日					1906 年 5 月 10 日	129		
9	1914 年 6 月 28 日	1914 年 7 月 31 日	22	1914 年 7 月 31 日	5	1914 年 7 月 31 日	52	1914 年 7 月 31 日	42

主要事件：
1.1830 年革命：爆发反对查理十世颁布五条法令的暴动
2.1848 年革命：巴黎爆发反对禁止举行宴会的暴动
3.克里米亚战争：英国舰队奉命开进达达尼尔海峡
4.奥意战争：奥地利发出最后通牒，要求撒丁岛解除武装
5.奥普战争：普鲁士军队占领荷尔斯泰因
6.法德战争：霍亨索伦王室的利奥波德登上西班牙王位
7.俄土战争：俄国向土耳其宣战
8.俄日战争和 1905 年革命：战争爆发
9.一战临近：萨拉热窝行刺事件

注：所有的增长均以基点计（1%=100 个基点）。由于 1914 年 7 月 31 日证券市场关闭，从严格意义上讲，同年数据不具有可比性。

不难看出，19 世纪投资者对债券进行评估时，既依据政治新闻，也依据财政和货币指标，虽然后者的信息不易获得。詹姆斯 · 罗斯柴尔德这样评价 1830 年 10 月法国革命的影响："一旦卷入战争，后果不堪设想。上帝保佑！如果那样的话，证券价格会全面暴跌，什么都别想卖出去。"一个月后，他又对风险进行量化："我们现在持有 90 万份法国公债，如果维持和平局势，它们的价值是面值的 75%，如果爆发战争，它们的价值将跌至面值的 45%……我相信，如果不爆发战争，法国公债在 3 个月内会上涨 10%……"从很早开始，他就非常担心战争的爆发，其程度甚至超过了对政权更替的担忧。原因正如诗人兼记者的路德维格 · 伯尼所讽刺的那样：新国王和银行集团的关系非常密切，詹姆斯 · 罗斯柴尔德已经拥有"帝王称号的 5%，国王称号的 3%，成为银行家和交易代理商的保护伞"。詹姆斯的兄弟所罗门观看了路易 · 菲利普完成加冕，并宣誓支持略作修改的宪法后，方才出了一口气："感谢上帝！我们付出了那么多，事情总算圆满解决了。否则法国公债无法维持在 79，而会跌到 39。那可麻烦了。"然而，如果路易 · 菲利普无法控制他的大臣们，风险就仍然存在，他的有些大臣们对于 18 世纪 90 年代的那段历史格外钟情。正如詹姆斯的外甥纳特所说，后来法国爆发危机时，"只要军队有所行动，债券持有人就会惊慌一片"。

临近退休之际，詹姆斯 · 罗斯柴尔德以政治事件评估债券的思路已经成为欧洲交易界的传奇。1859 年，在法国的支持下，意大利对奥地利开战，开战前的一个月，撒丁王国首相加福尔问詹姆斯 · 罗斯柴尔德："那么男爵阁下，有朝一日我成为意大利首相，欧洲证券市场真的会上涨两法郎吗？"罗斯柴尔德回答说："你得往下降一降。"1866 年 5 月 6 日，拿破仑三世在欧塞尔发表煽动性演说，宣布废止 1815 年以后的所有条约，罗斯柴尔德对此也作出了类似的回应。拿破仑曾许诺法国邻邦："法兰西是和平的象征。"而今，罗斯柴尔德宣布："法兰西帝国是市场下滑的象征。"

对战争抱有这种反对态度的不仅仅是银行家。1840 年，当帕默斯顿固执己见，拒绝了法国总理迪耶尔在东部问题上为保全面子而进行的妥协时，比利时国王利奥波德告诉他的侄女维多利亚女王：

> 政治被人们视做关键性因素，而基金和其他债券的下跌会给每个人都带来损失。英国基金在《条约》（流产的《英法条约》）签订前为91，如今降至87，而且可能还会继续下降。我希望我们的朋友墨尔本（英国首相）能够因此有所感触。

迪斯雷利是维多利亚时期又一杰出人物，他深谙战争危机和金融危机之间的相互关系。1859年1月，在法国和意大利联合向奥地利宣战前夕，他写信给德比伯爵："城市陷入一片惊慌，整个地中海停止了贸易！证券至少跌了6 000万英镑，法国证券市场情况更为严重，如果这种局面再持续一周，那将毁掉巴黎整个证券市场。""而这一切都是因为一个人（指拿破仑三世）想把一切都搅乱。"就连索尔兹伯里侯爵，偶尔也会操起证券交易术语，冷冷地评论道："资本家更爱好和平，最好战争的危害性能够降低到3%~10%。"

这种观点也不仅仅为英国"绅士资本主义"所独有。某位法国外交官在评论1865年1月争夺对德控制权可能产生的结果时，进行了敏锐的分析，虽然可能并不十分准确："如果能控制普鲁士，其价值无论是在债券市场上还是在政治意义上，都将高于它的票面价格。"俾斯麦同样懂得债券市场的意义。他为吓住了阿姆谢尔·罗斯柴尔德而得意扬扬：1854年2月，俾斯麦得到消息说，俄国召回驻巴黎大使，"我一直在考虑用这个消息去吓唬谁，最后我的目光落在他（阿姆谢尔·罗斯柴尔德）身上。当我让他读那条消息时，他变得面如土色，他说的第一句话是，如果我上午得知消息就好了。第二句是，明天您能和我做点小生意吗？而我婉言拒绝了，留下他独自在那里心烦意乱。"后来俾斯麦自己反成了投机的对象。1882年，英国大使安普西尔勋爵在拜访格尔森·布雷克罗德时，看到了一份电报（来自罗斯柴尔德巴黎公司），询问德国皇帝的健康状况。"我问布雷克罗德，法国金融家在德国皇帝驾崩对法国证券市场带来的影响上，有怎样的预期？他回答：'一般来说，会有10%~15%的价格变动。因为无法确定新皇帝会不会继续任用俾斯麦。'"

帝　国

容易被忘记的是，在 18 世纪 60 年代末之前，法国与英国作为债权国不相上下。1861~1865 年，法国政府的放贷额和英国相差无几。在 1870~1871 年德国战败法国之后，英国才奠定了领先的地位。用赫伯特 · 费斯的话来说，如果欧洲是“世界的银行”，那么英国就是它的总部。

19 世纪 70 年代至一战期间，出现过两次资本出口浪潮。1861~1872 年，英国国外净投资额占国内生产总值之比从 1.4% 上升为 7.7%，1877 年降至 0.8%，1890 年又升至 7.3%，1901 年再次跌破 1%。第二次浪潮中，1913 年国外投资达到有史以来的最高点 9.1%，这一高点直到 20 世纪 90 年代才被突破。这使海外资产得以大规模积累，以绝对价值计，1930 年的资产价值是 1860 年的 10 倍多，从 3.7 亿英镑增长到 39 亿英镑，这相当于国内生产总值的 140%。从另一个角度衡量，英国海外资产占英国总资产的比例从 1870 年的 17% 涨至 1913 年的 33%。还没有哪个国家能够望其项背，虽然法国相比其他国家较为接近这个水平，但它的海外资产仍不及英国的一半，德国仅为英国的 1/4。一战前夕，英国国外投资额占世界总额的 44%。有人认为这不利于英国的工业投资，而事实上这种资本外流自有所偿。19 世纪 90 年代，国外净投资占国内生产总值的 3%，而海外资产净收入占国内生产总值的 5.6%。之后 10 年，这两个数字分别为 5.1% 和 5.9%。

J · A · 霍布森的著作《帝国主义》（1902 年）问世以来，关于资本外流起因的争论从未停止过。霍氏认为，英国社会不平等，造成储蓄过高而无法被国内投资市场吸收。但事实似乎并非如此。列宁战时认为，海外投资是对国内投资回报率的反应。随后的研究证明这有一定的合理性。与 19 世纪 70 年代相比，1897~1909 年，国内投资回报率明显下降。而且即便是将国外投资的高风险考虑在内，1870~1913 年，国外投资的平均回报率（1%~2%）也高于国内证券投资。但是，这种只求平均值的算法掩盖了剧烈的市场波动，和国外证券相比，有时投资国内证券收益更高，比如，1887~1896 年以及战前最后 3 年即是如此。最近还有一种解释，资本流动和新世界（美国）依赖比率（即非工作人口与工作人口比）高不无关系，新世界婚龄普遍偏低，生育的子女也比旧世界更多更健康，从而储蓄率更低。

正如霍布森著作标题所表明的，作者始终倾向于认为英国资本出口与英国帝国主义制度之前存有联系。有一点毫无疑问，伦敦不断增加海外贷款与英国大规模殖民地统治是同时进行的。1860 年，大英帝国疆土面积为 950 万平方公里，1909 年达到 1 270 平方公里 ，足足增长了 1/3。一战前夕，约有 4.44 亿人口生活在不同形式的英国统治下，相当于世界人口的 1/4，但只有 1/10 的英国公民生活在大不列颠岛。

事实上，1865~1914 年，英国只有 1/4 的投资流向大帝国统治下的地区，却有 45%的投资流向大帝国外的国家。而且，相对而言，大帝国内的投资回报率总体有所下降：1884 年之前，它的回报率比英国国内投资高出 2/3，而 1884 年之后，它却比英国国内投资低了 2/5。到 19 世纪末，在扩张帝国疆域方面，战略意义逐渐高于经济意义。

然而这并不意味着大帝国之外的海外投资就没有政治意义，1865~1914 年，英国海外投资中约 35%用于购买外国公债；其余大部分集中于铁路、矿山、公共设施等领域，这些领域本国政府虽不干涉，却对其而言仍具有重要意义；最后，只有 4%投资于生产制造业。据统计，1862 年世界国债额为 26 亿英镑，其中 1/4 在伦敦证券交易所挂牌。10 年后，这两个数字分别攀升至 46 亿英镑和 53%。1853 年，在伦敦交易所挂牌的外国公债和殖民地公债发行量占交易所总量的 6%，而 1883 年，该比例达到 26%（见图 27）。虽然很多国家并不受英国直接统治，但其政府却离不开英国投资者。

资本出口和英帝国主义制度之间的关系，不论是正式帝国主义还是非正式帝国主义，都可以用埃及和土耳其的案例来阐述。克里米亚战争的余殃使君士坦丁堡的苏丹和其封臣开罗的埃及总督在国内外均已债台高筑，无力偿付。1855~1875 年，土耳其国债从 900 万土耳其里拉骤增至 2.51 亿里拉。与土耳其的财政收入相比，这是个天文数字：它占土耳其经常性收入之比从 130%增长到 1 500%。而还本付息的支出占政府总开支之比从 1860 年的 15%上升到 1875 年 50%的最高点。截至 1877 年，土耳其债务额为 2.51 亿里拉，而扣除佣金和折扣，君士坦丁堡财政部实际到手只有 1.35 亿里拉，而且这些

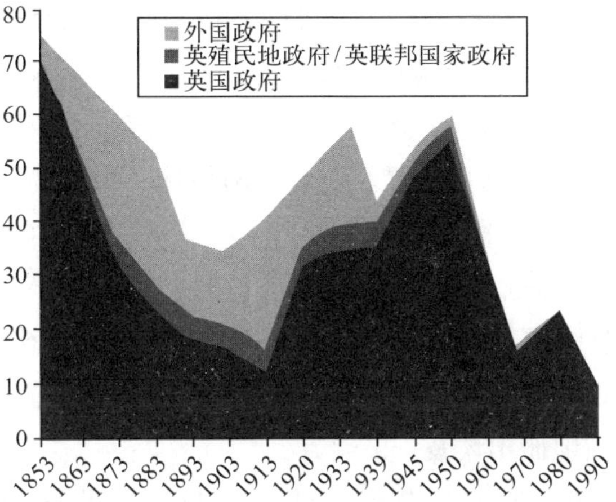

注：1883 年之后，数据中也包括了在伦敦证券交易所挂牌的外国政府应付债券。1933 年及之前为名义价值，1939 年及之后为市场价值。

图 27　伦敦证券交易所内公债占证券总量百分比（1853~1990 年）

资金也没被有效利用，任由苏丹阿卜杜勒 · 迈吉德大肆挥霍，其中几百万用于兴建多玛巴切皇宫，其规模相当于布鲁塞尔北部国际车站。

埃及的境况大同小异。1862 年，埃及第一次从国外贷款 330 万埃及镑，到 1876 年，总计达到 7 600 万埃及镑，约为税收收入的 10 倍。另外埃及总督伊斯梅尔私人账户欠款就达 110 万埃及镑。1876 年的预算中，债务偿付超过总支出的一半（55.5%）。与国际市场上其他主要债务国（如巴西和俄国）相比，土耳其和埃及处于失控状态。巴、俄两国的债务总量从未超过税收收入的 3 倍，偿债规模一般也低于总开支的 15%。事实上与中东比肩的还有西班牙，后者在 19 世纪 70 年代也无力偿债。

埃及从土耳其的封地逐渐变为英国附属国开始于 1874 年土耳其宣告破产。正是由于土耳其的破产，埃及总督才不得不将其在苏伊士运河的股份以 400 万英镑的价格转让给英国政府，其数目之大，相当于英国除去债务支出后整个预算的 8%，然而如果说几个小时有点夸张的话，这笔款项罗斯柴尔德家族几天之内就能贷给迪斯雷利。在这之后，新的国家债务银行建立，将埃及财政置于英国、法国、意大利和奥地利这些主要债权国所派遣的代表的监督之下，并将合并债务确定为 7 600 万英镑（不包括埃及总督以其土地做抵押的 1 500 万英镑私人债务和一笔可能高达 600 万英镑的流动债务)。1878 年，该银行建议应成立“多国”政府，自然它不受埃及纳税人欢迎，1879 年，埃及总督便解散了这一“多国”政府。于是债权国为重新控制局面，把原总督之子陶菲格推上总督位置。但是，阿拉比 · 巴夏领导的全国规模的军事暴动迫使英国不得不直接进行军事干涉。1882 年 7 月，亚历山大遭到炮击，到 9 月，阿拉比政府便被推翻。这是长期占领的开始，且显得理直气壮。1882~1922 年，英国信誓旦旦地向其他债权国许诺不下 66 次，言称它将结束对埃及的占领，但直到 1956 年 9 月，英国阻止苏伊士运河国有化的图谋破产后，英军才灰溜溜地撤出埃及。

占领埃及的部分原因是英国对法国在突尼斯的行动所做出的战略回应，但它还有更深一层的财政意义。1884 年，英国海军部长诺思布鲁克勋爵（巴林银行家族成员之一）被派往埃及调查该国财政状况，而他的表哥伊夫林 · 巴林（即后来的克罗默勋爵）已经是驻开罗总领事。是后者在稳定埃及财政方面做了大量工作。埃及债务的绝对值从 1891 年的 10600 万英镑降到 1913 年的 9400 万英镑，而税收收入的增加更让债务/收入比率降低了一半。同时，克罗默还能募集到足够的外资投入大规模基础设施建设，这既无害于埃及人，也有利于外国的债券持有人。1882 年英国占领埃及，这就防止了埃及拖欠债务的风险，也确保了埃及债券的高回报率。事实证明，英国财政部购得苏伊士运河股份是明智之举。截至 1876 年 1 月，该股票价格从 22 英镑上涨到 34 英镑，涨幅高达 50%。1898 年，英国所持股份的市场价值总额为 2 400 万英镑，一战前夕，该金额高达 4 000 万英镑，到 1935 年又升到 9 300 万英镑（约折合每股 528 英镑）。1875 年至 1895 年，英国政府每年从开罗获得 20 万英镑；之后的分红更为可观，从 1895 年的 69 万英镑升至 1901 年的 88 万英镑。

相形之下，俄国以及后来德国在君士坦丁堡的利益却无法对土耳其形成大国监管（国家公共债务事务部那一间间宝塔形办公室如今仍屹立于伊斯坦布尔）。由此，土耳其政府及其财政状况均无改观。1881 年对债务进行重新安排后，1889 年，债务/税收比率为 8.7 ：1，而到 1909 年却增长到 10 ：1，回到 1879 年的水平。1890 年，债务偿付支出占总支出的 12%，1910 年，也就是青年土耳其党发起暴动那年，该比例上升至33%。如此，土耳其债券的实际回报率较低（预期为7.4%，实际只有1.6%）。

“非正式帝国主义”（即在无政治管制下的投资）导致财政管制难以实施，因此，拖欠债务的风险也较高。1880~1914年，除土耳其外，几乎所有大规模的债务拖欠事件均发生在拉美（阿根廷：1890年，巴西：1898年和1914年，墨西哥：1910年）。表16显示，与日本、俄国、土耳其等独立国家相比，英国控制下的国家，澳大利亚、加拿大和埃及，为外国投资者带来的实际回报率显然高得多。平均而言，拉美国家处于中间位置，虽然墨西哥由于屡不偿债比较突出。

表16　部分国际债券预期溢价和实际溢价（1850~1983年）

	1850~1914年		1914~1945年		1945~1983年		该时期借款总额
	预期	实际	预期	实际	预期	实际	1913年（百万美元）
阿根廷	2.15	1.71	2.05	1.95	4.93	4.7	1 943
巴西	1.91	0.88	3.34	1.48			1 278
智利	2.42	1.48	3.3	− 1.9			501
墨西哥	2.87	− 2.72			2.39	2.31	565
澳大利亚	1.34	1.01	1.16	1.21	0.95	0.72	4 874
加拿大	1.3	1.27	0.64	0.65	2.23	2.25	969
埃及	4.07	2.92	− 0.65	− 0.73			409
日本	1.47	1.25	3.24	2.26	2.91	2.25	1 346
俄国①	2.01	− 1.63					3 341
土耳其	4.23	− 1.56	1.00	− 0.88	0.11	− 0.34	919
总计	2.36	− 0.13	1.75	1.21	1.38	1.3	16 145

定义：溢价——在相等持有期内，国外债券收益率与英国或美国（根据国外债券发行地而定）长期债券收益率之差。预期：根据债券发行价和偿还条件计算的内部收益率。实际：根据债权国消费者价格指数进行调整后的实际收益率。

① “十月革命”后为苏联。——编者注

趋同中的矛盾

从 19 世纪 70 年代到 1914 年，大多数主要经济的长期利率有明显趋同现象。英国统一公债与同类的法国、德国、俄国、意大利以及美国的长期债券的收益率差均有所缩减。例如，1894 年，意大利长期债券的收益率几乎是英国的两倍，而到 1907 年，它只比统一公债高了 54 个基点。图 28 汇总了有数据可引的 7 个国家的债券与统一公债相比的收益率差。虽然造成趋同现象的部分原因是由于英国统一公债收益率从 1896 年 2.25%的谷底回升至 1914 年的 3.6%，但主要原因则是由于其他大国长期公债收益率下降所致。

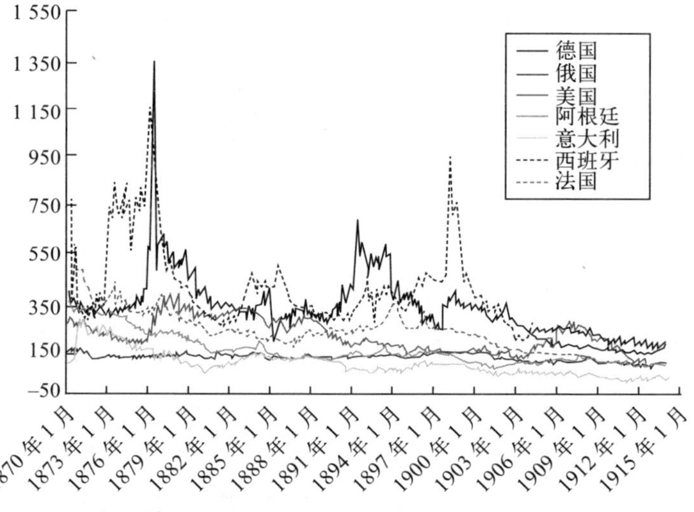

图 28　各国债券与统一公债的收益率差（1870~1913 年）

经济学家对此作出了三种解释，这三种解释虽各不相同，却互有关联。第一种解释很简单，即全球资本市场高度整合。大量研究表明，1880~1914 年，由于资金的国际流动、交易成本的降低以及未加管制的套利活动，储蓄和投资之间出现脱离。事实上，通过比较 1745~1907 年 7 次金融危机期间不同市场统一债券的价格，可以看出 20 世纪初金融整合程度可能不及 19 世纪中期。当然，这也可能是由于金融危机期间，市场流动性遭到破坏的缘故。

1870年之后，电报的发明与广泛使用，使得资产套利不断增加，进而促使国际金融逐步整合成为必然，虽然整合的进程偶尔也被严重的危机打断。

对于趋同现象的第二种解释是从财政政策角度出发的。一种观点是认为利率差与债务/国内生产总值比率相关，利率差因此可以被看做“债务拖欠风险的广泛衡量指标”，虽然“国家只有深陷债务危机时，才能感觉到收益率不断上升带来的痛苦”。而债务/国内生产总值比率提供的信息相对而言毕竟很少。在各国的债务中，有的长期债务占比较高，有的短期债务占比较高；有的国家（俄国最为典型）外债规模大，而有的（尤其是英国和法国）几乎都是内债；有的国家的债务以黄金标价，有些则不然。此外，当时的投资者无法获得债务/国内生产总值比率，正如第4章所讲，国内生产总值是20世纪才出现的概念，并且在一战前，对国民财富和收入的统计少之又少。

附录D给出的一些指标对于19世纪末的投资者来说再熟悉不过。它将债务与政府收入以及出口额联系起来（债务/出口额比例对拉美、中东这种外债规模大，并需要用外币偿付的国家作评估时尤为重要）。另外，对债券进行评估调整时，也要考虑周边国家债务的高利率情况，以及国家资产负债表另一侧的国有资产（在对已发行公债为铁路建设融资的国家进行评估时，这点也很重要）。为了更好地说明19世纪全球化程度，附录D收录了1889年《芬恩纲要》调查的所有国家，该纲要是当时最详尽的投资综合手册，其采用的分析方法可能是该时期的典型方法。芬恩的计算方法和19世纪90年代迈克尔·马尔霍尔创建的债务/国民财富比率有相似之处。而里昂银行的信用评级根据的是净债务偿付额占税收收入之比，同时考虑债务拖欠的前科。

这类指标能比债务/国内生产总值更好地解释收益率差及波动吗？一种检验方法就是对债券收益率和当时的财政指标之间的相关性进行统计分析。但令人失望的是，检验得出的结果模棱两可。在有数据可考的6个国家中，只有一个国家（法国）其赤字/收入比率和债券收益率之间呈正相关，而对于另两个国家（英国和德国），两个指标之间呈负相关。这并不意外，像英德这样工业化的国家，债务虽高，但经济基础也雄厚，若用上述指标来衡量，则会夸大它的债务负担。若以债务/收入比率来衡量信用度，19世纪80年代只有两个国家（若将德国中央政府和瑞士中央政府也算在内），其信用度可与20

世纪 80 年代的英国媲美，而中国和保加利亚这两个国家债务负担低，只是因为缺乏国内或国际债券的融资机会。里昂银行也是使用类似的评级方法，把俄国这个世界最大的债务国列入高风险国家的第一梯队，归入该梯队的还有美国。同时粗略地将英国归入第二梯队，与罗马尼亚、埃及、奥地利、匈牙利、西班牙同列。

关于收益率趋同的第三种解释是，金本位国家数量的增加，降低了作为投资者考虑因素之一的货币风险。根据这一观点，坚持金本位说明财政透明，“有利于边缘国家从西欧核心国家获得资金”。金本位成员资格表明，该国实行“谨慎的财政和货币政策”。而金本位的中断也仅仅是因为“可以给予充分理解的突发情况，如战争”，公众也明白这种中断只是暂时的。因此，金本位是“一种带有附加条件的，或者说允许在例外情况下得到豁免的制度”。它有助于政府在和平时期通过低利率而获益，从而达到预算平衡。准确地说，坚持金本位会让黄金标价的政府债券收益率降低 40 个基点。

然而，这种分析也有不足之处；即它假设战争是“可以给予充分理解的突发情况”。回顾历史可以发现，1890~1914 年，所有大国之间战争的危险不断加剧、规模空前、持续时间无法预见，而投资人对此不可能一无所知。早在 1899 年，波兰金融家伊凡 · 布洛克就断言道：“（大规模）战争的直接后果是，证券价格全线下跌 25%~50%，在这种暴跌的行情下，债券将很难流动。”

那如何解释，某些和平时期的收益率趋同度反而明显低于政治局势紧张的 19 世纪 70 年代的收益率趋同度呢？一种比较简单的解释是，当时的投资者忘记全面政治危机对国家金融市场造成的影响。20 世纪 80 年代，据说“所罗门兄弟公司客户关系部指导原则”是“客户记性不佳”。表 15 在一定程度上显示了 1870~1914 年投资者的健忘程度。同之前 40 年相比，这段时期最严重的政治危机对国际债券市场的巨大影响明显减弱。例如 1870~1871 年，法国惨败，但几乎未对其他国家的债券造成影响。1876~1878 年的东部危机对收益率的影响也较低（虽然土耳其债券由于拖欠受到重创）。甚至投资者对革命影响力的警惕性也逐渐消除。例如，1904~1906 年危机期间，俄国的收益率提高了 129 个基点。

鉴于政治危机对金融造成的影响逐渐减弱，可以推测，投资者变得过于自信。他们就像自由派记者诺曼·安杰尔一样，开始相信没有什么东西——战争也好，革命也好——可以长期扰乱世界债券市场的运转。安杰尔在畅销书《大幻觉》中提到，“国际金融千丝万缕相互依存”，这也意味着大国之间几乎不可能爆发战争了。当然，这种幻觉只是安杰尔个人的观点。这本书在历史研究方面的意义在于，它展示了一战前夕，人们对它的了解是多么不足。

1914 年 7 月 23 日，英国外交大臣爱德华·格雷爵士警告奥地利大使，大战“定会导致巨额开支，扰乱贸易，从而造成欧洲信用和工业的崩溃”。第二天，他又对俄国大使说，如果大陆爆发战争，这将意味着“劳民伤财，深陷贫困。工业和贸易将陷入瘫痪，资本将一无所用。工业活动一旦崩溃，1848 年的革命将会再次上演”。对商业崩溃的预测很快即被证实。事实还证明，格雷对中欧和东欧的预见是准确的。但他和其他人都没能预见到的是，黄金兑换的中止和国内国际债券市场的扩张也足以为一场持续 4 年多的全球冲突融资。

国际债券市场危机：前车之鉴？

1914 年几乎波及所有金融市场的大动荡迫使全球所有证券交易所关闭。甚至伦敦证券交易所也没能在 1914 年 8 月 3 日银行假日后马上开业，而是直到年底才恢复运营。但这并不意味着国际债券市场的末日，相反，一战的决定因素除了鲜血的流淌，还有资本的流动，二者意义同等重要。截至 1917 年，俄国外债额达 8.24 亿英镑。意大利和法国净外债额同样巨大。截至 1919 年，英国向联邦自治领和战时同盟国提供的贷款共计 18 亿英镑，相当于国内生产总值的 32%。并向美国和其他国家贷款 13 亿英镑（相当于国内生产总值的 22%）。美国则是净债权国，债权额达 70 亿英镑之多，约占国内生产总值的 9%。在一定程度上，1914~1918 年是国家借贷的历史高潮。

20 世纪 20 年代又有一波新的国际借贷浪潮接踵而至。1915~1919 年十大经济体平均国外投资净额占国民收入的比例达到 5.5% 的峰值，而 1920~1930 年略有下滑，为 4%，但比 1910~1914 年高。1924~1930 年，国际资本流动量总计约为 90 亿英镑，但这时成为世界银行家的是美国。1919~1928 年，美国对外提供的长期贷款共计 64 亿英镑，其中一部分流入中央政府或地方政府。和罗斯柴尔德家族对 19 世纪的外国借款人宣扬要对他们的机构进行英式化一样，诸如埃德温 · 凯默勒这样的“钱医生”周游世界进行美国化宣传，以报美元贷款之恩。

但危机的征兆已日益明显。第一，1917 年“十月革命”以后，俄国布尔什维克政权所实行的不偿债政策造成的债务拖欠可能是有史以来规模最大的一次，影响到价值约 8 亿英镑的债券。与 7 年前土耳其和墨西哥革命一样，外国债权人是最易受激进的新政体伤害的目标，当这种政体向资产阶级宣战时尤为如此。投资者无法忘记托洛茨基曾立下的誓言，誓将俄国革命推向世界。第二，新建立的德意志共和国同样欺骗了国内、国外的投资者，它允许货币及所有公债以马克标价，导致其不断贬值，最终成为一堆废纸。1919~1923 年，德国资本净流入量相当于国民净产值的 6% 或 7%，但是大量流入德国证券市场和货币市场的资本都被通货膨胀侵蚀一空，这也是“美国对德国复兴计划”所致。第三，仔细观察不难发现，20 世纪 20 年代大部分主要国际贷款都是用战后美元为战前英镑贷款进行重新融通。第四，以实际价值计，主要债权国（美国、英国和法国）贷出款项数额明显下降，按 1913 年的物价水平算，1924~1928 年年平均贷出额为 5.5 亿美元，而 1911~1913 年则为 14 亿美元。第五，短期贷款，即“游资”的比重较 1914 年大为提高，而主要的短期债务人多为长期净债权人。在两次大战之间的间歇期，最为令人注目的是资本转向之快及其后果之严重。20 世纪 20 年代，大多数生产国均已出现经济衰退，而撤资在短期内加剧了这种形势。而 1931 年，债务拖欠和货币贬值致使资源进行了重新分配，从债权国转移到债务国。土耳其及大部分东欧国家和拉美所有国家均有不偿债行为：1931 年，先是玻利维亚，随后是秘鲁、智利、古巴、巴西和哥伦比亚。1932 年有匈牙利、南斯拉夫和希腊。1933 年有奥地利和德国，到 1933 年，除阿根廷、海地和多米尼亚共和国，所有债务国均暂停偿付债务。

本章宗旨不在于解释全球金融体系崩溃的原因，因为其原因和国际货币体系运转方式密切相关，属于下章内容。本章旨在说明金融全球化确实崩溃了，这引发了两个问题：第一，它还会再次发生吗？第二，战时全球金融崩溃和英国的霸主地位衰退之间有无联系？这么说是因为英国在处于霸主地位时，通过正式帝国主义和非正式帝国主义，从政治上保证了国际金融的稳定。

全球化：历史与现状

全球化发展到今天，其程度是否比一战前 10 年左右更为深广呢？经济历史学家在这点上各持己见。答案的关键在于他们选择考察哪些指标，以及这些指标来自哪些国家。浏览一下诸如印度和俄国等主要国际债务国的外债/GNP比率，即可发现其现状和过去极为相近，1913 年，该比率为 25%~30%，1997 年又回到这一水平。1914 年，阿根廷对外资依赖程度之重，今天很少有大的经济体可与之相比。当时阿根廷的一半资本为外国所有，经常项目逆差达到国内生产总值的 10%。1870~1890 年，阿根廷进口资本接近国内生产总值的 20%，而 20 世纪 90 年代，这个数字仅为 2%。如我们所见，资本出口高潮是一战期间，当时经常项目平均达到国内生产总值的 5%，而低谷期是在 1932~1939 年，相应比例仅为 1.2%，1989~1996 年仍处较低水平，为 2.3%。

表 17 给出的全球化指标更为综合全面。通过这些指标，我们可以清楚地看到，今天的全球商品市场和资本市场比以往任何时候都开放。1913 年，商品出口为世界国内生产总值的 9%，而 1990 年则为 13%，今天这个数字当然更高。这反映了，与 20 世纪早期相比，今天的国际关税壁垒降低了；1914 年之前，货运成本的降低比自由贸易更能推动贸易的发展。1913 年，国外资产约为世界国内生产总值的 18%，而到 1995 年，这个数字增长到 57%。表 17 还显示，1930~1960 年，资本出口回落幅度要远大于商品出口的回落幅度。1945 年，国外资产比例降到最低点，不到世界国内生产总值的 5%。在其他方面，今天的全球化程度同样超过一个世纪前的水平。如今，随着跨国公司的发展，直接投资（相对于以证券市场为媒介的证券投资）规模更大。信息流动加快、信息量加大，为跨国投资决策提供了极大的便利。而且，这一进

程还在进一步发展。据IMF统计，仍有144个国家在直接国外投资上实行资本控制，128个国家仍对国际金融交易实行管制，如果这些控制和管制得以取消，那么跨国资本流动的规模将会进一步扩大。

表17　商业全球化和金融全球化指标

	商品出口占世界国内生产总值比例（%）	国外资产占世界国内生产总值比例（%）
1870		6.9
1890	6.0	
1900		18.6
1913	9.0	17.5
1930		8.4
1945		4.9
1950	7.0	
1960	8.0	6.4
1970	10.0	
1980		17.7
1990	13.0	
1995		56.8

但另一方面，与一个世纪前相比，今天全球劳务市场的开放程度却有所降低。全球化初期，曾有两次大规模的移民浪潮，第一次是强制性的，第二次却是自愿的。截至1820年，前后约有800万黑奴被运到美洲和加勒比。而在之后的一个世纪中，至少有6 000万欧洲人移居国外，其中2/3流向美国。1881~1890年，英国净流出人口超过320万人，约为平均人口的7%。德国移居国外的人数在1854年和1881年达到高潮，人数为130万人，占当年总人口比分别为0.7%和0.5%。爱尔兰是当之无愧的人口输出大国，19世纪80年代，移居国外的人数约占总人口的14%。美国虽然在20世纪80、90年代放宽了移民流入管制，但流入美国的移民规模仍不及20世纪1900年代最初10年，当时流入美国的移民人数占美国总人口的比例为10%，阿根廷的移入人口占比高达29%。1990年，美国流入人口占比还不及一个世纪前的1/3。

这种前后差异有着更深层次的影响。正是因为有了移民的流动，才在很大程度上降低了全球化初期各国之间收入的不平等。资本流动占主导地位时，各国之间的贫富差距将会扩大。这是因为富国劳动力相对较少，当发生人口流动时，穷国人口就会涌入富国。而当发生资本流动时，资本往往会避免流入真正的穷国，一个重要原因就是那里的劳动生产率过低。

许多评论家认为，全球化是一种有利的推动力，它能带来“完美的未来”。社会学家安东尼 · 吉登斯就赞同经济全球化以其特有的方式，不仅打破民族国家的界限，而且冲击了“传统”文化，甚至是家庭观念。但是毋庸置疑，如果没有相应比例的国际移民流动，自由贸易和资本流动将导致世界范围内史无前例的不平等。据 1999 年联合国的测算，世界前三位亿万富翁的资产比最贫困国家的GNP合计还高，而后者养活着 6 亿公民。20 世纪 60 年代，世界最富的 1/5 人口的合计收入是最穷的 1/5 人口的 30 倍，1998 年，这个数字达到 74 倍。据世界银行统计，目前约有 13 亿人口的生活状况极为贫困，每天仅有不足 1 美元的生活费。而从世界发展的趋势看，这种贫富差距可能会进一步扩大。如果说全球化初期促进收入趋同，那么当前的全球化导致了收入分化。最近，在研究 1914 年前全球化“第一时期”的不同学术论著中，都提出了同一个问题：即 21 世纪初是否会出现“另一次反冲反应”，无论它是体现为保护主义、排外主义还是国际冲突？当然这些“反冲反应”的讨论针对的也只是发达国家。

两个时期的全球化另一不同之处在于，在这当中霸权国家所起的作用不同。那些认为当前全球化程度高于过去的人，多数都是美国人，他们依据的也是美国数据。但若从英国的数据角度看，情况则大不相同（见表 18）。由于英国是 20 世纪早期全球化的霸权国家，故而以它的数据作为基准可能更恰当些。1913 年，英国商品出口达到国内生产总值的 30%，或商品增加值的 76%；而 1900 年美国这两个数字分别只有 8%和 36%。美国经济学家认为，当前服务出口的重要性比过去大为提高，虽然对美国来说是这样的，但对英国来说则不然。美国的贸易政策的确比过去更为宽松，但它仍不及英国 1914 年前的贸易政策自由度高。此外，1914 年前，英国是人口净出口国，而美国继 20 世纪初期的移民流入高潮之后，如今再次成为重要的人口进口国，虽然本次规模不及上次。

表 18　今昔两个霸权国家的数据比较

	英　国						美　国			
	商品出口额占国内生产总值比例（%）	商品出口占商品增加值比例（%）	商品平均关税	国外净投资占国内生产总值比例（%）	流出人口比例（每千人）	商品出口额占国内生产总值比例（%）	商品出口占商品增加值比例（%）	商品平均关税	国外净投资占国内生产总值比例（%）	流入人口比例（每千人）
1870				5.0	5.0					6.4
1875			0	4.3	5.3			45.0		
1890	27.3	61.5		7.3	8.6	5.6	14.3			9.2
1910				7.7	7.0					10.4
1913	29.8	76.5	0	9.1		6.1	13.2	44.0		
1930					4.7					3.5
1935			17.0					48.0		
1950			23.0		3.0			14.0		0.7
1960	15.3	33.8				3.4	9.6		2.4	
1970	16.5	40.7				4.1	13.7		1.5	1.7
1990	20.6	62.8	5.7		0.5	8.0	35.8	4.6	–4.7	2.6
1995			4.6					3.0	–5.3	

浮游生物

全球化关系重大吗？有些人会摇头。1997 年，在中国香港举行的世界银行会议上，马来西亚总理马哈蒂尔宾 · 穆罕默德就对全球化进行了谴责。1999 年，美国记者托马斯 · 弗里德曼受此启发，杜撰出一段美国前财政部长罗伯特 · 鲁宾与这位总理的对话：

> “恕我直言，马哈蒂尔先生，请问您究竟住在什么星球上呢？您一提到加入到全球化进程中来，就好像这是你自己作出的选择似的。事实上，全球化并非任何人仅凭自己的力量就能选择的。全球化是个事实。今天全球只有一个共同的市场。如果您想让贵国的发展速度达到贵国人民的期望，只有一条途径，那就是开放全球股票和债券市场，寻求跨国公司去贵国投资，然后把贵国工厂生产的产品通过全球交易系统进行销售。另外，全球化最基本的事实是，谁也别想独霸世界。乔治 · 索罗斯做不到，超级大国做不到，我也做不到。全球化不是我启动的，我无法让它停止，你也办不到……”

这里我们再次遇到本章开篇的观点：国际金融市场的力量是人无法控制的，同样也是美国政府无法操纵的。对于弗里德曼来说，这是件好事：它对政客起到了制约作用，是对初期的帝国主义全球化的改进（在同一本书中，弗里德曼还向泰国总理邀功道，是他在东亚新兴证券市场抛售股票，致使泰铢贬值，从而迫使前泰国总理下台，现任总理也因此才得以上台）。

但是目前规模宏大却极不稳定的金融市场真的可以主宰宇宙吗？虽然一大群微小的浮游生物或许可以占据一大片水域，它们或许比一头巨大的抹香鲸威力更大，但就此妄下结论，说金融市场统治着世界，就相当于说浮游生物统治着海洋。浮游生物的游动轨迹无从判定，而资本作为单个有意识的意志产物亦是如此。弗里德曼采用了一个类似的比喻：他把国际投资者及其经纪人，及所谓的“宇宙主宰者”，描述成“电子兽群”，意在表达，兽群容易受惊而四散奔逃，尤其是在缺少牧人看管的时候。

下一章内容是关于通过建立货币“围墙”来降低惊逃风险，即突然撤资和货币危机。

THE CASH NEXUS

第11章 金镣铐和纸锁链：国际货币体制

分而治之

与美国钞票上所印的国训相反（合众为一）

在伊恩·弗莱明的小说《金手指》中，英格兰银行的史密瑟斯上校向詹姆斯·邦德简要解释了布雷顿森林体系下的金本位制度，这位神通广大的特工对赌场以外的货币几乎一无所知，“黄金及其支撑的货币构成了国际信用的基础。我们能够知道英镑的真正力量，而其他国家要通过了解我国货币币值后，才能知道这一点。”但是黄金正被金银交易员奥瑞克·金手指从英格兰银行偷走，金手指已经积累了2 000万英镑黄金。黄金的需求还在无休止地增长，比如用于囤积、补牙、珠宝以及央行储备，但黄金的供应几近枯竭：

> “你看，从1500年到1900年……全世界共开采黄金1.8万吨。从1900年到今天，我国共开采了4.1万吨。按照这个速度，邦德先生，”史密瑟斯上校向前探探身，诚恳地说道，“请别引用我的话——如果50年后地球上的黄金还没有开采完毕，我将不胜讶异！”

最后史密瑟斯说到了正题：“英格兰银行对金手指的走私束手无策，所以我们想请你把金手指绳之以法，并把失窃的黄金找回来。你了解货币危机和高居不下的银行利率吗？当然了解。那么，英格兰急需那些失窃的黄金，越快越好。”

事实上，金手指除了英格兰银行外还有其他下手的目标。邦德回忆起，金手指计划在黑手党的帮助下，以致命神经瓦斯为武器，抢劫美国黄金储备地诺克斯堡。那里当时藏有价值150亿美元的金条（“约占世界黄金开采供应的一半”）。

1959年，金手指不断窃取价值达每盎司35美元的贵金属，因此似乎可以推测，如果美国黄金储备丢失如此大量的黄金，那么这将导致黄金美元价格飙升，从而撼动甚至破坏以固定兑换率为基础的布雷顿森林体系。然而，无须金手指破坏，布雷顿森林体系在弗莱明的大作出版后仅10年便解体了。这并非苏联推行的政策造成的，而是美国发动越南战争以及实行“伟大社会”福利计划造成费用上升的结果。经受了长期美元-黄金汇率压力之后，1971年8月15日，尼克松总统“关闭了黄金之窗”，美元不再可兑换黄金。这样一来，美国没有人能够在用美元纸币兑换贵金属。黄金的美元价格立即上扬，或者说美元的黄金价格一落千丈。截至1980年1月，黄金的价格达到当时的历史最高点，每盎司850美元。

时隔40多年，我们不禁会遐想，以当时每盎司260美元的黄金价格，是不是金手指对诺克斯堡进行盗窃的好时机？当然这时的盗窃对苏联政权或是苏联反间谍机构而言为时已晚，但有个机构可能会从中获利，那就是世界上的黄金开采商。如果他们还渴望看到黄金再次回到1980年的高点的话，那么只有金手指可以满足他们的愿望。

20世纪90年代末以来，黄金开采商感觉到他们才是抢劫的真正受害者。1999年5月，英国财政部宣布，政府决定出售415公吨黄金，达英格兰银行金库里的黄金储备的一半以上。史密瑟斯上校对此又会有什么解释呢？黄金价格瞬时骤降了10%以上。1999年1、2月份，黄金价格在每盎司290美元左右摆动，到6月份第二周，黄金价格仅略高于每盎司258美元，这是20年来的最低点。金矿股票下跌了1/4。当然，英格兰银行的黄金价格也下挫，给英国纳税人造成约6.6亿美元的损失。

1999年，不只有英国的黄金抛售决定给金银市场敲响警钟，欧洲经济和货币联盟组织的成立也给黄金市场带来了波动。尽管欧洲中央银行没有完全把黄金从资产负债表中剔除（它可以这么做），但它所保留的黄金储量也降到仅为 15%。虽然 1999 年 1 月后，联盟 11 国中央银行实际上附属于欧洲中央银行，对黄金储备的需求也相应降低，但是，欧洲中央银行的黄金减持幅度仍过大。欧洲经济和货币联盟成立前夕，各成员国黄金储备共计 12 477 公吨，是过去水平的 17%。但是在单一货币体制下，他们无法再将其他诸多币种作为外币储备手段，同时必须根据市场来给黄金定价（但很多成员，包括德国联邦银行都没有坚持这么做）。这意味着，1999 年 1 月 1 日，它们储备中的黄金比例一夜之间上升到 1/3。因此，其他欧洲国家也很有可能加入英国抛售黄金的行列。瑞士中央银行也准备降低 1 300 公吨的黄金储量，这个数字约为其黄金储备量的一半。随着 2000 年临近，国际货币基金组织受到不单单是来自英国财政大臣戈登 · 布朗的政治压力，以满足发展中国家的债务“免除”要求，不得不卖掉它的世界第二大黄金储备的一部分。黄金的黄昏期似乎来临。

但黄金离黑夜期还有一段距离。虽然 20 世纪 70 年代和 80 年代，一些西方央行进行大规模黄金抛售，但还没有摒弃黄金。而且 1999 年 9 月，欧洲各国央行宣布 5 年内每年只能出售 400 公吨的黄金，而金银市场运行延缓执行。然而有必要考虑一下，如果像英格兰银行这样的主要央行都决定或被命令降低黄金储备量的 50%，将会发生什么。如果德国、法国、意大利、荷兰、葡萄牙、西班牙和奥地利都这么做的话，将会有 5 735 公吨黄金投放市场，如果美国和日本都降低黄金储量的一半（虽然这不太可能），那么又将有 4 446 公吨黄金出售。如果把这些数字与英国、瑞士和货币基金组织的黄金出售量相加，那么可供交易的黄金共计 12 224 公吨，约相当于世界四五年的黄金开采量。如有人知道这点，不难发现，从央行储备中直接获得黄金，比从地下开采要容易得多。

黄金的黄昏

当然，从长远看黄金价格下跌是可以预期的。按照 200 年来黄金购买力平价，1997 年黄金价格本应为每盎司 234 美元。从历史角度看，20 世纪 70 年代黄金价格的蹿升极为反常，这反映了在美国终止美元黄金可兑换以及相对于石油和其他商品的欧洲货币贬值后，对黄金的需求突然上升。

当然，黄金并非没有“前途”，但主要是在珠宝首饰方面。1992 年，黄金在这方面的需求占总销售量的 3/4。沙特阿拉伯的新娘平均佩戴 5 公斤 24 克拉的黄金首饰。光印度平均每年就要消费 700 公吨黄金，1993 更是高出平均水平 300 公吨。印度民间黄金持有量为 1 万公吨。为更清楚地理解这个数字的意义，可以这样看，1997 年末世界地上黄金储量为 13.48 万公吨，其中各国央行持有不到 1/3（31 900 公吨）。1998 年世界金矿年产量为 2 500 公吨，不到印度一个国家年消费量的 4 倍。黄金开采商应该感到幸运，因为这两个对黄金饰品情有独钟的国家目前人口和收入都在迅速增长。

对于世界上那些货币财政体制较为落后或不稳定的国家，黄金作为价值存储手段同样大有“钱途”。这是因为黄金长期以来都“倾向于保持历史上与其他商品交换的价格水平”。1899 年以来，英国一条面包的价格上涨了 32 倍，一盎司黄金的价格上涨了 38 倍。的确，今天一盎司黄金能买到的面包数量，与 2500 多年前古巴比伦国王尼布甲尼撒二世时期一样。

应当强调的是，与普遍观点相反，在英国和美国用黄金规避通货膨胀并不是一个上佳的选择。19 世纪 80 年代和 20 世纪 30 年代通货紧缩时期，黄金的实际购买力有很大提高。而在战争引发的通货膨胀时期，相对于军需工业商品，黄金则黯然失色。黄金真正的吸引力在于，即使在现有的货币制度瘫痪后，它仍可以使用，仍可以交换。在 1914 年前美国金融危机期间、20 世纪 20 年代早期极度通货膨胀期间，以及 20 世纪 30 年代金融危机期间，黄金都证明了它的真货实价。二战期间，国家金融体系面对法西斯的入侵和轰炸变得摇摇欲坠，而唯有黄金是坚不可摧的资产。1938~1940 年，正是英国将大量黄金运往美国，才获得横跨大西洋的进口物资。甚至是在运金船只沉没，比如 1944 年纳粹Fort Sitikine号在孟买港口沉没，虽然上面的黄金有些破损仍能被打捞上来。许多纳粹从战败国窃取劫掠来的黄金都陆续被找到，黄金存留了下来，虽然它的合法所有者已不在世上。上个世纪在任何发生过恶性通货膨胀的国家，几百年来，比起购买债券和股票，购买黄金一直也是更稳妥的投资。甚至在最近发生的亚洲金融危机，许多受害者也靠着自己积累的黄金免于彻底破产。无论在什么地方，只要货币或银行体系比较脆弱，黄金作为价值储存手段将继续散发无穷的吸引力，苏联就是典型的例子。

然而，作为发达经济体中央银行储备首选之一，黄金看似已经今非昔比了。无可否认，我们正向着摒弃黄金本位的方向发展，就像19世纪70年代开始发生的摒弃白银本位一样。

从西方投资者角度看，西方再次发生政治或金融灾难的可能性（或者说对这些灾难的记忆）已经消退，因此说黄金进入黄昏期确有道理。20世纪，在英国和美国，黄金作为投资手段，它的市场表现远不如债券和股票。如果你的祖父曾在19世纪90年代购买了一盎司的黄金，并将它传给后代，那么你获得的仍只是一盎司黄金；但如果他购买的是英国指数基金股票（假如真有这种股票存在），那么你现在可以用这笔遗产购买到88盎司的黄金。但是另一方面，1968~1996年，黄金投资的实际回报率和股票债券投资的实际回报率走势相反，因此那个时期，投资组合中若加入一点黄金投资，而不全部由股票债券构成，那么平均而言它可以为投资者提供更高的回报和更低的风险。但是不得不提出这么一个问题：央行有必要像投资者进行投资组合那样调整储备组合吗？

从历史角度看，不断升级的对黄金本位的摒弃是1870~1914年的全球化发展和我们今天的全球化发展的另一个差异。上一章所讲的金融全球化进程与以黄金为基础的固定汇率体系的发展齐头并进。在很多当时的人看来，金本位是大规模国际投资的必要条件。但是今天的全球化所处的环境却是汇率波动大，黄金储备无足轻重。

自从由独立战争和拿破仑战争引发的货币危机以来，世界经历了4个全球汇率稳定期（见图29），1819~1859年，非正式的复本位体系运转相对平稳。1859~1871年，欧洲和北美爆发了一系列战争，扰乱了这个体系。1871~1914年世界进入了第二个货币稳定期，越来越多的国家逐渐放弃白银，转向单一的金本位制。1914~1923年，爆发了为期9年的战争和革命，再度造成汇率波动。然而，1924~1931年，金本位得到恢复并运转，直到面临大萧条才再度被废止。1947~1971年，在布雷顿森林体系美元本位制下，国际货币进入了第四个稳定期。1971年，美国宣布结束美元的可兑换性，美元改为实行自由浮动汇率。

虽然各国通过各种难以持久的国际协定（从1971年的《史密森协定》到

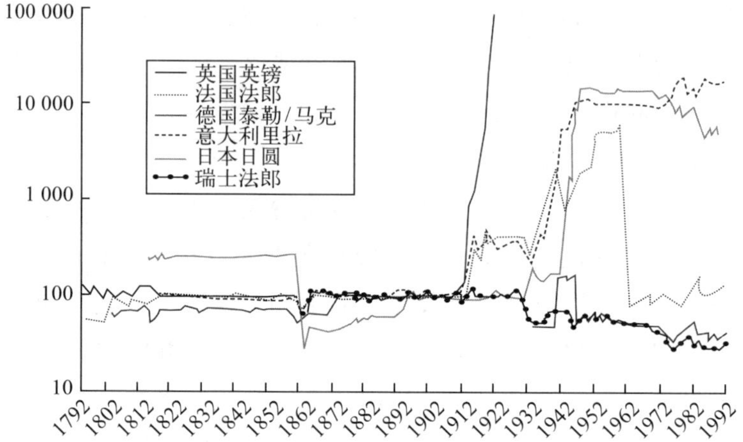

图 29　主要货币对美元的汇率（1792~1999 年，1913=100）

1987 年的《卢浮宫协议》）作出种种努力控制汇率波动，但是国家货币钉住价和牌价、区域汇率体制和货币联盟，最重要的汇率主要还是由外汇市场决定。这可能是最有效的方式。正如米尔顿 · 弗里德曼很久之前提出的，汇率波动可以抵消通货膨胀率和生产率的差异，所造成的摩擦比固定汇率下调整名义工资和物价水平要小得多。长期看，确实如此。然而短期看，由外汇市场决定的汇率相对于购买力平价不是被高估就是被低估，即与国家通货膨胀率不符。造成这种现象的原因，经济学家看法不一，如果说不是被完全难住了。但无论是什么原因，它不时会造成区域经济的剧烈波动。20 世纪 90 年代，墨西哥和亚洲货币危机导致严重衰退，汇率陡降，银行外币标价的债务负担加重，国内信用受挫，数百万人收入下滑。

解决这个问题，人们提出了两种建议，这两种都是借鉴了以往历史上已有的模式。无论有没有黄金存在，世界会回到固定汇率体制下吗？还是未来的稳定依靠的并不是恢复固定汇率，而是诸如 1999 年欧洲 11 国建立的货币联盟呢？

黄砖路

在《绿野仙踪》里，桃乐丝、稻草人、锡铁人和小狮子不得不沿着一条弯弯曲曲充满危险的“黄砖路”行走以到达目的地。很少有朱迪·加兰经典电影的铁杆影迷意识到，弗兰克·鲍姆 1900 年的原著是对美国加入金本位的讽刺。

事实上，通往金本位道路的曲折程度超出了人们的一般认识。19 世纪的多数时间里，五大国中有两个国家，即奥地利和俄国，汇率的波动幅度相当大。1862 年的南北战争迫使美国中止美元与黄金的兑换，并实行纸币本位，这种状况一直延续到 1879 年。虽然在此期间，美国债券在 1869 年恢复成以黄金为基准，并且在“1873 年大案”中，银元退出金属货币系统，但是反对金本位的政治运动一直持续到 19 世纪 90 年代（在民粹主义者看来，实行金本位是英国式或犹太式的敲诈，它会压低中西部的农产品价格，充盈了华尔街金融家们的腰包）。1868 年，只有英国以及它的经济附属国，如葡萄牙、埃及、加拿大、智利和奥地利才实行金本位。法国、其他拉丁货币联盟成员国、俄国、波斯和其他拉美国家均采取复本位制。而世界其他国家实行银本位制。直到 1900 年，金本位才得到较为普遍地采用。截至 1908 年，只有中国、波斯和一些中美洲国家仍实行银本位。实际上，金本位已经成为全球货币体制，虽然在实际中，许多亚洲经济体只是采取黄金兑换标准（本国货币可以兑换成英镑，而非真正的黄金），而欧洲和美洲“拉丁”经济体在技术上没有维持纸币对黄金的可兑换性。

金本位到底如何运转，经济学家对此争论不休。作为一种国际体制，它的主要目的显然是固定汇率，或者更准确地说，是把汇率波动幅度限定在所谓的“黄金输送点”上，即达到进口或出口黄金有利可图的汇率。正如我们在第 5 章所讲，该体制的经典模型是由“物价铸币流”机能理论衍生而来的，这种模式通过影响黄金流的相对价格来调整贸易的不平衡。后来理论家又发现一种更有效的调节机制在发挥作用，通过该机制，短期资本流动对贴现率的涨跌作出的反应更为迅速。凯恩斯学派重点研究金本位对诸如阿根廷等边缘国家收入和需求的影响。而货币主义学派则试图证明，金本位并非通过贸易方面的变化发生作用，因为套利活动已经使得所有参与国际交易的商品的价格在全世界范围内保持同一水平。

根据“游戏规则”，央行应该通过调整汇率在国际国内市场之间斡旋，从而回应黄金流动。然而不少证据表明，公然违背规则行事者时有出现，比如法国和比利时央行。一些央行更乐于提高汇率来回应黄金流出，而不愿意降低汇率来回应黄金流入。另一些则通过操作黄金价格，来改变黄金输送点。

实行金本位能够带来哪些裨益呢？显然，坚持金本位可以使国际贸易摆脱不确定因素的困扰。但并不能证明，这就是1870~1914年贸易量增长的原因，因为即使汇率没有固定，这也很容易实现。通常所说金本位可以带来的益处是有助于价格长期稳定。1913年，英国批发价格年均变动0.7%，美国为0.1%。表19显示了1881年以来21个国家的平均通货膨胀率，这些数据又根据地区和外汇体制进行了细分。如果说金本位为表中21个国家带来最低通货膨胀率有点言过其实的话（这种赞誉应当送给通货紧缩的战争间歇期），但是不难看出，当工业化经济体实行金本位时，其价格水平是相当稳定的。

表19　汇率体制和通货膨胀

	金本位	黄金兑换	布雷顿森林体系	浮动汇率
	1881~1913	1919~1938	1946~1970	1974~1990
美国	0.3	−1.8	2.4	5.6
英国	0.3	−1.5	3.7	9.4
德国	0.6	−2.1	2.7	3.3
法国	0	2.2	5.6	8.8
其他西方国家[1]	0.6	−0.5	3.1	4.0
斯堪的纳维亚[2]	0.4	−0.6	5.0	8.1
领主国[3]	0.5	−0.8	3.6	6.8
南欧[4]	0.3	2.0	5.6	14.7
拉美[5]	4.0	2.3	25.0	82.8
日本	4.6	−1.7	4.5	2.6
合计	1.2	0.2	7.3	19.0

注：
1.比利时、荷兰、瑞士
2.丹麦、芬兰、挪威、瑞典
3.奥地利、加拿大
4.希腊、意大利、葡萄牙、西班牙
5.阿根廷、巴西、智利

但是，这些数据掩盖了短期大幅波动和较短时间内的重大变动。1849~1873年，英国物价水平上涨了51%，而后1873~1896年又下降了45%，随后1896~1913年只回升了39%。美国物价水平的变动也近似于此。然而统计分析显示，这些变动只是“随机运动”或“白色噪音”，这表示它们并不持久。无论价格水平在短期或中期如何波动，人们可以放心的是，它终将回到历史平均水平。

这些有经济意义吗？理论上讲（或至少根据一些理论），如果物价水平稳定，它对经济不无裨益。而实践证据表明，金本位也曾对经济起到了正面的作用。在英国和美国，1870~1913年，人均实际收入变动幅度比之后各时期要小得多，失业率也比战争间歇期低，长期利率的变动幅度同样较低，虽然不一定是对实际利率来说。然而还不能确定，金本位是造成这些差异的全部原因还是部分原因。认为复本位优于单本位的观点也有一定的道理，“1873年大案”实际情况是，法国决定放弃白银，从而使巴黎退出了国际货币套利中枢的位置。而与金本位支持者强调的金本位可带来较低的长期通货膨胀率相比，金本位下的通货膨胀率和生产率的短期波动更让人不快。凯恩斯的名言，“从长期看，是人都难逃一死”，准确地反映了人们更倾向于关注经济短期兴衰，而不是价格和产量的长期变动。从实现通货膨胀率低、变动小以及经济增长率高、运行平稳的角度看，以凯恩斯为首设计的布雷顿森林体系无疑具有无比的优越性，虽然实际上其他因素对战后繁荣作出的贡献比汇率体制更多。

造成上面提到的价格波动的部分原因是由于全球黄金储量的变化。如果黄金供应量没有相应的弹性，那么在世界范围内实行金本位可能造成灾难性后果，并造成通货紧缩。19世纪40年代，世界黄金年均产量为42公吨，其中一半来自俄国。到19世纪50年代，该数字上升到965公吨，其中约一半的增加量来自加利福尼亚，另一半来自澳大利亚。幸而19世纪90年代开发了南非兰德金矿和澳大利亚卡尔古利金矿，以及在科罗拉多、克朗代克河和叙利亚发现金矿，从19世纪50年代到20世纪初，世界黄金储量翻到3倍多。如图30所示，黄金储量的增长率变化较大，19世纪50年代黄金储量增长率为88%，80年代仅为11%。黄金加工技术的进步，比如氰化处理技术的发明，对此也有一定的影响。

同时需要强调的是，金本位并不严格受黄金供应量的限制。随着纸币和支票的使用日益广泛，金融创新放松了黄金镣铐。1885~1913 年发生的货币扩张一定程度上是由于储蓄增长了 5 倍。相比之下，黄金储备仅增长了 3.5 倍。有趣的是，虽然英国自诩为“霸权”地位，但英格兰银行“骨瘦如柴……只能用其微薄的黄金储备做成几根细细的金钱，维系岌岌可危的金本位框架”。金本位劣势在于，黄金储备和短期利率的稳定之间相互抵触：黄金储备较多的国家（如法国）不得不尽可能少地调整贴现率。

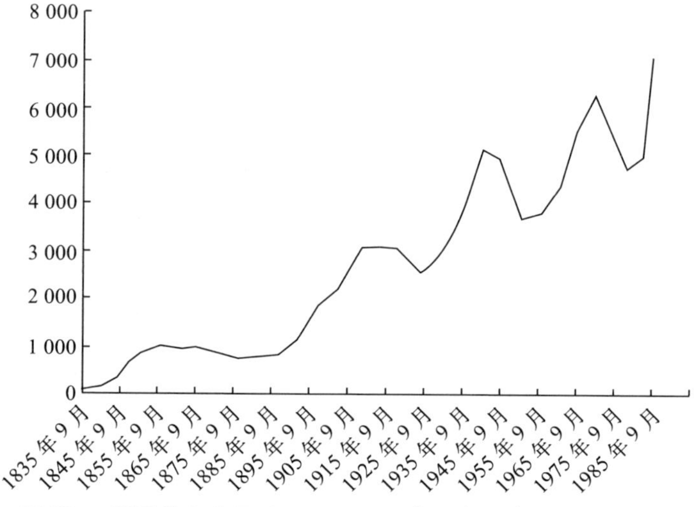

图 30　世界黄金产量（1835~1989 年，每 5 年，单位：公吨）

另一种为金本位辩护的观点认为，它消除了汇率风险，同时也是国家承诺实行稳健财政货币政策的确认，从而降低了金本位国家的国际借贷成本。这也是一种“承诺机制”：实行金本位即表明放弃诸如印钞收取铸币税以及债务拖欠等“前后不一致的”财政货币政策。然而有人认为，黄金可兑换是“带有附加条件的，或者说允许在例外情况下得到豁免的”：在外部因素导致的紧急情况下，如战争，只要这种情况能得到充分理解，并只是暂时的，在危机渡过后能够恢复原先水平的黄金兑换，那么黄金兑换的中止是被允许的。在一些时期，还有另一种合法的豁免情况：银行风潮时（如 1847 年、1857

年和 1866 年的英国)，当局可以代表最后贷款人中止黄金兑换。

如前所述，把战争或银行风潮解释为 “可以给予充分理解的紧急情况”是这种理论的薄弱环节。这种理论的支持者仅从统计数据中推测，上面提到的例外情况是“可以给予充分理解的”，但他们几乎没有提供任何历史证据可以说明当时的人也是这么认为的。同时，这种理论也没能解释，为什么有些情况可以成为中止黄金兑换的合法理由，而有些却不能。和非金本位成员国相比，金本位成员国被贴上“理家能手”的标签，这是因为它们以更优惠的价格获得贷款，这是不争的事实。但是在 1880~1914 年，阿根廷、巴西和智利发生严重的通货膨胀，而它们的债券贴水相对当时的通货膨胀率而言低得惊人。到 1895 年，这三个国家的货币对英镑已经贬值 60%，但它们的债券收益率仅比加拿大和澳大利等金本位国的债券高出不到 2%。同期，智利纸币标价债券的收益率仅为 7%，而美国为 4%。到了 1914 年，智利货币下降到 1870 年黄金兑换率水平的 20%，而美元却与票面值相等。这种方法有一定的适用范围，因为对于战争间歇期间，相同的算法可以得出类似的结果。坚持金本位可以得到公债收益率之上 100 到 200 个基点。但是，坚持金本位的结果是以什么为代价的呢？

还应当注意到，即使没有固定汇率，承诺机制也有可能实现。例如，目前钉住通货膨胀的方式或国家独立央行所采用的其他形式的明晰规则，就相当于一种有效的承诺机制。但是也要看到，由于各国所要钉住的目标千差万别，若要形成一种可与金本位媲美的国际承诺机制，还为时尚早。鉴于 20 世纪 70、80 年代货币目标变动趋势明显，通货膨胀目标是否能获得像黄金兑换率一样的可信度，仍无法确定。

然而，金本位还是具有诸多优势，它有助于物价长期稳定，促使国家实行前后一贯的财政货币政策，并降低外债利息支付。如此听来，它仍具有相当的吸引力。曾有一段时期（布雷顿森林体系解体后）。它导致许多美国经济学家，包括年轻时的艾伦 · 格林斯潘，都强烈要求恢复金本位。这种观点也绝不会消失。每年外汇市场交易规模庞大，而由于缺少固定汇率，导致成本居高不下。针对这一情况，经济学家罗伯特 · 芒德尔很早就提出，“实行国际货币组合”，并“认可黄金以增强信心”，至少开始时要这样。1999 年 5 月，格林斯潘亲自向众议院银行委员会作出保证，黄金仍代表“世界支付手段的最终形式”。事实上，他5年前在英格兰银行举行的研讨会上已经说过，“要求在与金本位相当的体制上开展银行活动的压力将越来越明显”。

大多数经济学家对这些说法的存疑可以用政策的“三难窘境”来概括。从根本上说，这种三难窘境是指一个国家最多只能执行三种经济政策目标中的两种，这三种经济政策目标分别为固定汇率、资本自由流动和独立的货币政策。金本位成员国或任何后续体制一半都执行前两个目标，而不执行第三个。因此就存在这样的可能：在资本自由流动的情况下，为维持汇率稳定而实行的货币政策，从国内经济角度看可能并不恰当。凯恩斯在《货币改革通论》中就持这样的观点：

> 事实上，金本位已经成了一种原始遗留物。所有人，从英格兰银行主管往下，如今都将精力集中于保持商业、价格水平和就业率的稳定上。而当不得不作出选择时，并不倾向于主动为那个过时的“317先令10.5便士每盎司”的规则牺牲这些指标，虽然它曾经有一定的价值。该过时标准的鼓吹者没有注意到，当今时代的精神和要求与那个时代已相去甚远。

正因为如此，金本位成员国价格水平不一定像某些计算方法得出的结果那么低。如果政府承诺执行固定汇率，那么它可能会发现国内成本超过所得利益。随着国内成本增加，汇率可信度降低。但在恶性循环中，若是试图通过提高利率来树立汇率的可信度，只会导致国内债务人负担加重。当超过某个关键点，投机者将会闻风而至挥之不去，而在缺少有效外援的情况下，央行进行干预（即时买进投机者抛出的货币），将会很快耗尽储备。

这种货币危机已变得较为常见了，这是因为即使在缺少固定汇率的体制下，许多欠有以外币标价的债务的发展中国家倾向于钉住汇率，而不愿冒市场导致的贬值风险。衡量固定汇率的代价的方法之一是，对1914年前发生的金融危机和布雷顿森林体系解体之后发生的金融危机进行比较。实际上有证据表明，金本位时期的金融危机相比最近的金融危机，如果不能说前者严重程度更低的话（1890年阿根廷金融危机甚至比1997年泰国金融危机还要严重），那至少可以说前者持续时间更短。其原因在说明金本位具有“承诺机制”时已论述过：由于各国承诺坚持可兑换性是有目共睹的，而它们在危机时期背离原则也是暂时的，并且大家对危机表现充分理解，所以促使投资回归。但前后两个时期在危机持续时间上差异很小，并且可以进行严格比较的数据很难获取，所以也无法得出明确的结论。而且，如果 1914 前的时期恢复速度较快，也可能是其他原因造成的：价格和工资的弹性较高、没有跨国移民的限制劳动力流动性较强、遭受危机打击最严重的群体其政治代议权较为有限，以及殖民地经济体普遍采用英国的法律财会标准。而另一方面，由于 1914 年前新兴市场缺少有效最终贷款人，所以它的金融危机恢复速度应比 20 世纪 90 年代更为缓慢。

战争间歇期间的经验表明，实行固定汇率会导致一国的金融危机将波及其他国家，这种现象也叫做“传染”。如今很少有历史学家否认，1930 年美国货币当局的失误造成的后果是灾难性的。20 世纪 20 年代阻断资金流入，30 年代对资金外流反应过激，以及 1932 年没能坚持开放市场运作，这些失误不仅严重影响了美国经济，而且对所有其货币钉住美元的经济体都造成了灾难性后果。1929 年金本位鼎盛时期，世界上不少于 46 个国家实行的都是这种制度。直到 20 世纪 30 年代，当各国纷纷放弃金本位时，它们才开始从大萧条中恢复过来。

同样，布雷顿森林体系建立的“可调整的固定汇率”最终使世界其他国家都屈从于美国的货币政策。虽然这一时期经济得到快速增长，但是我们应该记住，布雷顿森林体系作为固定汇率体制是多么的不稳定。几乎从一开始，由于英国国际收支问题重重，美元对英镑的汇率是否能够持久就遭到质疑，1947 年，英国试图恢复黄金可兑换失败后，英镑先后于 1947 年和 1967 年两次贬值。法郎也贬值三次。同时德国马克升值两次。1959 年前，只有美元完全可以兑换，而其他国家仍保留资本和兑换管制，这是由于除美国之外，其他国家国际储备短缺。之后美元在压力下不断上升，这也日益要求进行国际干预（“黄金总库”）或其他手段限制美元向黄金的转换。1968 年，黄金总库中止运作。由于德国和日本的美元储备不断积累。对美往来账户盈余客观。自此该体制逐渐走向末日。该体制解体的根本原因在于，许多国家，尤其是法国，不愿将美国不断加剧的通货膨胀引入本国。

20 世纪 90 年代，欧洲汇率机制危机和布雷顿森林体制解体类似，这表现在各成员国实际上受德国货币政策的制约。欧洲汇率机制成立于 1979 年，在 20 世纪 80 年代末之前各成员国看似还能受益于德国货币政策，即对低通货膨胀的承诺较为可信，以及由此带来的相对较低的利率。这是 1990 年玛格丽特 · 撒切尔被免职前 6 个星期，英国决定加入该体制的主要原因。但命运的安排使得这一决定与东欧社会主义国家的解体和德国的统一同时发生。联邦德国与民主德国的统一导致其赤字大幅增加，德国不得不增加债券发行为其融资，这不仅使得德国债务/国内生产总值比率上升，而且使得德国货币利率上升（1991 年德国公债占国内生产总值 42%，1996 年则为 60%，几乎是 1980 年的两倍，1991~1996 年，公共部门赤字平均占国内生产总值 5.5%）。如果没有欧洲汇率机制，德国马克无疑会对其他欧洲货币升值，而该体制的规则要求所有成员国利率上调。到 1992 年，英国和意大利利率上调，尤其是保守党支持者的抵押利率上调，所造成的政治成本显然是它们无法承受的。同年 9 月，由于央行都无力抵抗投机的冲击，英镑和里拉被迫退出该体制。西班牙、葡萄牙和爱尔兰的货币也都被迫进行贬值。1993 年夏，法国法郎在压力下允许其汇率可在更大的幅度内波动。

最后，即使没有从核心发出的严重政策冲击，边缘也可能受到传染。一旦一国的货币钉住体制在亚洲失去信用度，比如 1997 年 7 月 2 日泰铢允许浮动或其实是贬值，周边国家的货币信用度也会下降。这部分原因是由于外国投资者没有对新兴亚洲市场进行区分，更主要的是由于受波及的经济体自身存在的问题：外汇贷款没有回避风险、用短期贷款为长期投资融资，以及道德危机（认为政府或国际货币基金组织在危机发生时会对私营部分实行救助）。

然而货币危机也有其有利的一面。亚洲金融危机的主要受益者是美国人，他们享受到了低廉的进口价格，还有那些美国经济学家，当他们对后苏联转型问题兴趣减退时，他们又获得了新的研究课题。一些分析家批评亚洲经济体实行“靠关系的资本主义”，即金融运作缺少规范导致大量问题产生。另一些人则批评国际货币基金组织在亚洲金融危机中没能有效担负起最终贷款人这一角色。他们提出大量政策性解决方案。比如有人认为亚洲国家应效仿 20 世纪 80 年代墨西哥的做法，对短期国际资本流动实行管控。另一种建议认为应深化国内资本市场，促进以本国货币标价的长期借款。还有一种观点是建议日本和亚洲新兴经济体建立（恢复）“美元本位”。而关于危机后重建最引人注目的说法则是建议亚洲货币“美元化”，即用美元完全代替泰铢及其他货币，很久之前，巴拿马就采取过这样的政策。

这种与美元实行统一的提法早在 1992 年就有相似的建议（最先由《经济学人》发表），汇率机制的失败显示欧洲需要结成货币联盟。下面我们就分析一下这种解决汇率问题的方案。

货币联盟

从概念阶段，经历筹备、成立阶段，到早期运行阶段，欧元一路以来都用事实否定了那些怀疑论。有些人认为沙文主义者会在公投中否决单一货币。另一些人对所有单一货币执行国家是否都能履行《马城条约》表示怀疑。还有些人预测对欧洲央行任期的争论可能导致整个计划流产。然而经济和货币联盟却已按部就班将各个环节一一实行到位。虽然可能对法国的公投需要费些小小的手脚，虽然《马城条约》中的趋同准则出现小小的违规，虽然在经济理论基础方面有分歧，但重要的是，在欧元区内固定汇率执行稳定，并且在过渡期，个别国家将会遭到投机攻击的预言并未发生。

从投入流通到本书行文之时（2000 年 5 月），新货币对美元已贬值 20%，这是事实。但欧元并没有宣称会钉住美元或其他任何货币而实行固定汇率。也没有人能够确定欧元在未来 12 月中会升值还是贬值。一方面，如图 31 所示，与其前身记账货币埃居的表现相比，欧元仍未到达历史最低点。另一方面，由于前一章所讲的美国国际收支赤字扩大，外债过高，总有一天美元会疲软，届时有理由相信欧元对美元将会恢复坚挺。如果真发生这样的事，单一货币的预测者和设计者显然将会为这一翻身雀跃不已，就像反对者在欧元投入使用后，对它在外汇市场上的“节节攀升”幸灾乐祸一样。然而，欧元的胜利可能是短暂的，因为当劳动力流动受到文化壁垒和严格管制的削弱时，尤其是当各成员国财政政策失衡时，没有哪个货币联盟能够长久维持。

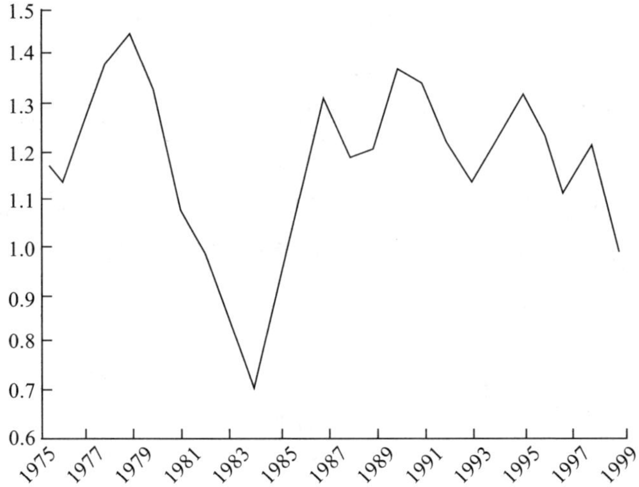

图 31　美元对埃居/欧元汇率（1975~1999）

认为各国财政失衡将导致货币联盟解体的观点，部分是基于比较历史学，但难点在于历史上并没有一个货币联盟与欧洲货币联盟完全一样，那么如何确定哪个货币联盟与它最相近？的确，由于所有欧洲货币联盟成员国都是民主国家，并且如今货币政策被视为“主要宏观稳定工具”，因此可以说历史上没有与之类似的体制。事实上，许多学家拿它与 1914 年前的金本位制进行比较，但其他人则坚持认为，它更像一种国家货币联盟，因为它设有共同央行（或者说是各国央行联合体系），并且没有明文规定可以退出这个体制。因此，当货币统一是国家统一不可缺少的一部分时，我们就应当把它与 19 世纪意大利和德国的类似历史相比较，或者，可能的话，应当与美国类似的却年深日久的那段历史相比较。

然而无论是和金本位制相比还是和意、德、美的国家货币联盟相比，都难以让人满意。因为一方面，金本位是一种非正式体制，它没有设立单一央行，任何国家都能够在紧急情况下选择退出，金本位制因此更像是 1999 年前欧洲汇率机制的大型版。另一方面，把欧洲货币联盟与历史上美国、意大利或德国的货币联盟相比也不具有说服力了，因为在以上案例中政治政策都先于货币政策，就连荷兰联合省作为货币联盟所取得的成功也同其政治统一密不可分。另外，和大经济体与小经济体结成的货币联盟相比也没有任何帮助（比如法国、安道尔共和国和摩纳哥之间的同盟）。在货币联盟方面，最好的类比对象是联合形式较松、财政集权程度较低的多国联盟。法语系非洲地区存在两个这样的联盟：西非经济货币联盟和赤道非洲央行执行区。但由于它们的货币都是钉住法郎，所以这些联盟在本质上只是法国货币体系的卫星（因而如今也已成为欧洲货币联盟的一部分）。

事实上没有必要跑那么远去寻找欧洲货币联盟的前身。这种货币联盟在欧洲历史上就有先例。1867 年后成立的奥匈货币联盟就可算做其中之一，因为哈布斯堡两元君主国是一个“设立中央银行、商品和资本可自由流动、各辖区以及各民族的财政完全自治的经济实体”（但它与欧洲货币联盟不同的是，它还有统一的军队）。联盟成立之后奥地利和匈牙利都陆续出现大额赤字了，但在 1914 年前，这些赤字都被国际国内债券化解了。然而一战导致军事开支和借款飙涨，导致通货膨胀加剧。战后两元君主国政治的解体很快导致货币联盟的解体。1919 年 1 月，南斯拉夫首先退出联盟，并给它境内所有货币加盖印章。同年 3 月，新成立的捷克和匈牙利政府很快也步其后尘。面对奥匈银行的反对，捷克财政部部长这样回答，退出行动是对奥匈银行“（由于造成通货膨胀）破坏了奥匈克朗系统”作出的必要反应。由于奥匈银行在 1919 年 9 月的清算之前仍继续印制未加盖印章的纸币，因此这种退出行动一旦开启，其他国家不跟随退出，将会很危险。那些未盖章的纸币因为可以在没有实行盖章政策的地区（1920 年春天之前的波兰和匈牙利）使用而很快获得贴水。

另一个显著的例子是拉丁货币联盟（1865~1927 年），它允许法国、比利时、瑞士、意大利、教皇辖区以及（后来的）希腊的货币在单一货币区内自由兑换和使用。它虽然没有设立拉丁中央银行，但是它和欧洲货币联盟一个明显相似之处，在于它同样带有政治意图。1865 年 12 月 23 日《拉丁货币联盟条约》就是在费利克斯·巴赫尔推动下签订的，巴赫尔梦想拉丁货币联盟最终成为拥有“欧洲委员会”和“欧洲议会”的“欧盟”。然而，意大利（特别是教皇辖区）成员国所实行的宽松的财政政策带来了高额的成本。教皇辖区为弥补赤字发行白银辅币来获取铸币税，这种做法导致货币贬值，并经私人经纪人的货币买卖流向其他联盟国家。这是对《条约》的公然违背。同时为了弥补赤字（相当于 1866 年国内生产总值的 11%，未清偿债款时最高达国内生产总值的70%），意大利还发行不可兑换的纸币，这即便不算对《拉丁货币联盟条约》的违反，却也违背了它的实质精神。这也是为什么该联盟从一开始努力吸引新成员，而到后来在吸收了希腊之后关门谢客的原因，虽然此时申请加入的国家还有西班牙、奥匈帝国、罗马尼亚、圣马力诺、哥伦比亚、叙利亚、委内瑞拉、保加利亚以及芬兰。1870年爆发的普法战争打破了法国大陆霸权这一政治理论基础的认定。而1878年之后拉丁货币联盟之所以还在维护的原因在于，“这可避免解体成本”。但与1873年瑞典和丹麦建立的更温和的斯堪的纳维亚货币联盟的命运一样，20世纪20年代，拉丁货币联盟最终还是不复存在了。

近期，三个在政治联盟解散之后成立的货币联盟也只是勉强维持了数年：一个是前苏联的11个成员国在其解体后结成的联盟，一个是前南斯拉夫联邦共和国成员国在其解体后结成的，还有一个是前捷克斯洛伐克成员国在其解体后结成的。其中两个货币联盟的解体是与极度通货膨胀有关，由于成员国国力薄弱，于是简单地通过纸币发行来增加收入。

过去的经验说明，财政不平衡将会导致政治独立国家间的货币联盟迅速解散，这种财政不平衡虽往往是由战争引起的，却也并不尽然。以当今欧洲为例，难以为继的社会保障和养老金体系所引发的紧张局面也会产生类似的离心效应，就像哈布斯堡一样，福利取代了战争，成为致命的溶解剂。

正如第7章所论述的，多数欧洲货币联盟成员都存在严重的世代失衡情况，虽然在程度上各国均有不同。很难想象，需要采取行动的9个成员国中有谁会实行这样的政策来消除失衡，而9个国家全都采取行动的可能性更是微乎其微。各国概况如下：为达到世代平衡，芬兰需要全面提高税收17%，奥地利为18%，西班牙为14%，意大利为10%，甚至德国也需要增税9.5%，或削减政府转移支付14%。各国无法采取行动消除失衡的原因很简单，无论是削减政府开销，削减转移支付，还是全面增税，都会遇到难以逾越的政治阻力。在增税和/或削减福利方面，政治矛盾的尖锐程度可想而知。事实上，此类事件在德国和意大利已有发生。马西莫·达莱马政府在2000年4月倒台的原因之一就在于，由于工会的反对，政府无法对意大利养老金制度进行改革，它的养老金年支出为全欧盟最高，几乎占国内生产总值的14%。尤为不幸的是，众多大陆社会民主党在20世纪80年代都认为，提早退休政策可以增加年轻人的就业机会，这种理论无论在哪里得以应用，都会给财政造成灾难。另外，通过短期宏观调控来改善财政紧缩状况也因此很难实现：原因很简单，德国和其他欧洲货币联盟成员国的高失业率问题很难靠提高税收来改善，事实上，施罗德政府选择了减税政策。当然，许多欧洲国家财政恶化的状况可以通过经济增长来得到缓和，但欧洲核心国家是否也能做到这点令人怀疑。特别是欧洲僵滞的劳动力市场也让经济学家们认识到，建立货币联盟的时机尚不成熟（1914年前金本位之所以能发挥作用的原因之一是当时劳动力的高流动性）。

因此，欧元区内几乎每个国家都面临着严峻的抉择（且不论取消移民入境管制），要么史无前例地在和平时期提高税收，要么不顾20世纪80年代所取得的成就而大规模削减财政开支。但似乎哪种政策都不受欢迎。于是大多数政府选择在短期内让世代失衡继续恶化下去。

那么，这种逐渐逼近的财政难题会造成什么货币影响呢？一种普遍的观点认为，各国的预算将很难保持在《马城条约》和《稳定与增长公约》所规定的限定内。然而对债务和赤字的传统会计方法进行创新也并非不可能。由于《马城条约》所规定的债务比例限定具有很强的随意性，允许根据经济情况进行调整，这便有了可乘之机。事实确也如此，1997年，欧洲货币联盟中至少8个成员国的债务比例就超过了《马城条约》所规定的60%的上限。

然而，欧洲货币联盟成员国借款增加并不构成真正的问题。过去的经验（如1871年后的德国货币联盟）表明，货币联盟和发行着大量债券的各成员国国家财政体系可以并存。而各国债券发行量不同导致债券收益率从趋同发展为分离。但是，收益率差并非不容于货币联盟：市场根据对不同的成员国的评估，得出不同的违约风险，这种市场规律并不能禁止。这可以从奥地利债券收益率的案例看到。当排外的自由党控制政权的趋势逐渐明朗时，奥地利债券收益率比德国高出20个基点。就像不同公司发行的欧元标价的债券无法为投资者带来相同的回报率一样，各国的债券收益率也无法趋同。而高债务也未必导致高通货膨胀，虽然有人这么认为。债券收益率很大程度上取决于国际债券市场对AAA级主权债券或AAB级主权债券的需求，随着越来越多的人在退休后仍能活 20 年，需求也将增强。

世代失衡产生的后果，并非仅仅是出现赤字这么简单。由于世代记账法是基于跨期预算限制的理念，所以在计算时就已经假设会出现赤字。这些赤字不仅意味着未来要增加借款，也意味着提高税收、降低开支或发行货币。真正的问题是，如果奥地利、芬兰或西班牙（或三者同时）在税收和政府开支方面陷入政治僵局，将会发生什么。

世代失衡最严重的国家很有可能通过放松货币政策向欧洲央行施压，以缓解自己的压力。正如我们在第 5 章所见，通货膨胀是陷入财政危机的政府最易采用的方法，例如一战战败国，以及苏维埃经济崩溃后的俄罗斯和乌克兰。即便采取了单一货币，情况同样也是如此。很有可能欧洲央行会做出让步，允许欧元贬值和欧元区通货膨胀。然而，这似乎又不太可能发生，因为《马城条约》所建立的体制明确禁止欧洲央行批准货币融资的请求，准确地说，《马城条约》（如今按《马城条约》第 101 条规定建立了欧洲委员会）第 104 条和《欧洲中央银行体系条例》第 21 条明文规定了“无贷款救援规定”。这就是所谓的欧洲货币联盟造成“主要货币当局和财政当局史无前例地分立”。

因此不难预见，由于各国政府致力于维持本国财政，而欧洲央行则按规定将保持价格稳定作为主要目标（根据《欧洲中央银行体系条例》第 2 条规定），这样必然会产生一些摩擦。欧洲央行可能会忽略成员国预算失衡造成“令人不快的货币算法”，而为了解决自己的“令人不快的财政算法”自顾提高利率。

如果所有国家都陷入大体相同的困境的话，是可以找出解决这一矛盾的政治方案的。但是，由于欧元区内各国不但世代失衡程度不一，而且经济增长率和通货膨胀率也各不相同，所以一些国家会比其他国家更早陷入困境。不难预见这将导致怎样的国家间冲突。许多学者试图通过估算“不对称”冲击对该体制所造成的影响来判断欧洲货币联盟还能维持多久。世代记账法表明，该体制已经出现“不对称”，可能用不着非常大的冲击就会崩溃。

然后怎样呢？从法律角度讲，退出欧洲货币联盟是不可能的，它不同于金本位制，没有例外条款。但从历史角度讲，总会有出路的。如果一个国家真到了除了印钞别无其他在政治上可行的办法，通过通货膨胀来消除部分债务（即征收通货膨胀税），而欧盟机构仍坚持遵守“无贷款救助规定”的话，那么就需要考虑脱离该体制了。到时候唯一的问题是这将付出多少代价。

首先，利率会在短期内维持较高水平，这将导致债务负担加重，另外债务负担加重的程度也要看政府债务偿付的紧迫性。在这种情况下，国债期限结构很重要：如果一个国家短期债务过高，那么它通过通货膨胀获取的利益就越少。例如，西班牙国内债务有一半以上是短期债务，而奥地利只有0.4%，所以西班牙很难通过通货膨胀来消除债务。其次，相对于欧元和其他主要货币，脱离该体制的国家的新货币（或恢复加盟前的旧货币）汇率会较低。这可以刺激出口，但它能否补偿高利率所带来的损失尚不能确定。另外，退出联盟还会引起各种法律纠纷，因为债权人和债务人（国外和国内）会在对遗留下来的债务究竟以欧元计价还是以该国新货币计价争论不休。而这也会严重干扰退出国和其他国家的金融体系。国家外债越高，将来受到此类影响越严重。简而言之，脱离欧洲货币联盟比脱离欧洲利率机制更加困难，这是诸如英国这些仍在考虑是否加入该体制的国家必然会思考的问题。

这些显而易见的不利因素可能会加强政府的政治决心，推行削减开支或增税政策。还有一种可能是欧洲央行反通货膨胀的决心减弱，虽然这种可能性比较小。再或者，欧洲货币联盟加强财政集权化，对各成员国的世代失衡问题进行集体共同解决。

但是，通过民主协商进行预算调整解决今天某些欧洲国家如此严重的危机，在历史上几乎找不到这样的先例。历史所能提供的，只是由于成员国必需的财政政策与单一货币的约束无法共存导致货币联盟破裂的几个案例。

THE CASH NEXUS

第12章 美国浪潮：民主的兴衰沉浮

显而易见，我们正进行着一场伟大的民主革命，然而并非所有人对此都抱有同样的看法……目睹了这场势不可当的革命浪潮，虔诚敬畏之情在作者心中油然而生，尽管困难重重，但数世纪以来这场革命仍在发展，踏着它制造的废墟继续前行。

——托克维尔

当美国社会学家弗朗西斯·福山在1989年宣称“历史终结”时，他是以历史哲学家、辩证法大师乔治·威廉·弗里德里希·黑格尔为楷模的。黑格尔认为，世界历史是受“一个终极精神所支配……一种神圣而绝对的理性”。黑格尔断言，“理性的精神及其发展历程”即为“历史的本质”，同时他将这种精神等同于“人类的自由观念”。而历史就是人类在世界的一系列精神中，运用自己的自由观念，实现自我认识的历程。黑格尔在其晦涩难懂的文章中写到，“主观意志与世界的统一”——“伦理生活的总汇和自由的实现”——构成了国家。黑格尔年轻时深受法国大革命的鼓励（“壮观的日出……崇高的情怀”）；然而他心中的国家典范却是普鲁士王国。而鼓励福山的是1989年东欧事件，但他心中的典范依旧是美国那自由开放的资本主义民主。

福山和黑格尔一样都是经济简化论者。他认为民主和经济增长之间相辅相成的辩证关系是由文化从中调和而成的。同时他承认（尤其是亚洲）“政治可能往偏离民主的方向发展”，这是因为当地的文化传统并不主张个人主义，而个人主义又是和民主紧密相关的。但是福山在“历史终结”完成10年之后，仍坚持认为人类的政治制度将在很长一段时间内朝着自由开放的民主道路发展演进。事实上，福山在他新近出版的《大动乱》一书中毫不掩饰地以黑格尔的断言总结道：“在政治经济领域，历史显示出方向性和进步性，自由民主作为技术进步社会的唯一可行的选择，将在20世纪末达到高峰。”

认为民主进步与经济增长相辅相成的观点逐渐成为新的正统学说。政治经济学家库尔曼·奥尔森在其身后出版的《权利与繁荣》一书中进一步阐明了这一观点，他认为民主制度比之前的非民主制度更有利于创造财富，其根本原因和在中世纪专制要优于无政府状态的原因是一样的。君主，被奥尔森称之为“固定劫匪”，其综合利益有赖于所辖子民们的长期繁荣。而“流动劫匪”则不然，“流动劫匪”以百分百的税率进行“征税”然后继续流浪，丝毫不介意他们的行为会减少目前和未来的投资，他们的所作所为从而减少了被掠夺者未来的产出。与之相反，“固定劫匪”则倾向于将搜刮税率降至所得（由于产出增加而获得的收益）和所失（税率降低而减少的收益）相抵的水平。如果分出自己的一部分财富能够提高所辖子民的产出，他也会这么做。然而民主制度的优势更大。因为掌权的多数派群体不仅能够通过有利于自己的税制对收入进行再分配，还能通过交易实现收入最大化，因为“多数派群体制定的最优税率必定低于独裁者的最优税率”。同样的道理，多数派群体基于他们的综合利益，也会分出财富用于让全体人民都能受益的公共事项。另外还有存在“超综合利益”（比如在多数派群体并不包括全体人民时），它是如此宽广，以至于当多数派群体在为自己的利益进行征税、支出时，被认为完全是出于利他主义。奥尔森在他此前的著作中论述道，对财产的保护和对契约的保障是刺激经济行为的关键，现在他认为这点应置于民主制度之下，他的论点重申了早期道格拉斯·诺思的观点，诺思在他的著作中提出民主政府具有“更高的政治效率”，因为民主政府能让“越来越多的平民有机会参与到政治决策中来，从而消除统治者随心所欲没收财产的权利，而拥有独立司法权的第三方也能更好地保障契约得到执行。

诺贝尔奖获得者阿马蒂亚·森也认为民主有利于经济发展，自由不仅自身具备的合理性，而且对经济也有促进作用。在过去 20 年中，亚洲一些国家，如中国、新加坡以及后来的韩国取得了经济的快速发展。非洲是一个经济快速发展的民主绿洲，博茨瓦纳就是一个很好的例证。显然，民主政府比独裁政府更易于规避经济灾难，森在《以发展为自由》中写道："无论多么贫穷的国家都不曾发生过大规模的饥荒……因为由选举产生的多党制民主政府和自由媒体都会出于政治动机消除饥荒。"

这种观点在一些非知名学者的论作中也得到了认同。最近一份研究将 100 多个主要发展中国家的"公民的生活质量"进行了比较，并得出结论，在满足人民基本需要上，民主国家比非民主国家高出 70% 多。也有人将工业革命前的欧洲自治城镇与专制统治下的城镇作了类似的对比，发现在当地商业精英统治下的城镇发展更快。人们也为波兰在经济上的更优表现作出了一些政治解释。

经济增长能够促进民主制度这一历史假说显然相当合理。但是把这一假设的因果关系置换后是否依然成立呢？我们真能依赖民主来提高经济吗？如果真是如此，那么历史将像童话般完美结束：从此他们（至少民主地、富足地）生活在一起。这实质上是"双螺旋"理论：民主进步和经济进步两者相互依存，交替前进。

但是我们要谨慎。看到英国宪政的上升发展轨迹后，奥尔森大胆调侃说："辉格党人对历史的见解是正确的。"没有历史学家能够完全接受如此直白的论断，因为它是混合了数学运算和对历史的极度夸张。福山的辩证的乐观主义也让我们不得不驻足思考。在我们面前，黑格尔和麦考莱勋爵似乎站到了同一阵线上。

一个巴黎人在美国

也许在麦考莱的同代人中，民主制度最敏锐的分析家当属亚历克西斯 · 托克维尔，他是位法国贵族，历史学家、社会学家和政治家。1831~1832 年，托克维尔在美国旅行了 3 个月，之后他著成了《美国的民主》一书

(1835年)，在书中他对在美国所经历的“制度和道德习俗”给予了适度的肯定。他认为美国民主制度的优势在于：政权下放到地方；法庭拥有权力；人们可以在生活中结成各种联盟；律师担任贵族的代理人，并是推动宗教发展(“如果人类要有自由，就要有信仰”）等。托克维尔深受联邦党人的影响，他看到了美国民主的缺陷和潜在的危险。政党是“自由政府固有的恶囊”；媒体充斥着暴力和各式丑闻；人们倾向于选择平庸之辈当权（他大大低估了安德鲁·杰克逊)；美国尤其存在“多数派专制”的危险。托克维尔也注意到少数派遭受排挤，尤其是那些被当做奴隶或已经获得自由的黑人。但他的结论是乐观的：美国社会的优势足以抵消这些缺陷。他在引言中提到民主就是未来，至少在美国，民主是行之有效的。

民主在其他地方是否也行之有效又该另当别论。法国虽然爆发了“民主革命，但它并未带来相应的法律、观念、习俗和道德等方面的变化，而革命所应带来的福祉恰恰是这些变化”。民主已经成了“本能的狂纵”和“无法无天的狂热”。他警告说，一个新的“工业贵族”已经在英格兰崛起（托克维尔于1833~1835年访问英国)，并有可能将社会秩序恢复到民主前“暗无天日的不平等状态”。托克维尔尤其注意到欧洲不同于美国，欧洲的公共管理变得“越来越中央集权化……越来越爱刺探隐私、事无巨细……它的根基日渐牢固，成天打听所有人的事情，凌驾其上并在他们周围转个不停，给予帮助、提出建议并且威胁他们”。在文章的第二卷结尾处，托克维尔有一番惊人的预见：

> 世界上的专政出现了新的特征。首先是无数平等而又相似的芸芸众生为了在生活中获取些许微不足道的欢乐而不懈劳作着。他们彼此之间关系淡漠，对别人的命运不闻不问，一无所知，对个体而言，子女和朋友便是所有的一切……一种强大的权力凌驾于这群人之上，它以保护者自居，满足他们的需求并密切关注他们的命运。这种权利不容抗拒、事无巨细、循规蹈矩、有预见性且温和……它给人提供担保，预见他们的生活所需并予以满足，提供设施供他们享受，解决他们的顾虑，引导他们的行业，分割他们的遗产，它包办了一切，让人们再无他念，生活中再无烦恼，但又能留下什么呢？这种权力让人们的能动性日渐下降……

> 平等原则为人们准备好了这一切……我常想，我刚才描述的这些照顾到方方面面、温和无声的公仆式的服务也许会在人民政权的羽翼下建立起来。

托克维尔在 19 世纪三四十年代仍抱有希望，认为法国能过渡到类似美国的（尽管不同）民主体制上来，最重要的是过渡到一个既能保留个人自由又能限制中央政府权力的体制上来。但是当托克维尔在 1856 年出版了他的第一部同时也是唯一一部关于法国革命历史构想的书——《旧制度与革命》时，他变得不那么乐观了。事实证明，若非牺牲自由，便不可能在法国实现民主。大革命倾尽其力反对贵族和教会统治，事实上在旧政权下，贵族和教会才是自由的捍卫者。一旦他们被推翻，那么早在革命之前就已存在的中央集权化统治便会肆无忌惮地发展起来。平等战胜了自由，其结果就是专政。

> 因为对自由的追求总能以新的形式出现，并会随着当时势态的发展或蓬勃或低落，但是我们对平等的热爱却恒定不变，并常常以顽固而盲目的热情去追求渴望的目标，因此法国对政府已做好了心理准备，这个政府鼓吹平等，但事实上这成了专政的工具……为摆脱专权所做的每一次尝试，充其量只是将自由的头颅移植到一副屈从的躯干上。

不能否认，托克维尔对法国民主较为悲观的看法很大程度源于他的政治生涯在 1848 年革命后遭到了挫折。他在 1849 年 9 月被任命为外交部长之后不到两个月，便被法国总统路易 · 拿破仑解职。更为惨痛的是，当拿破仑于 1851 年 12 月发动政变恢复帝制后，他长达 13 年的议员生涯也随之终结。现代历史学家注意到这些事件，并不遗余力地指出，托克维尔在对于 18 世纪法国的记录上存在许多年代上的错误，比如他把监督官描写成波拿巴时代的原型。然而，托克维尔的《旧制度》作为一部政治理论著作仍值得反复阅读，同时他最后一部作品《美国的民主》也值得回味，尤其是它有助于修正福山的黑格尔主义和奥尔森更改过的辉格党原则。民主或许能在世界范围内取得对独裁的胜利，但我们不能想当然地以为自由，包括经济自由，能时常分享这一胜利。

托克维尔预见到，民主制度下的平均主义和中央集权化将对自由造成威胁，但他对此预见所蕴含的经济意义毫无兴趣。而20世纪的政治理论家们，如亚当·舍沃尔斯基却从中得出了显而易见的结论。舍沃尔斯基认为市场存在一个根本的矛盾，个人对经过不平等分配得到的资源进行配置，而国家采用的是不同于市场的分配方式，对不属于它的资源进行配置。在民主制度下“一位公民，一个投票权”的原则让每个人都有相同的通过国家影响资源配置的权利。

> 市场对资源的配置与大多数选民的意志并不一致。既然民主可使穷人，或是那些对初次分配不满的人有机会通过国家对其予以矫正，那么这些私人财产在初次分配中受挫的人就能够通过普选的方式获得政治权力，从而利用这一权力进行财富再分配……民主必然威胁“财产权”。

那么主要依靠自由的经济增长，和托克维尔曾对此提出警告的倾向于平等的民主之间，到底有没有矛盾呢？

民主的兴起

正如托克维尔所预见的，民主在过去25年已遍及世界。它开始于20世纪70年代中期的伊比利亚半岛，在20世纪80年代传播到拉丁美洲和亚洲一些地区，接着在1989~1991年覆盖了中欧、东欧以及次撒哈拉非洲的部分地区。民主与选举协会资料显示，“生活在民主制度下的人口首次高于专制下的人口……这个趋势反映了……民主的广泛传播”。民主早已成为“全球现象”，“冷战”期间，美国唯恐被敌对阵营所利用的“多米诺效应”，在民主的广泛传播上展示了它良性的一面，有人甚至预言“民主将在2100年遍及全球90%的区域”。

当西方政治理论的核心问题（即君主统治、贵族统治和民主制）被第一次拿出来辩论时，西方制度的拥护者输了。希罗多德在他的《历史》一书第三卷中描写了一段杀害东方三贤人的波斯阴谋家在未来政府形式上的讨论，欧塔尼斯支持民主制：“首先，人民统治不言而喻是置于法律保护下的平等；其次，在人民政府的管制下，地方官要为自己的行为负责，并且所有的问题都可以拿出来公开讨论。”然而美迦巴左思支持寡头统治，原因在于：

> 民众是一群效率低下、不负责任的人，你没法在别处找到比他们更无知、对自己的暴力行为更不负责的人了……国王至少会三思而后行，但暴民不会。事实上，他们从不被教导什么是正确的、恰当的，他们又怎么会这么做呢？……民众没有脑子，他们唯一能做的就是如同洪水中的河流一样，仓促而又盲目地冲入到政治当中。

最后，大流士为君主制辩护，而他也有反对民主的话要说：

> 在一个民主政体中，舞弊行为一定会出现……政府服务中的不道德交易产生了拉帮结派、结党营私的现象。事态就这样发展下去，直到有人站出来为人民出头，粉碎谋求私利的集团。这就为他赢得了群氓们的尊崇，结果他便被赋予绝对的权力——这一切再次证明了君主制才是最好的政体形式。

大流士赢了。意味深长的是，欧塔尼斯退出了新的君主统治阶层，这是他最后的民主行为。

多少世纪以来，西方政治思潮都反对欧塔尼斯。直到 17、18 世纪，民主的支持者才偶有出现；直到 19 世纪，赞同普选制度的人也是寥寥无几。约瑟夫 · 熊彼特在 1942 年称民主在不断地颠覆资本主义，社会主义才是未来的发展趋势。另一位被流放的奥地利人，弗里德里希 · 冯 · 哈耶克警告道，乌托邦式的社会主义将使一战后的英国走上“农奴制道路”，就像国家社会主义（纳粹）使得德国走上极权主义道路一样。

熊彼特和哈耶克写作时，现代经济史上最为严重的一次萧条刚刚过去，同时他们又深陷于二战的旋涡中，所以，这两个人对民主的悲观态度是可以谅解的。而过去 25 年所发生的一切也证明他们两人的预言并未成为事实。

虽然学术界对如何准确衡量民主仍有争议，但民主在世界上的扩展程度却是确定无疑的。《自由调研》自 1973 年开始每年出版一期，它是众多对民主发展的评估分析中最为系统的一个。它从 1.0（最高自由度）到 7.0（最低自由度）给“政治权利”和“公民自由”评分。政治权利和公民自由综合平均得分落到 1.0~2.5 之间的国家被划为“自由的国家”，分值在 3.0~5.5 之间的国家为

“部分自由的国家”，而分值在5.5~7.0之间的国家则意味着“不自由的国家”。《自由调研》的会长阿德里安·卡拉特尼茨基概括了1998年的调查报告：

> （目前）全世界191个国家中有88个国家（占46%）被归为自由国家，这意味着它们保持了很高的政治和经济自由，尊重公民的基本权利……另外53个国家（占28%）被归为部分自由国家，它们通常存在腐败、法律机制薄弱、种族冲突、内战等问题，公民享有有限的政治权利和自由……最后50个国家（占26%）被归为不自由国家，他们的公民缺乏基本权利和自由。

人们可以对《自由调研》的方法持保留态度，但这一调研的结果仍能表明自由（至少是它认为的自由）已取得长足进步。印度、多美尼亚共和国、厄瓜多尔、尼加拉瓜、巴布亚新几内亚、斯洛伐克和泰国等均在1998年从“部分自由国家”升格为“自由国家”；而原先被划入“不自由国家”中的三个国家如今被归入“部分自由国家”。总共22个国家在自由分值上有了进步（即分值下降），相比之下，12个国家被认为变得不那么自由。只有13个国家达到7.0这一最糟的分值：阿富汗、缅甸、古巴、赤道几内亚、伊拉克、利比亚、朝鲜、沙特阿拉伯、索马里、苏丹、叙利亚、土库曼斯坦和越南。该调研显示，现在有将近24亿人口（世界人口的40%）生活在自由的社会中，有16亿人口（26%）生活在半自由社会中，而不到20亿人（34%）生活在不自由的社会中。自26年前问世以来，本次调研结果所显示的自由度最高。26年前只有30%的国家被认定为自由国家，24%的国家被归为部分自由国家，而46%的国家被划为不自由国家，见表20。

表20 自由、半自由、非自由国家：1972~1973年和1998~1999年自由调研

	1972~1973年		1998~1999年	
	国家数量	比例	国家数量	比例
自由国家	43	30	88	46
半自由国家	34	24	53	28
非自由国家	67	46	50	26
总计	144	100	191	100

当然，《自由调研》对自由的定义不同于民主。法里德·扎卡里亚指出，如果仔细考察各国民主制度下的公民权利的话，就会发现许多国家的民主制度并不那么自由。该调研机构（于1998年末）算出世界上共有171个“选举民主制国家”，它占世界国家数的61%以上，所拥有的人数占世界人口的55%。但是根据《自由调研》的结果，世界只有40%的人口生活在自由国家中，这也就意味着剩下15%的人口生活在不完全自由的民主制度下（这一结果不会让托克维尔吃惊）。但是和民主一样，自由也呈现出上升的发展趋势。该调研机构在1995年把117个选举民主制国家中的76个归为自由国家（略低于65%），40个被归为部分自由国家（略高于34%），还有一个国家，即波斯尼亚—黑塞哥维亚，被认定为不自由国家。如今仍是117个选举民主制国家中，88个（高于75%）为自由国家，其余为部分自由国家。事实证明，不自由的民主制并不能长久。但是人们也普遍认为，普选民主制度的成立并不能自动保证依法治国、尊重公民权利。

考虑到在“民主”这一广博而古老的范畴内存在很大的差异，我们有必要稍加驻足，追问一下我们称之为“民主”的东西究竟具体指代什么？我们以最基本的民主机制，即投票选举制为例进行说明。尽管大部分的议会制国家均已在上世纪废除了对妇女和穷人的歧视，但投票资格年龄的下限各国规定有所不同，从15岁（菲律宾）到21岁（印度）不一，另外各国大选相隔年份的规定也从两年到5年不等。而各国多样性尤为体现在选举体制上。在1996年接受调查的53个国家中，有近半数（25个）国家实行比例代表制（但在组织下院的方式另有不同），12个国家采用英国的“得票最多者（不一定超过半数）当选”的选举制度，11个国家采用“比例代表制”和“得票多者当选制”相混合的制度，2个国家采用多数原则或决胜选举制（另两个国家无法归类）。

各国民主制度的另一差异在于，立法机构中被代表的政党数目各有不同。若以政党赢得席位数来衡量，20世纪90年代初期立法机构中有效政党数目为2个到23个（乌克兰）。这不仅是习惯或文化的问题。所采用的选举体制和被代表的政党数目之间似乎存在着联系，但它的差异比预期要小。根据近期一项对21个国家的509次选举的调查结果，多数原则选举制下的政党平均数为7个，而比例代表制下的政党平均数为8个。而公民投票在各国的情况也各不相同。较为极端的例子是瑞士，它自1945年起举行了不下275次公民投票。至少13个民主制国家的投票是强制性的，这也在一定程度上导致各国投票率的不同，从21%（马里）到96%（澳大利亚）。多数国家的民主制度下的议会是两院制。1997年实行两院制的国家有8个，但丹麦、新西兰、葡萄牙、瑞典实行一院制。它们有的是直接选举产生的，有的是间接产生，有些则是有政府行政部门委任的（如“改革后”的英国上院）。上文提到的53个国家中，只有28个国家的首脑是由人民选举产生，而这些国家也并非全是总统制。长期以来，让美国政治学家颇为不解的是，如此众多的西欧民主国家仍固执地保留国家首脑世袭制。

这些政治体制的差异在很大程度上影响着民主的成功。有有力证据表明，议会民主制比总统制更稳固。在31个持续了至少25年的民主制度中，24个是议会制，而总统制只有4个。有理由认为比例代表制“对众多政党进行重组，并将它们安排到立法机构中，从而加剧了社会分化和冲突”，无疑这将产生短命的政府，从1950年到1990年，经合组织18个成员国中，采取比例代表制的政府平均寿命为1.9年，而多数原则制的为3年。

同时各国民主制度还存在着其他重要差异。一些国家的民主制中央集权化程度较高（如英国和法国），而另一些则采用联邦制（如瑞士、美国、德国、加拿大和澳大利亚）。联邦制自然很切合美国人的意愿，但对于英国人来说却是难以想象的，就算苏格兰、威尔士、北爱尔兰成立了国民大会，英国也难以改为联邦制，除非对国土再进一步细分。有些国家更容易把权力下放给未经选举产生的机构上，如司法部和中央银行。正如我们所见，一些国家为了应对20世纪七八十年代的通货膨胀，将货币政策的控制权交回给中央银行，而这些基本独立的银行是由未经选举的专家进行管理，于是有人认为这是民主的减小。在英国，所谓的准非政府组织也拥有相当大的权力，它们由执政政府任命，基本不对国会负责。最后，一些民主制倾向于将权利授予超国家组织，欧盟就是一则很好的例证，它显示了有时一个组织的整体民主程度不及其成员国的民主合计。

概而言之，虽然全世界都向着民主制发展，然而哪种形式的民主能在未来占据统治地位仍未可知。有人甚至从政治以外的角度去理解民主，安东尼 · 吉登斯在他的瑞斯演讲中，兴致勃勃地谈起家庭生活的民主化，并热切期盼这“日常生活的情感民主”早日到来。

三次浪潮

然而我们能否保证民主化的趋势继续下去呢？《自由调研》时间跨度过短，因此人们难以据此对未来作出肯定的预测。但是在 1989~1991 年这短短的时间里发生了天翻地覆的变化，前面表 20 对此作了概括，当时东欧的社会主义集团和苏联相继瓦解，记住这点对我们至关重要。

如果过去的那一个世纪中也有《自由调研》，那么它会为我们展示些什么呢？如果某个早期的作者在 1900 年夏天回顾过去的 30 年时光，他或许会这样总结道：自由和民主在世界范围持续发展。事实上，世界当时大部分地区都处于欧洲列强的统治下；拉丁美洲各国政变和内战频发。但是世界其他地区正明确无误地向着自由民主奋进。在俄罗斯、土耳其、葡萄牙和中国，革命不是将君主专制推向自由化就是将它推翻。在 1914~1916 年，即便不能说民主也发生衰退，但自由发生严重衰退却是事实。一战的各参战国以国家进入紧急状态为名，限制了政治自由和公民自由。然而 1917~1921 年，民主取得重大胜利，许多国家建立了民主制度，这和 1989 年的情形如出一辙。

但这一发展并没有持续下去。此外，几乎所有新成立的民主政权在 1922~1938 年遭受瓦解。当时只有英国及其自治领、美国、捷克斯洛伐克、法国、比利时、荷兰、瑞士和斯堪的纳维亚保留了民主制。接下来的 5 年中，德国纳粹几乎推翻了全部欧洲民主政权，其中仅有两个幸存下来。德国战败之后，虽然西北欧的民主制得到恢复，但是东欧和伊比利亚地区的却没有民主制。亚洲、非洲的非殖民化也没能促进民主事业的发展，因为新的统治者很少能长期容忍政治反对者。（罗德岛白人领袖伊恩 · 史密斯曾讽刺道，非洲的民主意味着“一个人一个投票权——曾经如此”。）除此之外，“冷战”双方在拉丁美洲、亚洲和非洲都建立或支持非民主政权。基于各种原因，1958

年世界上存留的民主制到20世纪70年代中期时已缩减了1/3。非殖民化后，次撒哈拉非洲的议会民主制最终失败，这严重挫伤了民主进程，其影响之重大就如同1989年以来的东欧事件对民主所起的促进作用一样。

这些变动可以通过“政体III数据库”的分值更正规地呈现出来，相比《自由调研》，政体III数据库采用一种更为复杂的11分制评估系统，它考察的时间跨度也更广。它的民主分值基于4个标准：“政治参与的竞争性”（最大分值为3），“行政人员录用的竞争性”（最大分值为2），“行政人员录用的公开性”（最大分值为1），以及“首要行政人员的约束”（最大分值为4）。从而得出最高分值为10，最低分值为0（即完全没有民主的国家）。这些数据涵盖了160个国家，甚至许多国家的数据可以追溯到1800年。

虽然从世界范围看，从未有哪个时期的民主程度及得上1998年，但同时我们也要看到民主的发展曲线并不是平稳上行的（见图32）。事实上出现了三个民主化高峰期：1922年、1946年和1994年，由此塞缪尔·亨廷顿得出当前“第三次民主化浪潮”说法，当然它的核心观点是，前两次浪潮都已消退。

世界各地区的民主化进程也不尽相同。表21列出了25年来样本地区的民主平均得分，为我们提供了一份简化的政体数据。中东地区一直以来都是最不民主的，西欧民主程度则最高。非洲、亚洲和美洲尚无明显趋势。其他关于民主和自由长期发展情况的数据统计同样证实了民主化进程极不规则、变化无常。

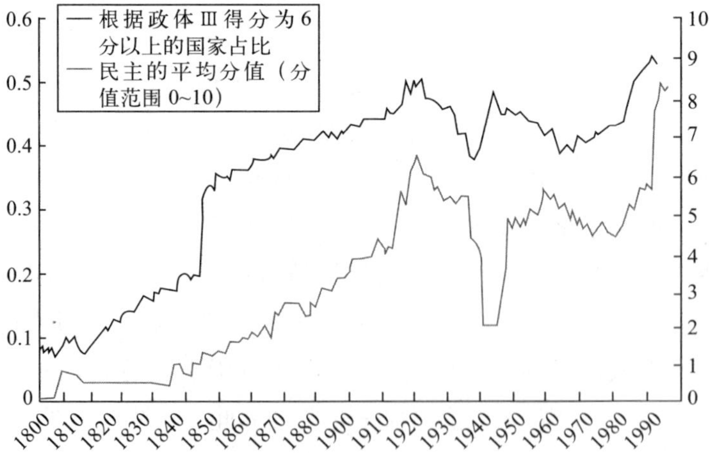

图32　民主的兴起（1800~1996年）

表 21　国家平均民主得分，按地区分类（1800~1998 年）

年份	美国	西欧	东欧	非洲	中东	亚洲	世界
1800	7.0	0.4	0	1.0	0	1.4	0.9
1825	2.4	0.6	0	1.0	0	1.4	1.0
1850	1.8	1.6	1.5	4.0	0	1.4	1.6
1875	2.5	3.1	2.0	4.6	0	3.7	2.7
1900	3.6	5.5	1.9	3.4	0	3.3	3.6
1925	3.1	8.7	4.1	4.8	1.3	4.0	4.6
1950	3.0	8.1	1.7	3.5	3.9	3.3	4.1
1975	3.2	9.2	2.5	1.0	1.4	3.0	2.8
1998	7.7	9.9	6.8	2.8	1.5	4.4	5.2

为了更翔实地证明上述这点，我们有必要回顾一下欧洲 20 世纪上半叶的历史。美国总统伍德罗 · 威尔逊曾在 1918 年说："民主似乎正在全球盛行……民主制度的广泛传播将政治简化为单一的形式……所有的政府形式都归结为民主制。"图 33 显示威尔逊的乐观态度在 1916~1922 年是有根据的，期间欧洲平均民主得分上升了一倍。但此后它便开始下滑，在 1931 年降至 5.7，1938 年为 4.6，二战期间甚至滑到最低点 1.9。29 个样本国家在一战前、一战中和一战后几乎全部采取代议制政府形式。然而到 1925 年，6 个国家实行独裁专制，1930 年又有 4 个国家步其后尘，1935 年和 1940 年时又分别增加了 6 个国家和 8 个国家。匈牙利早在 1920 年开始限制公民投票权，当时的总统一职实际享有独裁权。墨索里尼在 1922 年经国王和军队同意掌握了政权。凯末尔于 1923 年在土耳其建立起一党制国家。1926 年立陶宛发生政变，斯梅托夫和沃尔德马拉斯开始了他们的独裁统治。与此同时，毕苏茨基在波兰建立起军事独裁。1928 年左右自封为阿尔巴尼亚国王。1932 年萨拉查夺取葡萄牙政权。1933 年多尔富斯开始统治奥地利，同年另一奥地利人成为德国大臣。克维耶西斯于 1932~1934 年在拉脱维亚建立起独裁政权。佩茨也在爱沙尼亚建立了独裁统治。1934 年保加利亚发生军事政变，一年后鲍里三世建立起王室独裁政权。与此同时，希腊也发生了共和政变，它为两年后由皇室支持的迈塔科萨斯独裁统治拉开了序幕。1938 年的罗马尼亚也处于卡罗尔

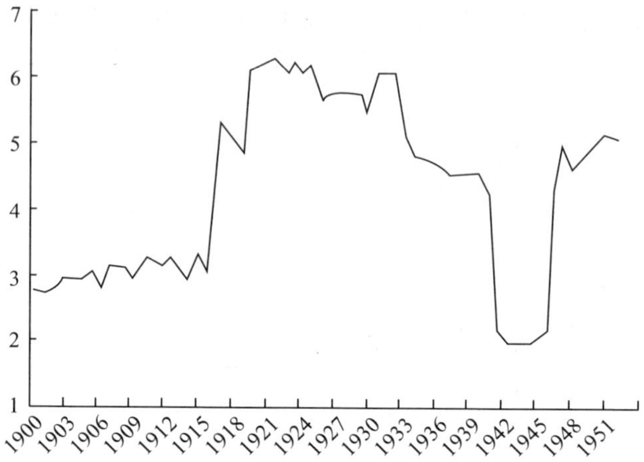

图 33　欧洲 29 国平均民主得分（1900~1950 年）

二世的王室独裁统治之下。南斯拉夫国王亚历山大在 1929 年发动政变，1931 年恢复了议会制，然而他于 1934 年遭到暗杀。西班牙在 1917~1923 年为君主立宪制，随后普里莫 · 德里韦拉开始实行军事独裁，并持续到 1930 年，之后西班牙成为共和国，政局极为动荡，最后以弗朗哥在内战中获胜建立独裁政权告终。那些仅存的民主制国家遭到德国和意大利的侵略，到 1940 年，欧洲民主国家几乎荡然无存，仅有英国和中立的爱尔兰、瑞典和瑞士幸免于难。

从长期看，世上并不存在独裁专制自然发展为民主制的定律。我们只能说“人类的政治制度会在长期内朝自由民主方向发展”，但这里的长期也仅指 26 年，而对有些人来说，这已经算得上很长了。颇具讽刺意味的是，有自由党参与的葡萄牙联合政府于 2000 年 1 月成立，紧接着，葡萄牙总理安东尼奥 · 古特雷斯以欧盟主席的身份，对奥地利实行外交制裁。葡萄牙当然是最后一个实行民主制的国家，它于 1974 年才建立民主制。

或许乐观者会反驳道，长期应指美国革命以来过去的 215 年，然而民主在那段时期经历了太多次的衰退，因而不足以证明民主的发展趋势是不断向上的。事实上，如果现代国家干预公民个人生活的权力扩大，我们甚至可以认为美国人的自由尚不及 20 世纪初。这当然也是托克维尔所担心的。只有对自由重新定义，将“免于失业”或者“免于相对贫困”也纳入自由的范畴，才能弥补传统意义上的自由的削减。

民主与繁荣

弗朗西斯·福山认为民主进步和经济增长两者为正相关，这似乎是不证自明的。相比前文所提到的衡量标准，从经济角度衡量更能反映出民主所取得的巨大进步。今日世界绝大部分的财富都为民主制国家占有。世界上最大的 50 个经济体的民主平均得分为 8.8（采用政体III的评估标准），其中得分为 10 的民主制国家，其国民生产总值将近为世界的 3/4。若把 50 个经济体外的其他得分为 10 的国家也计算进来，那么这一比例将超过 80%。《自由调研》的数据似乎也在向人们证明，民主进步与经济繁荣携手并进。有趣的是，卡拉特尼茨基也附和了福山所强调的“经济自由和政治自由之间存有联系”的观点。

> 不仅经济自由为政治自由提供条件，促进中产阶级和工人阶级的蓬勃发展，而且市场经济的成功也要求以政治自由为坚盾抵御经济上的任人唯亲、追高租价，以及其他反竞争的、无效率的经济行为。开放的民主社会和经济也显示了自己承受经济挫折方面的能力……

其实这段话包含了两层含义：第一，经济进步能够促进民主化；第二，因果关系置换，民主进步能够促进经济发展。

对第一层含义的争议较少。对不同时期不同样本大量的数据统计分析表明，经济发展，或确切地说人均收入，和民主之间存在明显的相关性。一定程度的繁荣被普遍认为是民主的“必备社会条件”之一。美国政治学家西摩·马丁·利普塞特在 1959 年指出，民主与财富、工业化、城市化和教育相关。利普塞特谨慎地避免粗率的决定论：他认为他的调查结果“并不能证明乐观的自由者们的预期，乐观自由者期待的是财富的增长、中产阶级的成长以及教育的普及必然意味着民主的普及或稳定”。他认为，民主制度的建立所依赖的不仅仅是繁荣的经济，它同样依赖于这个国家的文化背景、文明社会的发展以及它过去的历史（特别是殖民时期）。然而，随后的研究倾向于淡化其他因素。某位旗帜鲜明的决定论者得出这么一个结论：“民主制在人均年收入低于 1000 美元的国家平均可维持 8.5 年，在年均收入为 1 000~2 000 美元的国家可维持16年，在年均收入为2 000~4 000美元的国家可维持33年，而在年均收入为4 000~6 000美元的国家可维持100年……收入超过6 000美元的国家的民主则是坚不可摧的……无论发生什么灾难，它们都能存活下来。”

迄今为止，对民主和生活标准关系最缜密的分析也认为“繁荣与民主化两者确为正相关”。经济学家罗伯特·巴罗收集了近100个国家在1960~1990年的数据并加以分析，结果显示多种生活标准的提高（实际人均国内生产总值、预期寿命和男女受教育程度的差异）的确能刺激民主的发展。本杰明·弗里德曼的宏伟研究则更侧重于经济增长率，而不是经济所达到的水平。他同样认为“不断提高的生活水平和开明的民主社会之间”确有明显关联。根据他的理论，“当一个社会的公民生活标准提高时，这个社会极有可能变得更开放、更包容、更民主，而当它的生活标准停滞不前时，它便会朝相反的方向发展”。

然而许多特例都对这显而易见的历史规律提出质疑。1990年的事件就是一则明证：经济相当发达的社会也会背离自由民主。15年前南斯拉夫的经济状况要好于大多数东欧国家。此外，大多数苏维埃国家虽然经济停滞不前，却在1989年走上了民主化道路。而民主在诸如巴布亚新几内亚和斯里兰卡这类贫穷国家的成功发展似乎也违背了决定论者的模式。而智利和乌拉圭等相对繁荣的拉美国家在20世纪六七十年代的民主危机也颇让人费解。

对这些异常现象的一种解释是“经济增长导致的紧张关系可能会破坏民主的稳定”。虽然仍缺少数据证明，但仍可以推想经济快速增长所引发的不断扩大的不平等可能破坏民主制度。将《自由调研》与其他多国数据比较，我们就能更好地证明这点。一项对59个样本国家的分析表明，自由民主制度与经济增长之间并不存在所谓的正相关。相反，在1990~1997年，政治自由的缺失倒是和经济增长之间呈现正相关关系。我们也可以考察一下英国、美国和德国的全要素效率指标。德国和美国的该项指标在20世纪超过了英国，但显然，这两个国家中的一个只是在1919~1933年以及1947年至今这两个时间段处于民主制下。

看来我们只能退而求其次说，诸如高通货膨胀和大萧条这类严重的经济危机会破坏代议制的政府，尤其是在这些政府刚建立不久。有充分证据表明，经济失败的国家惯于把它们的问题归咎于自由政策造成的麻烦或是投票导致的平均主义，并进而以独裁统治取代民主制。事实上普遍观点也认为“欧洲经济危机最直接的后果就是加剧了国内政治和社会的紧张局势，致使希特勒获取德国政权，并促使法西斯在各地滋生蔓延”，但就连这种观点也存在问题。图34和图35列示了两组欧洲国家国民生产总值的数据：一组国家为在战争间歇期仍保持民主制的国家，另一组为在战争间歇期并不完全实行民主制的国家（有段时间为独裁专制）。很明显，两组国家的经济表现差别不大。以两个具体国家为例，大萧条在民主制失败的德国比保持民主制的荷兰略微严重些。此外，附录E的数据表明，经济大萧条的严重度（以实际国民生产总值的波峰值与波谷值之差来计）与20世纪30年代独裁专制的倾向度之间毫无联系。如果二者真有联系，那么捷克斯洛伐克和法国就会分别在1935年和1936年成为法西斯国家。14个实行独裁的国家中，有8个国家的民主制早在1928年（大萧条）前便已告失败。事实上在这段时期中，人们很难找出能够明确影响民主持续性的经济指标或社会指标。无论是受教育人口比例还是军事规模，都与样本国家的政治稳定无关。在统计分析上唯一和民主制呈微弱正相关的是城市化程度，然而这也有问题，即这一关联关系存在两个“例外”，它们不是别国，正是人口城市化相对规模仅次于英国的德国和奥地利。

当人们将经济危机和民主的关系置于别的时期和背景下考察时，类似的背离现象再次出现。经济危机或许要为20世纪60年代拉美民主体制的失败负责，但是这一地区的民主制经历了20世纪80年代的债务危机和90年代的金融危机后却存活了下来。高通货膨胀似乎增加了20世纪50~70年代中期民主制解体的可能性，但对80年代的民主制却未产生影响。

而将经济和民主因果关系置换，即民主有助于经济发展这一观点又是否成立呢？于是出现了这么一种可能，即民主实际上并非经济成功的重要决定因素。巴罗认为政府对经济增长的重要贡献是：

1. 提供或促进中高等教育。
2. 提供或促进医疗保健事业，因为经济增长和预期寿命之间存在关联。
3. 提倡控制生育。

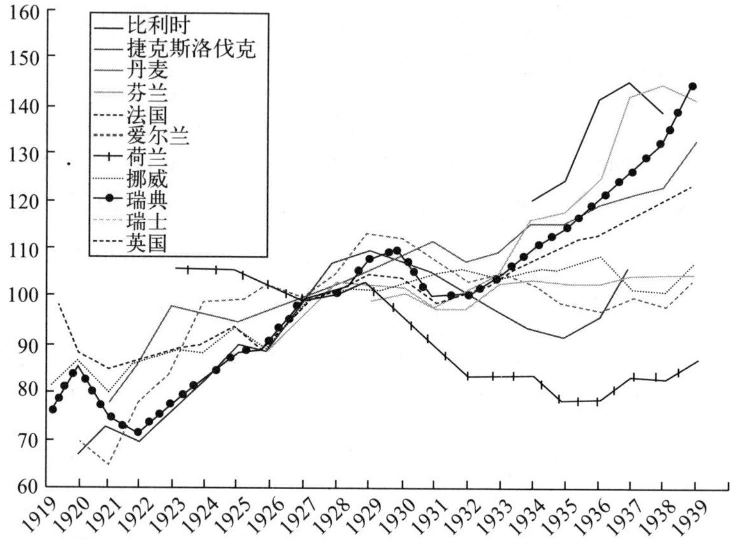

图 34　欧洲民主国家实际国民生产总值指数（1919~1939 年，1927=100）

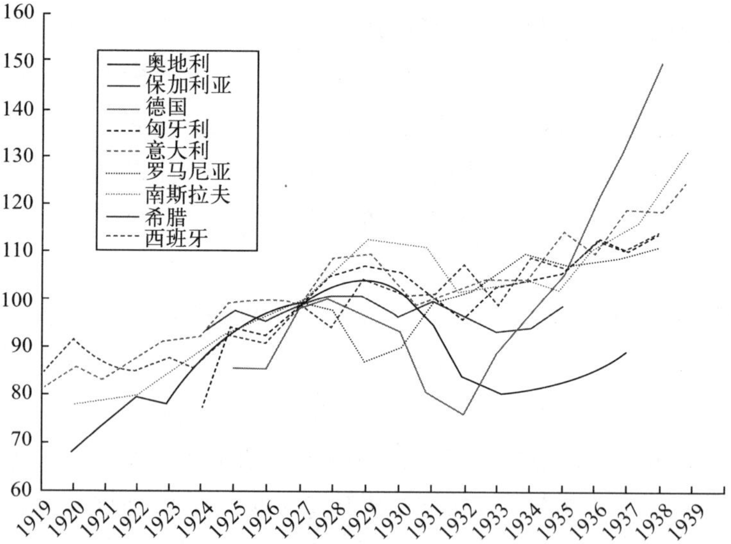

图 35　欧洲专制国家实际国民生产总值指数（1919~1939 年，1927=100）

4. 避免“无效率的政府开支”，因为“大政府不利于经济增长”。

5. 加强法治。

6. 将年通货膨胀率控制在 10% 以下。

这一结论也认同了戴维·朗德在《国家的财富与穷困》中的观点，朗德在书中提到“促进经济增长与发展的理想政府”应：

1. 保障私有财产，鼓励储蓄与投资。

2. 保障个人自由权利……反对滥用权力、犯罪和贪污腐化。

3. 保障契约……

4. 政府应保持稳定……并依据公开规则进行管理。

5. 政府应反应迅速。

6. 政府应诚实可信……不带有经济利益偏向性和立场。

7. 政府应有节制、有效率、清廉……税收应控制在低水平，并降低政府对社会剩余价值的索取。

令人惊讶的是朗德忽略了提供良好教育这一条，但是他和巴罗都同意，一个理想的政府“不见得必须是民主的”。后者的数据统计分析表明，政府是否经民主选举产生并不是决定经济增长的决定因素。换而言之，非民主政府对于执行这两套政策的意愿与民主政府一样。巴罗还列举了独裁政府促进经济增长的诸多例子：如智利的皮诺切特政府、秘鲁的藤森政府等。另外我们也有必要回忆这么一件事，即许多经济发达国家早在它们通过普选法法案之前就已进入工业革命。

经过仔细观察，我们发现民主与经济增长之间并无切实的联系。显然，一些独裁统治（“右翼”或“专家政治论者”）的确能够实现高增长，而别的（“平民论者”或“盗贼统治论者”）则不能。而另一方面，民主与经济增长之间的关系不是线性的，这一关系在坐标图中表现为一个倒置的U行。起初民主有利于经济增长，然后一直延续到巴罗范围的中部，自此之后这一关系为负相关。简言之，民主并非“经济增长的重要决定因素”。

当人们的政治权利水平较低时，这些政治权利的扩大有助于经济增长。而实现了适度的民主制后，这些政治权利的扩大将会阻碍经济增长。对此，有一种解释是，在极端的独裁专制中，人们的政治权利扩大有利于经济增长，因为经济增长需要限制政府权力。然而，当已经取得一定程度的政治权利时，进一步的民主化可能会阻碍经济增长，因为过于倚重公共方案和收入再分配不利于经济增长。

这则告诫非常重要。

对于历史学家而言，巴罗的分析结论并不出人意料。两次大战间歇期，众多新民主制政权实行的灾难性政策就是例子。事实上，这也是欧洲民主最为失败的时期。曾有观点认为，是比例代表制和深层经济分裂在一战后带来了最为严重的政策失误（例如高通货膨胀）。事实表明，任何一种形式的民主都难以在20世纪20年代保持经济增长，这是因为财政政策和货币政策之间存有矛盾，前者为普选产生的议会所控制，而后者在很大程度上为金融精英所把持。因此这不仅仅是“没有一定经济发展基础的民主不能长久”的问题。德国、奥地利和意大利在1919年已是经济发达国家，当时它们的人均收入高于一般水平。

另一种观点并不着重于体制的特点（民主或独裁），而是侧重于体制的稳定方面。近期的一份研究分析了从20世纪五六十年代到1982年期间100多个国家的经历并得出结论，政治不稳定比缺乏民主制更不利于经济增长。这一点也符合两次大战间歇期的史实，当时许多新民主制都遭受了各种形式的不稳定（大规模罢工、市井暴力、暗杀和政变）。

当然所有这一切并不能看做反对民主的理由。丘吉尔曾说：“民主制是最糟的一种政体形式——那些经过一次又一次尝试的形式除外”。的确，民主制并不能保证它能比其他政体形式更利于经济发展。

民主的精神

马克斯·韦伯在他著名的《新教道德和资本主义精神》中谈到，现代资本主义的兴起与西北欧的文化变化有很深的渊源，它再经由宗教改革运动传入美国。尤其是加尔文主义所提倡的行为模式从侧面促进了财富在质和量上的提高。苦行主义的要义为提倡勤劳工作，延迟消费，以此作为虔诚的表现。

换而言之，资本主义者的“天职”源于宗教：“基督教苦行主义倡导人们在日常生活中应从事繁忙工作，以此获得上帝的救赎。”要求自由劳动力得以充分利用的资本主义之所以难以在天主教、东正教以及其他非基督教地区得到较快发展的原因就在于此。

虽然《新教道德和资本主义精神》自 1904 年首次出版后不断遭到批评，它将理性的积累过程归于毫无理性的克己原则这点并不让人信服，但是韦伯的文化模式却被后人所沿用，只是后人的研究为了强调欧洲和非欧洲文化的不同，模糊了新教和其他形式的基督教之间的差异。因此，欧洲家庭组建模式与亚洲家庭组建模式的分歧，可追溯到 7 世纪，当时基督教阻止近亲结婚，从而淡化了血亲关系，这也是为什么欧洲和亚洲在个人主义上持有不同态度的根源。这种推演模式再加以扩展，便可认为犹太教具有倾向于资本主义的道德观。兰德斯在他的世界经济历史的叙述中明显保有韦伯的元素，他试图从宗教和文化角度出发，寻找欧洲经济“战胜”中国、土耳其和印度经济的原因，而他的“资本主义精神”根植于一种犹太–基督混合伦理。

韦伯关于资本主义兴起的观点与托克维尔对于民主兴起的阐述之间存在关联。对托克维尔而言，正是新教的宗教群体力量使得美国成为民主制的理想场所，同时它也有利于自由的发展。与此不同的是，基督教在 18 世纪的法国名声不佳，而且紧随其后的法国大革命也反对宗教。这些都说明了为什么法国的民主并未朝着自由的方向发展（吉本在一个世纪前提出了补充性的论点，他认为正是基督教的兴起颠覆了罗马帝国）。

认为基督教与亚洲的宗教文化相比，更有利于资本主义的发展，同时也更仇视专制君主统治的观点持续存在。例如，据《自由调研》的结果，基督教群体更倾向于民主和自由。在 1998 年版的调研报告中，被列为“自由国家”的 88 个国家中，不少于 79 个是“基督徒占大多数”的国家（按传统风俗和信仰）；而 67 个最不自由的国家中只有 11 个是“基督徒占大多数”的国家。基于种种证据，塞缪尔 · 亨廷顿认为 “文明的冲突”取代过去的美苏冲突即将来到。

然而，认为基督教和自由之间存在这种简单相关性的观点却经不起仔细推敲。同样，认为伊斯兰教与暴力直接存在必然联系，或伊斯兰教与国力薄弱之间存在必然联系（也是亨廷顿论点的核心）也是站不住脚的。毕竟《自由调研》开办时，许多天主教国家是不自由、不民主的。而另一种更为精细的方法得出不同的概观，这一方法根据每个国家的主导意识形态，把它们分为 9 类宗教国家，并与它们的民主化程度相比较。表 22 列出了 1975~1994 年这 9 类国家的民主平均值（最大分值为 1.00）。基于这些数据，一些政治学家（特别是利普赛特）认为，如果一个国家信奉新教而非天主教，那么这个国家更容易民主化。

表 22　1975~1994 年 136 个国家平均民主得分（最高分值为 1，最低分值为 0）

主要教派	国家数量	平均民主指标
犹太教	1	0.85
新教	24	0.78
印度教	5	0.66
天主教	49	0.60
佛教	4	0.56
神道教等	3	0.45
其他	17	0.28
伊斯兰教	32	0.26
无神论者	1	0.10

然而，这也存在着错把关联关系当成因果关系的可能。一个更为细致的统计分析结果让人开始怀疑宗教是否真的能够决定民主化程度：在新教国家，似乎更高的生活标准而非宗教才是民主相对成功的关键，这一点又把我们带回到韦伯的论点：新教是否才是提高生活标准的原因呢？难点在于难以确定何为函数变量。比如，英国的前殖民地国家在民主化进程上要比法国、葡萄牙、荷兰或比利时更为成功，但这是新教移民定居和英国传教士的宗教遗产吗？抑或是英国统治这一非宗教原因奠定了随后发展的基础呢？

英国前殖民地的例子提出了另一种可能：经济的增长和民主的进步均得益于法治的加强，而两者的受益过程相互独立，这里的法治也主要指对个人产权的保障。这就是秘鲁的发展经济学家赫尔南多 · 索托所提出的观点。索托认为有缺陷的法律体系，而不是贫穷本身，才是欠发达的原因。这种论点显然很符

合诸如道格拉斯 · 诺斯这类经济学家的看法，这些经济学家长久以来都认为是英国（美国更为如此）的法律体制为 18、19 世纪的资本主义提供了最好的环境。

然而，英美这令人欣喜的成功事例中却隐含着一个悖论。在两国的情况中，为资本主义发展和民主进步带来诸多利益的体制却是从内战中演化而来的，而这些战争都发生在多宗教多种族的社会背景下，我们接下来要探讨的就是种族这一棘手问题。

THE CASH NEXUS

第13章
统一破裂

奥匈帝国瓦解后，布科维纳成为罗马尼亚的一部分。这个地区的人们语言不同、服饰各异，它曾给奥地利时期欣欣向荣的王室领地单调、规矩的日常生活添上一抹亮丽的色彩。现在，情形变了：就像一层文化形态的薄片敷贴在错综混杂的种族聚集体上，这层薄片极容易剥落下来……这些待在罗马尼亚的布科维纳人根据各自的民族分裂成不同族群。罗马尼亚人把持着政府要职，他们把自己当成新主子……这些被称为布科维纳的斯瓦比亚人在全德国一片旗帜挥舞的排外氛围中将自己隔离起来……鲁塞尼亚人不愿和前奥地利人和罗马尼亚人扯上任何关系，他们觉得前者总视他们为二等公民，而后者他们则相看两厌。波兰人、俄国人、亚美尼亚人相互间来往更少。他们都瞧不起犹太人，尽管犹太人……在经济领域中举足轻重……

——格雷戈尔·冯·雷佐里《去年的雪》

雷佐里的母亲住在布科维纳，她听到一战爆发的消息后，第一反应就是要躲开正在逼近的俄国人，到的里雅斯特去。他们走过山间窄路，越过喀尔巴阡山脉，经过比斯特里斯、布达佩斯、维也纳，一路上全靠雷佐里的乳母卡桑德拉的语言技巧（她能零零碎碎地说些罗马尼亚语、罗萨尼亚语、波兰语、匈牙利语，还有土耳其语和意第绪语），加上她古里古怪，惹人发笑的指手画脚，以及简单生动的肢体语言，一家人才得以渡过难关。而在卡桑德拉身上，我们也能看到哈布斯堡王朝分崩离析前的种族纷乱之状。

当一家人回到彻诺维茨时，战争已近尾声。依据《特里阿农条约》，这个小镇将由罗马尼亚接管。雷佐里回忆道："街上挤满了衣衫褴褛、面色不善的各色种族。"此后，不同种族生活在这个常起摩擦的改名为切尔纳迪的地方：罗马尼亚青年运动会的年轻人常与种族性德国学生团体交锋，他们都看不起虔敬派犹太教徒，看不惯他们的传统服饰和教堂。到 1940 年，据《德苏互不侵犯条约》，苏联红军占领了这个小镇，将镇上的德国人赶了出去。一年后，巴巴罗萨行动后，德国人卷土重来，他们以特遣军的形式成为流动作战军的一支，任务是屠杀东欧的犹太人。他们发现罗马尼亚人已经在替他们做这件事了。这些德国人和罗马尼亚人共计屠杀了 2 000 名犹太人，并将剩下的犹太人驱逐到德涅斯特河沿岸集中营，那里也是一个屠杀犹太人的屠场。1944 年，苏联人再次返回。这个小镇现在的名字叫切尔诺夫斯蒂，位于乌克兰的偏远地区。

彻诺维茨–切尔纳迪–切尔诺夫斯基，这个小镇名字变迁的历史无疑可以看成 20 世纪种族政治引发的极端混乱状态的缩影。然而近来频繁发生的远在科索沃、卢旺达、印尼的事件提醒我们，种族政治、种族冲突并没有减弱的迹象。甚至可以说，在迈入 21 世纪的时候，相比 100 年前，这种种族政治更少了意识形态上的对手。

巴尔干化的世界

上一章讨论了民主与经济的关系，认为民主和经济均受一些体制上的变量的影响，比如宗教和法律。国家还有一个颇具争议的特征，即多种族构成，有人认为正是这种种族构成影响了国家在经济和政治方面的发展。90 年前，维尔纳 · 松巴特就韦伯的《犹太人与经济生活》（1911 年）中对某一问题的回答进行了不客气的反驳。当时的问题是，是否某些宗教群体或种族，无论好坏，更深谙资本主义之道。当今一个提得更多的问题是，在多大程度上，民族同质性成为民主化的前提。当然，这两个问题并非毫不相干。

举一个最近的例子，《自由调研》的一份调查报告认为，相比民族同质的国家（即某单一民族的人口占2/3的国家），在一个没有主导民族的国家建立一个开放、民主的社会要难得多。在世界上114个拥有主导族群的国家中，有66个是自由国家（超过一半）；相形之下，77个多民族国家中，只有22个是自由国家，比例不到1/3。

当然，这份报告不能简单解读为建立民族同质国家的理由。这份报告的深层含义在于，世界上大多数的多民族国家需要通过专制狭隘的政权才能将他们统一在一起。有一种理论认为，建立大民族国家虽然可以降低公共支出水平，却也面临着边缘群体背离，国家凝聚力降低这一问题。因为一方面，建立大民族国家可以扩大经济规模，从而降低人均公共商品的价格；而另一方面，建立大民族国家将导致地域边缘群体由于远离政治中心而产生背离心态。而随着民主化的扩展，这种背离体现为，一方面边缘群体由于享有的政治权力不足而要求予以补偿，而另一方面核心群体则认为这些边缘群体是不劳而获的寄生虫。因此，民主化发展可能会导致边缘群体的脱离。

从两次战争期间像波兰、罗马尼亚、南斯拉夫这些国家的经历中，似乎可以推论出，一个国家民主的失败与其少数族裔占比过高有着密切（但不确切）的联系。在波兰，有将近30%的人口被认为不是波兰人，其中包括白俄罗斯人（5%）、乌克兰人（14%），犹太人（8%）和德国人（2%）。以彻诺维茨地区为例，该地区约有1/5罗马尼亚人口不属于罗马尼亚民族：匈牙利人8%，德国和犹太人各占4%，此外还有3%的乌克兰人。在西班牙和阿尔巴尼亚，少数族裔也将近占总人口的20%。在土耳其，近2/5的人口属于少数民族。进一步推论，如果没有独裁统治，这些国家要求自治的力量势必会使这些多民族国家分裂成民族同质的小国。1989年后的10年中，南斯拉夫解体以及规模更大的苏联解体更是印证了这一点。到此时为止，南斯拉夫已经分裂成9个独立的政治实体，并且这个过程似乎仍未完成。1991年苏联解体，世界上又多了14个新独立的国家，也许是15个，如果俄罗斯已经厌倦用武力留住车臣的话。这种欧洲国家不断分裂的过程，让当今的历史学家蒂摩西·加顿·阿什认为，一个当代的欧洲国家，如果主要族裔占总人口不到

80%，那么这个国家则具有内在的不稳定性。

当然，有种种理由对这种种族决定论提出质疑。在两次战争期间，显然也有国家不适用这条规律：即种族异质的国家不是进行极权统治就是走向分裂。在法西斯统治的意大利，少数族裔约占总人口的 2%，而在纳粹德国，少数族裔才占 1.6%。而民族异质的捷克斯洛伐克在被第三帝国消灭之前，一直是民主国家，该国的少数族裔占总人口的 1/3。同样属于多民族国家的比利时和瑞士也是如此。两个最成功的资本主义国家，英国和美国更是不能忽略。两国均为多民族国家，英国有凯尔特人以及最近从它的前殖民地移民过来的少数族裔。而美国大部分人口来自于欧洲、非洲、亚洲以及拉美的移民和他们往往自豪地加上连字符的后裔。

然而我们也不能忽视，从长期历史趋势看，国家似乎越来越向种族同质化发展。而且也不得不考虑，在上段文字所举的例子中，或许有某些国家会走向分裂：捷克斯洛伐克已经成为反例了，而比利时和英伦诸岛的种族政治的离心力在历史上也很少达到今天这样的严重程度。

人口与版图

早期民族主义者设想的地图并不完全是这样的，1857 年意大利民族主义者朱塞佩设想的理想的欧洲地图有 11 个民族国家，而当时构成欧洲地图的是：4 个多民族帝国，即英国、俄国、哈布斯堡和奥托曼帝国；8 个中等规模的君主国，即法国、普鲁士、西班牙、葡萄牙、荷兰、比利时、丹麦和瑞典；加上一个共和形式的联邦——瑞士；还有位于德国、意大利、巴尔干地区的诸多小国。而民族主义者极力化繁为简，使欧洲的边界合理化。

威廉 · 佩恩在《论现在和未来的欧洲和平》（1693 年）中设想了一个“欧洲联盟”，除几个大国外，联盟还包括“威尼斯、荷兰的 7 个省、瑞士的 13 个州、霍斯坦和库尔兰的公爵领地”。同样查尔斯 · 达 · 圣皮埃尔在他的《永久的和平》（1712 年）中描述的理想“欧盟”包括 24 个国家，既包括萨伏伊、威尼斯、热那亚、佛罗伦萨和罗马教廷，也包括巴伐利亚、洛林、库兰、萨克森、汉诺威、帕拉廷以及神圣罗马帝国所属的有教会选举权的选区。卢梭修正了圣皮埃尔的设想，但也保留了巴伐利亚选区、帕拉廷选区、教会选区、威尼斯共和国、那不勒斯王、撒丁岛王的位置。马志尼的设想更加简洁，根据语言和种族组成12个不到的国家。

然而欧洲现代的历史证明马志尼的设想只是虚妄之谈。首先，19世纪欧洲国家的建立和民族主义并无太大干系。当时的新国家像希腊、保加利亚、罗马尼亚的形成，与其说是当地人民热切期盼的结果，不如说是大国纷争的产物。一统国家声名显赫的加富尔和俾斯麦，在很多方面玩的无非是扩展王室领地的老一套，意大利和德国，与之前大皮埃蒙特和大普鲁士并无多大差别。此外，在东欧几乎找不到一处地方可以轻易实现单一民族国家的理想，因而巴尔干地区会成为一战的策源地也绝非偶然。由萨尔维亚人领导南斯拉夫的观念不仅与波黑地区种族混杂的情况难以相容，也与奥匈帝国的双重权力系统的核心相抵触。当弗朗茨 · 斐迪南大公被一名塞尔维亚恐怖分子刺杀的消息传到匈牙利一个喧嚣的舞会上时，约瑟夫 · 罗特的拉德茨基进行曲刚好接近尾声，这真是戏剧性的一刻。当地的匈牙利贵族第一反应就是喜出望外，尤其是仇视犹太人的人，此时更是急于宣称匈牙利沙文主义的正确性。而在远方的波希米亚，哈谢克笔下的好兵帅克此时甚为恼火，不过他错以为是土耳其人刺杀了“我们的斐迪南大公”。

正是伍德罗 · 威尔逊总统无意间揭示了马志尼模式不过是空中楼阁。早在1914年12月，威尔逊就称任何和平方案“应该是从维护欧洲各国人民的利益出发，而不应将政府意愿强加于异质人民的头上”。1915年5月，他在“实施和平同盟会”的一次演讲中对此作了进一步的阐述，他观点鲜明地指出“每个民族都有权选择在何种主权下生活”。1917年1月，他又重申了“每个民族都有选择采用何种政体的自由”。他后来的14点声明中，从第五点到第十三点就是对这一观点的详细阐释。国联不仅保障其成员国的领土完整，而对于根据“自决原则”在未来对领土做出适当的调整也给予承认。当然，这不是新说法。英国自斯图亚特 · 穆勒以来的自由主义者一直宣称只有同质民族国家才能为自由政体提供合适的环境，而英国的政客们也时不时摆出一副替少数族裔争取独立权利的姿态（他们尤其偏爱被他们浪漫化了的希腊和意大利族裔）。但是这一自决原则以前却从未得到国际上的一致认可，直到1919年巴黎和会的召开。

将自决原则运用到欧洲地图上远非易事，尤其是在种族异质的中欧和东欧。首先，至少有95万德国人生活在1919年战后德国的国界之外，占全欧讲德语人口的13%。用自决作为和平的指导原则是危险的，因为如果在德国实行，势必会扩张德国的领土，超过它在1919年以前的疆域。从一开始，所谓自决就算不被说成是虚伪的，也会被认为是前后矛盾的：奥地利的残余部分没有被归入德国，而北什列斯维格，上西里西亚以东，奥伊彭-马尔梅迪以及后来的萨尔州的归属也没采取公民投票方式。除了伊斯的利亚半岛，达尔马希亚的一部分，以及多德卡尼斯群岛（1923年并入），意大利还得到了南提洛尔，该地区生活着为数众多的德国人。法国收回了1871年失去阿尔萨斯和洛林，尽管美国历史学家查尔斯·霍默·哈斯金斯手上使用的阿尔萨斯-洛林的地图表明，该地区居民多数人讲德语，他们占当地人口至少75%。

还有其他此类的例子。有几百万匈牙利人发现自己不在残余匈牙利的境内。而南斯拉夫的形成更是对自决原则的否定，它由塞尔维亚人、克罗地亚人、斯拉夫人、波斯尼亚的穆斯林、科索沃的阿尔巴尼亚人，以及伏伊伏丁那的匈牙利人组成。当土耳其违反《塞夫勒条约》，和俄罗斯一起瓜分了当时属于独立国家的亚美尼亚时，并没招致太多的反对。英国人是这样描述自决原则的：它就像一层维多利亚式的镶面板，贴在符合大国要求的版图上。英国外交部政治情报局的助理司长，詹姆斯·黑德勒姆·莫利嘲弄道："自决早已过时了。"他和他那些高人一等的同事们已经替"他们（各个民族）决定了他们想要的东西……"从波兰开始，人们做出种种努力，希望能将"少数族裔的权利"写进各种合约中，但英国出于犬儒主义和自身利益的考虑，对此千般阻挠。看得出来，少数族裔的权利也好，民族自决也好，莫利都抱怀疑态度。他在《巴黎和会备忘录》中写道：

> 制定一些普通条款，赋予国联保护所有成员国中少数族裔的权利……它就有权利保护在利物浦的中国人、法国的罗马天主教徒、加拿大的法国人，更不用说老惹出大乱子的爱尔兰人……就算这种权利在某

些地方遭到抵制，造成不公正和压迫，但总比不制定这类条款，对种种践踏主权的事件放任不管要好吧。

如果联合国不能行动起来保护少数族裔的权利，那么还有谁能担当此任呢？希腊总理韦尼泽洛斯以身相试，他在意大利的默许下，试图从土耳其那里夺取一片希腊人居住的土地，由此引发了土耳其和希腊的战争，土耳其在凯末尔的领导下，于1922年8月战胜了希腊。战争的实际后果是，120万希腊人和50万土耳其人被遣返。在整个东欧和中欧，不同程度的此类强制性人口迁移时有发生。到1925年，100万德裔人中，有3/4离开德国失地。1919~1924年20万匈牙利人离开了扩大了的罗马尼亚，8万匈牙利人离开南斯拉夫。约27万保加利亚人离开他们在希腊、南斯拉夫、土耳其和罗马尼亚的家园。

这仅仅是个开始，之后这种血腥的种族冲突以及被迫的人口迁移在1940年达到恐怖的高峰。德国无疑是罪魁祸首，它的种族政策不仅造成500万~600万犹太人死亡，也要为约300万乌克兰人、260万波兰人、160万苏联人、25万吉卜赛人的死亡负责。这一切都是为了完成改变欧洲种族版图的宏大计划。为了将亚利安“优等民族”的“生存空间”向东扩张数千英里，他们以驱逐、饿死、最终屠杀的方式将犹太人和斯拉夫“劣等人种”赶出此地。纳粹的种族政策波及范围之广，程度之深，在历史上也极为罕见，更为突出的是这种政策竟然是出自于一个显然是高度发达的文明社会。不过“种族清洗”并不是纳粹的发明，希特勒就承认曾受一战期间土耳其人对亚美尼亚人施行种族灭绝政策的影响。我们也不能忽略另外一段史实，在斯大林的种族清洗政策下，超过150万的少数族裔遇害，其中包括波兰人、德国人、车臣人、鞑靼人、美斯可黑田人、韩国人、卡尔梅克人、印古什人、卡拉柴人以及希腊人。表面上，他们是被判流放，但在荒凉的环境和严酷的气候下，受到迫害的人中，10%~30%的人未能幸免于难。

屠杀政策的动机多种多样，其中也少不了经济上的考虑。在一战后新建立的国家中，更容易发生侵害富有的少数族裔的事件。为了多数族裔中相对贫困人口的利益，他们以“土地改革”为名征收土地。毫无疑问，对于这些并无强烈种族偏见的人而言，反犹太政策对他们的吸引力很大一程度在于这是掠夺欧洲富有的少数族裔的机会。从抵制犹太商店，到将犹太人的公司"亚利安化"，再发展到移民课税，直至最后在死亡集中营拔下犹太人戴的金戒指和镶的金牙，纳粹不放过任何无情剥削手中猎物的机会。罗斯柴尔德家族的艺术品收藏无非是他们窃取的庞大赃物中最珍贵的一部分。一份最近的评估报告显示，纳粹从欧洲犹太人手中夺取的财富总价值高达 80 亿到 126 亿美元。在各种族拥有的财富水平有数据可考的国家中，表 23 列示了各国经济精英中犹太人的比例，犹太人所拥有的财富之高可见一斑。表中最后一列的比例没有太大的指导意义，因为各国对经济精英的定义显然各不相同，但这一组统计数字也并非全无用处。德国和美国分列列表两端，这容易让人认为犹太人经济精英占比越高的地区，反犹太主义形势越严重。但从英国和波兰的排名次序看，这个理论似乎又站不住脚。

表 23　经济精英中犹太人所占比例（据不完全统计）

国家	犹太人口比例	犹太人占经济精英比例	代表超出比例*
德国	0.95（1910 年）	最富有家庭的 31%（1908~1911）	33
英国	0.56（1915 年）	拥有 50 万英镑不动产者中的 8.5%以上（1809~1939）	15
匈牙利	5.1（1910 年）	商业纳税大户的 62.3%（1887）	12
俄国	4.1（1913 年）	商人阶层的 35%（1914）	9
波兰	10.5（1929 年）	非农业最高收入者的 45%（1929）	4
澳大利亚	0.4（1911 年）	新南威尔士州最大不动产者的 3.45%（1817~1939）	9
美国	3.2（1911 年）	首富阶层的 6.5%（2 000 万~3 000 万美元以上，1865~1970）	2

*代表超出比例：犹太人精英占比除以犹太人人口占比

少数族裔或少数宗教团体通常与善于经营挂上关系。不仅犹太人比当地的强势群体表现得更为出色，岛国希腊人、海外华人、亚美尼亚人、定居印度的波斯后裔、东欧的德国人、英帝国的苏格兰人也同样如此。对于多数族裔而言，难题在于是给这些成就卓越的少数族裔以空间，收获长远的间接利益，还是代之以不可遏制的嫉妒和掠夺。在英国，由于对少数族裔的宽容，经济随之受益。而在中欧和东欧，武装叛乱盛行，可以预见其长期结果将会是贫困。

给各民族松绑

1919~1920 年《巴黎和约》签订后，欧洲由 26 个主权国家构成。在《凡尔赛和约》签订 80 多年后，再反观一下欧洲的版图，人们会忍不住说欧洲大陆又回到原地。在罗曼诺夫王朝和奥托曼帝国废墟上新建立的国家在 1919 年以后没有变化。在东北欧，波兰向西迁移，但立陶宛、拉脱维亚、爱沙尼亚和芬兰从俄国独立出来后，又回到 1919 年的状态。在中东，以前称之为巴勒斯坦的地方现在被称做以色列。约旦也不再是跨约旦河的国家。除了英国和法国在此地的托管国不复存在，其他变动不大。较为引人注目的是亚美尼亚共和国、格鲁吉亚、阿塞拜疆、乌克兰和白俄罗斯，这些国家曾为布尔什维克领导的苏联的一部分，后获独立。只是在中欧和东南欧，在后哈布斯堡统治时期，情况有了重大改变。捷克斯洛伐克和“塞尔维亚、克罗地亚、斯洛文尼亚王国”（其前身就是苦难深重的南斯拉夫）不再算是种族多元的国家。中欧国家的少数族裔人口占比也有所下降：波兰人口中少数族裔比例从 20 世纪 30 年代的 30%降至现在的 2.7%，在捷克斯洛伐克，少数族裔比例从当年的 33%降至现在的 4.5%。那些民族主义者主要靠着卑劣手段，正逐步实现他们的种族同质的乌托邦。

就像原子的无限裂变一样，“自决”导致不断有新的主权国家产生，依据对地域和自治体最宽泛的定义，算起来今日欧洲拥有 48 个独立实体（包括俄罗斯和土耳其），这是马志尼当年设想的 4 倍多。而且，这种裂变极有可能继续发展下去，从苏格兰到黑山，一个个准单一民族国家蓄势待发。

分裂的趋势不只局限在欧洲，除次撒哈拉非洲，1871 年的世界版图上共有 64 个独立国家。43 年后，一战爆发前夕，帝国主义使得独立国家的数字减到 55 个，一战戏剧性的后果主要体现在欧洲而没有扩展到全世界。若包括非洲在内，算起来 1920 年世界共有 69 个国家。但自二战后，国家的数目持续增长。1946 年有 74 个独立国家，1950 年则为 89 个，到 1995 年，如表 24 所示，共有 192 个国家。两次最大的国家增长期分别是 20 世纪 60 年代（主要在非洲，1960~1964 年，共新增了 25 个国家）和 90 年代（主要在东欧）。

表 24　1871 年以来世界人口和独立国家数量

年份	世界人口（百万）	国家数量	平均每国人口（百万）
1871	1 416	64	22.1
1914	1 854	59	31.4
1920	1 946	69	28.2
1946	2 400	74	32.4
1950	2 478	89	27.8
1995	5 457	192	28.4

若把 1871 年以后世界人口的加速增长考虑进来的话，国家分裂的速度就不是那么惊人了。事实上，自俾斯麦时代以来，世界平均国家人口并未缩减，从 2 200 万增加到 2 800 万。不过小国的数目也在增加。在 1995 年存在的 192 个国家中，87 个国家人口不足 500 万，58 个国家人口不足 250 万，35 个国家人口不足 50 万。世界上有一半国家的居民人数尚不及马萨诸塞州的人数。冰岛人口（约为 27 万）跟莱斯特差不多，但它也是经合组织的正式成员，拥有自己的语言、货币和航空公司。

两次大战期间的政治分裂，牺牲的是该地区的经济增长和政治稳定。世界的“巴尔干化”是否也会产生同样严重的后果呢？艾瑞克 · 霍布斯帮将新的世界版图和中世纪的版图作了对比，中世纪时期被包围的领土常成为繁荣的经济中心，而现在的小国、境外工业区、小岛上的避税区，似乎又回到了汉萨同盟时代。艾尔波托 · 艾莱斯纳以及他的合作者认为从纯粹经济角度出发，政治解体会生成多个效率低下的国家。但是国家也可以小而美，世界上最富有的国家（按人均国民生产总值算）便属于微型国家行列，即卢森堡。而从另一方面讲，小国的公共部门相对较大，因为它公共开支的人均成本要高于大国。

此外，随着大国的分裂，地区冲突也会增加，这也意味着人均国防开支的上升。因为世界上政治分裂的过程跟粒子世界分裂的过程一样，是爆炸性的，对许多新成立的国家来说，走向独立的过程也就意味着与邻国或以前统治它的殖民大国有不同程度的冲突。一种很有说服力的观点认为，“许多新国家的形成很有可能伴随冲突的剧增”，因为随着国家数目的增加，“国家之间的相互作用也会增加，这种相互作用很有可能产生冲突”。巴尔干半岛的事例是我们这个时代最广为人知的一个。在国际社会努力帮助卢旺达建立民主政权后，1994 年 4 月到 7 月间，该国有 80 万图西族人被胡图族人屠杀。印尼和东帝汶间最惨烈的一场战争发生在 1998 年 5 月苏哈托总统的政权倒台之后，而这个小岛争取独立的民主投票发生在翌年 8 月。

图 36 列出了辛格–斯莫尔“战争的相关数”数据库记载的 1816~1992 年各年发生的战争次数。从图中，我们一眼就能看出从 20 世纪 80 年代后期到 90 年代早期，世界上发生战争的次数比拿破仑战败以来任何时期都要多。当然这也有可能和数据选择的偏颇有关：相比 19 世纪，20 世纪后期发生在欧洲以外的小规模战争无疑更多地被公布。当然，战争的次数并不能体现全球冲突的规模，因为近期发生的绝大多数战争是小规模的边境冲突。勉强够得上辛格–斯莫尔规定的一年中伤亡人数 1 000 的底线。

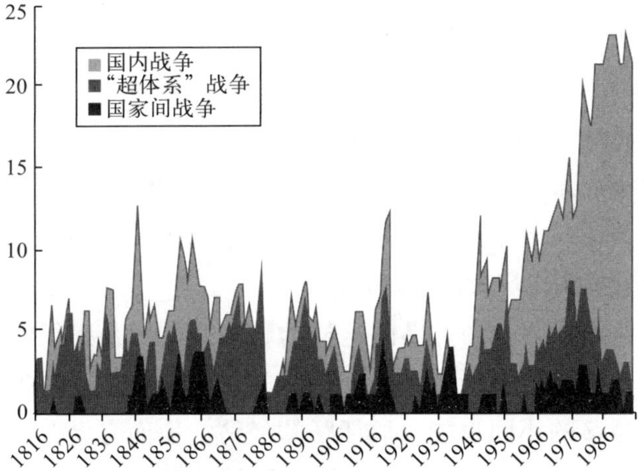

图 36　每年战争次数（1816~1992 年）

另一方面，一个无可争议的事实是，自 1945 年以来，世界上战争增长的主要原因是内战在世界范围的蔓延。从 1816~1992 年这段时期来看，内战的次数为总战争次数的不到 1/2，但自 1945 年之后，这一比例接近 2/3。相比民主国家，内战可能更容易发生在不民主的国家；但相比富国，内战肯定更容易发生在穷国，而我们知道富国通常比穷国民主。不过也有证据表明，在各国迈向民主化的进程时，也易爆发内战，尤其是种族分化严重的国家，通常是少数族裔拿起武器反抗压制他们的多数族裔。内战往往是国家分裂的序幕，而分裂之后，相伴而至的通常是新生国家之间的进一步冲突。

统一各民族

从许多方面看，这种“巴尔干”的比喻并不适合分析世界范围的分裂现象。有时我们要借助描述宇宙的天文术语来阐述世界的地缘政治。通常，历史学家在描述某个附庸国时喜欢用卫星作比喻，但这类比喻可以再作进一步的扩展。那些大的民族国家就像恒星一样，由巨大的向心力形成。在这些恒星的生命期，它们散发出不同程度的光和热。将这个比喻再深化下去，这些国家中有些散发出的能量是商品，有的散发出的能量是人口，有些散发出的能量是金钱。当这些国家力量强盛时，总有一些小国像行星一样围绕它们运行。过了一段时期，这些恒星的光亮开始消退，越来越弱，后来变成白矮星，最终塌陷成超新星，有的还成了黑洞。

如果整个银河系还欣欣向荣的话，几个大点的恒星发生裂变实在无足轻重。有观点认为，政治分裂的进程必然会带来超国家组织的增长，那么，经济全球化的同时也会出现政治全球化。

随着像欧盟、北美自由贸易区这样的超国家的贸易组织的成长，以及世贸组织（前身为关贸总协定）的影响力的增加，各国贸易保护政策渐渐减弱，这意味着越来越多的小国也能发展活跃的经济。换而言之，全球贸易自由化程度与国家的大小成反比。与此同时，国际货币基金组织和国际复兴开发银行（即后来的世界银行）则为这些新建立的国家提供资本。这两个组织虽有缺陷，但比起它们的前辈，国际清算银行的表现要成功得多。这只是这类组织中最知名的几个：1952~1984 年，世界上政府组织的数目从 123 个增加到 365 个。同时，我们也不能忽略日渐重要的国际性的非政府组织。据《国际组织年鉴》，这类组织在 1990 年有 6 000 个，现在约有 2.6 万个。自 20 世纪

80年代中期以来，世界自然基金会成员人数增至10倍，达到500万人，绿色和平组织的成员有250万人，国际特赦组织也有100万成员。有些评论家认为这些组织不过是西方新帝国主义的传教会，有的人则欢欣鼓舞，认为它们是国际民权社会的基石。

一些小国除了将经济政策和社会政策委任给这些组织外，它们还依附于一些军事组织，以提高自身的安全保障。20世纪90年代一些东欧国家热衷于加入北约组织就是证明。有观点认为，这些组织获得的权力越大，这些小国的主权就越是形同虚设。在展望未来时，乌托邦国际主义者心怀期待，而阴谋论者则忧心忡忡，他们认为新的时代即将来临，随着联合国的委任权扩大到人权保护，它届时将不顾国家主权对各国人权横加干涉。这最终将致使多民族国家分化成一个个自治区，从东帝汶到英国国内的各个族群，终于拥有一个个属于本族群的羸弱小国。

这种设想有一处硬伤，那就是大多数的超国家组织实质上都很薄弱。用金融术语来说，就是这些庞然大物，包括规模最大的联合国，本质上不过是侏儒。联合国、世界银行、国家货币基金组织以及联合国下属的各种计划署和机构等在1999年的营运费用合计为1 820亿美元，而美国联邦预算却是它的100倍。当有人想入非非，认为欧盟将会成为联邦超级大国时，心里也该算一下这笔账。欧盟在1999年的总开支占欧盟成员国生产总值不到1%，而欧盟各国政府的开支占到生产总值的48%。全球购买力依然集中在一些富裕的国家，这从美国拖欠联合国会费高达170亿美元即可看出。即便是国际非政府组织也比国际政府组织更为强大。世界贸易组织的年度预算为4 300万美元，不到世界自然基金会的1/4，牛津饥荒救济委员会的一半。

这也部分解释了联合国在扮演国际警察这个角色上成绩平平的原因。联合国通常被认为比它的前身国联表现稍佳，但国联也有成功之处，而且它当时所面对的问题更为棘手。在国联处理的66项争端中（其中有4个导致公开的对抗），它成功地解决了35个，又合情合理地将另外20个引导到传统的外交途径进行解决。只有11个争端无法解决，而不幸的是，这11个争端也最为严重。而联合国的成绩实际上也好不到哪里去，它之所以看上去好些，只是因为它没有碰上20世纪30年代的德国、意大利和日本那样的对头。“冷战”期间的大部分时间，联合国安理会的作用十分有限，至多也就是处理一些边界冲突以及一些小规模内战，进行一些停战干涉之类。只有1991年算是个例外，当时因为苏联正经受着解体的阵痛，安理会才有机会予以明确干涉，粉碎了萨达姆·侯赛因吞并科威特的图谋。自此以后，安理会的记录便差强人意。1992~1999年，经安理会授权，在索马里、波斯尼亚、卢旺达、海地、柬埔寨、阿尔巴尼亚和东帝汶等国进行了一系列人道主义干涉行动，然而在这些行动中，结局最好的充其量是没有效果，结局最糟的则带来灾难性后果。1993年在摩加迪沙行动中，美军遭遇惨败。1994年安理会增援在卢旺达的法军特遣队的行动也是一败涂地。1995年由于未能在荷兰采取有效行动，加上可能的阴谋，酿成了斯雷布雷尼察大屠杀。种种事例表明，联合国在迅速应对危机并予以有效解决上的能力甚是令人怀疑。

这些超国家组织能力之有限，从1999年发生的事件上体现得再清楚不过。那一年，南斯拉夫政府再次发动对科索沃的阿尔巴尼亚族裔的种族清洗。因为当时科索沃仍是塞尔维亚的一个省，南斯拉夫政府仍受《联合国宪章》的保护，不受外来干涉。《联合国宪章》的第二条第四款规定，“成员国……不得使用武力或威胁使用武力干涉任何国家的政治独立和领土完整”。在第二条第七款中又写道，“不得干涉任何国家的内政”。1970年在联合国大会上的《国际法原则宣言》中也有这样的条款，各会员国“无权以任何理由，对其他国家任何内政事务进行直接或间接的干涉”。根据《联合国宪章》的规定，各成员国只能使用武力进行自卫，或者经安理会明确授权后才能对侵犯事件采取军事行动（见第51款和第3章）。由于俄罗斯在安理会上投反对票，这样的授权总无法达成，这也是老故事了。

只有忽略《联合国宪章》（或者用托尼·布莱尔的话说，就是“在重要领域……对不干涉原则……进行修改”），北约为了科索沃的阿尔巴尼亚人的利益所采取的军事干涉才被认为是正当的。科索沃干涉行动也是诸多此类事件中的一件。1971年印度入侵巴基斯坦时，1978年越南入侵柬埔寨时，1979年坦桑尼亚入侵乌干达时，由于干涉行动，人权侵害才得以停止，而这些干涉行动都未经过联合国授权。西非国家经济共同体对利比亚的干涉在事后才取得联合国授权。而美国、英国、法国在伊拉克北部库尔德族居住区建立

“避难所”的决定也根本没得到联合国的授权。

能够预防对少数族裔进行大规模驱逐或屠杀无疑是件好事。不幸的是，只要有跨境移民，只要在经济领域表现出种族差异，这样的现象就会不断重复，无论世界版图刷新得多么频繁，无论切尔诺维茨的历史上演多少次。而历史经验表明，不要指望联合国对防止种族清洗起多大作用，它没有权力这么做，也不知道如何去做。解决这个问题，要看美国和它的盟国是否愿意奉献足够的资源，以便能有效地维护少数族裔的权利。我们将在最后一章看到，这点值得怀疑。

THE CASH NEXUS

第14章

扩张不足：经济实力的阈界

去吧，把你们的儿子流放在外

去为你们的俘虏服务

套上沉重的马具

为惊慌的化外之民服务……

——吉卜林

为什么美国如此强大？为什么美国没有更强大？

第一个问题许多评论家会用一个词来回答，那就是经济。保罗·肯尼迪在他那本影响深远的《大国的兴衰》一书中指出，“从长期看，生产能力和税收能力与军事实力之间有很大关系”。但他也提醒要避免“粗率的经济决定论”，他认为“地理条件、军事组织、国民士气、联盟体系……敌军情况……以及实战能力”都会影响军事行动的结果。但他再次坚持认为，“在争夺欧洲或世界霸权的主要联合战争上，战争的最终结果和各方可动员的物资两者之间有着密切的联系。胜利总是倒向经济生产力更强盛的那一方”：

> 事实证明，各国军事力量均势的重大变化，都是源于各国生产力均势发生改变。而各个国家在国际体系内地位的升降起落，则由重大国际战争的结果来确证，而战争的胜利总属于物质资源最为雄厚的一方。

因此，哈布斯堡王朝的西班牙、荷兰共和国、大英帝国、俄国以及美国地位的崛起都能从各国经济发展史上找到依据。而德国和日本在20世纪30、40年代妄图称霸世界的野心最终失败，也是基于同样的原因。

肯尼迪还认为，大国地位的下降也可从经济上找到原因。

> 财富通常是支撑军事力量的基础，而要夺取或保护财富又少不了军事力量。然而，如果国家将一大部分用于财富创造的资源用于军事目的，这种做法从长远看必将导致国力衰退。同样的道理，国家如果采取过度扩张的战略……则扩张所带来的利益有可能不足以抵消扩张需要的庞大开支。安全防护上开支过高会导致国家衰退。本该用于投资的资源被分流，从长远看将使国家陷入困境。

这个观点即是说，如果国家在战略上过度扩张，庞大的国防开支将挤占用于生产投资的资源，这必将导致经济产量衰退，长此以往，将既难以满足国民的消费需求，也难以维持它的国际地位。肯尼迪认为，“过度的军事开支会损害经济发展”这一论点“越来越确凿无疑”。

> 如今的国家隐伏着这么一个矛盾，即提高军事安全和提高经济安全之间的矛盾。经济安全的提高需要通过经济增长（经济增长则要依靠生产方式和财富创造方式的创新）、产量增长、内外需求旺盛等因素来实现，而这些可能因军事开支过度而受到损害。过重的军事负担将降低国家的经济增长率，导致本国产量的世界占比下降，从而本国财富的世界占比下降，最终致使本国的世界地位下降。

读者自然能想到，肯尼迪这番话针对的是美国，他认为美国已经“处于‘帝国过度扩张’风险之中了”。他指出美国在军事研究与开发上投入过大，相比之下，德国和日本却可以集中于民用产品的研究与开发。他言下之意是：德国和日本的军事负担相对较轻，因此在经济上迟早会超过美国。那么经济实力的对比关系互换将不可避免。他总结道：“对于‘美国是否能保住现在的位置’这个备受关注的问题，我的回答是‘不能’。”

做出这个结论，很大程度上是鉴于英国自19世纪后期以来所经历的帝国过度扩张和经济衰退。肯尼迪尖锐地指出“美国全球主要军事部署地图（20世纪 80 年代）”与从前的世界霸主英国于战略扩张高峰时在世界各地一系列战舰队和驻军基地的地图如出一辙。肯尼迪对美国的警告也呼应了维多利亚及爱德华时期的英帝国主义批评家的观点，他们认为英国在全球大部分地区用于维持海军基地、殖民地军队、殖民地政府津贴的费用，比英国可从中获得的利益要昂贵得多。其他有先见之明的经济历史学家也持相同看法，他们认为自由贸易同样可以为英国带来利益，而且不需要耗费采用正式帝国统治的开销。更重要的是，纳税人本可以通过爱德华时代的非殖民化，省下钱来用于电力、汽车和耐用品上，从而促进国内工业的现代化发展。

肯尼迪理论只是众多的霸权经济学理论之一。曼库尔 · 奥尔森在《国家的兴衰》（1982 年）一书中指出，霸权地位的盛衰取决于该国内在的政治经济结构，而不是外事参与。而在政治经济结构中，一些不利经济发展的垄断集团和代表特殊利益的议会说客遏制了本国的经济活力，因此和英国 20 世纪 70 年代停滞的经济相比，战后德国和日本的经济更为活跃，因为这两个国家的特权阶级在经历了独裁统治、全面战争和战败之后，已被扫除。由此便产生了一条有悖直觉的推理：即一个国家在军事上一时的失败，反而好过百战百胜。因此，奥尔森开出的决策处方是，废除一切代表特殊利益的法律或条例……加强反托拉斯法的力度，打击各种形式的垄断联盟，打击一切利用特权获得高额收益的行为。这样的处方由占领军实施要比通过正常民主步骤实行有效得多。

但是，这种霸权经济学理论尚无法告诉我们，通过这种自我平衡或循环机制，一个国家从经济繁盛获得霸权，随后又因过度扩张或内部僵化走向无情衰弱的过程到底有多长。在莫德尔斯基和沃勒斯坦的宏伟模型中，全球霸权的周期有个明确特征。根据莫德尔斯基的模型，自 1500 年以来，国际政治经历了 5 个周期，每个周期都出现一个海军强国，即葡萄牙、荷兰、英国两次、美国。每个周期又分 4 个阶段，即全球战争、世界霸权、权威消退、四方割据。而沃勒斯坦的模式，运用马克思资本发展论的观点，将自 1450 年以来的国际政治分为 4 个周期，每个周期中的霸权国家分别为哈布斯堡帝国、荷兰、英国和美国。每个周期也分为 4 个阶段：霸权上升、霸权胜利、霸权成熟、霸权衰亡。然而，和奥尔森一样，肯尼迪的观点也含带着政策意义，即各国政府应该尽量控制军事开支，避免因经济衰退而最终导致军事衰弱。

肯尼迪因为夸大美国在20世纪80年代面临的衰弱的危险而招致不少批评。但这些批评家没有注意到这样一个事实，那就是美国的政治家，甚至整个北约组织的政治家们，显然很重视这条忠告。如我们在第1章所见，自从肯尼迪的《大国的兴衰》面世后的那些年，西方大国的军事开支降低至历史最低水平。1997年主要西方大国的军事开支与国民生产总值的比例分别是：美国3.4%、法国3%、英国2.7%、意大利2%、而德国仅为1.6%，均为各国自20世纪20年代以来的最低值。而法国和意大利更是创下了自1870年以来的最低水平。与此同时，美国经济增长率显著上升，显示“冷战”后的“和平红利”已经实现。这是不是表明美国已经扭转了初露端倪的颓势呢？

这个问题的答案取决于三个方面：美国外交政策的范围，所遭到的国际抵抗的程度，以及美国如何利用它无可匹敌的经济资源。接下来的问题是，目前美国和它盟国所面临的扩张不足的风险有多大：即军事开支过低，以至于在状况频发的国际环境中无法实现外交政策目标。

在克林顿政府期间，美国外交政治的目标已经扩大到盟国（随着北约的扩大，盟国的数目也增加不少）以外的防御，包括平息某些政治敏感地区的内战，在某些国家偶尔动用一下军事力量来保护受迫害的少数族裔。无论这些外交政策目标背后的动机是什么，我们都有必要考虑一下西方近年来的裁军还能够在多大程度上有效完成这些目标。美国似乎并不缺乏经济实力，但如果不加以利用，实力仍只是潜藏着。这些目标的实现不仅需要有迅速将民用资源转化成军备资源的能力：将黄油换成大炮，就像从前媒体宣传的那样，或者将纳税人的钱换成一个个师，还需要在道义上下定决心，将军事资源用在刀刃上，有效震慑或击退那些美国外交政策的反对者。此外，如果外交政策不具备公信力，也就是在民主社会下没有得到民众支持，那么就算是哥利亚那样的巨人制定的外交政策，也会被牧羊人大卫轻易挫败，何况大卫那样的人还不止一个。

和平的幻象

如果战争爆发的可能性也相应下降，那么西方大国的裁军也无关紧要了。而根据自由主义理论的观点，现实情况也应当如此。因为战争不具备经济理性，当世界经济一体化的程度越高，战争就越不可能发生。

这种在自由经济世界中战争已然过时的论点可以追溯到 18 世纪。重农主义者弗朗索瓦 · 魁奈这样写道，如果说战争还能给古代的某些民族带来富裕生活，它只会使现代人陷入贫苦凄惨的境地。康德在他《永久和平论》一书中，认为“商业精神”是“战争的天敌”。亚当 · 斯密在《国富论》的结尾写道，弗兰德斯内战以及随后的西班牙政府扼杀了安特卫普、根特和布鲁日的繁荣商业。普通革命战争和政府轻易就榨干了靠商业活动积累的财富。正是基于这点，亚当 · 斯密对于重商主义者将自由市场运行置于大战略之下的政策深感不满。这种观点在 19 世纪得到普遍认同。尽管康德承认，在以往的世纪里，“在发明和改进军事器械上所作出的努力，对于工业进步也不是完全没有价值”。将战争置于工业发展之下，在康德看来是他那个时代的显著特征。对于理查德 · 科布登来说，和平和繁荣是相互促进的，他于 1842 年写的一篇文章的标题即体现了他这一观点，那篇文章的标题为“自由贸易是保障人类广阔永恒和平的最佳手段”。诺曼 · 安吉尔的《大空想》（1910~1911 年）是执著于这一理念的典范。照安吉尔的说法，战争从经济上说不具有理性：军备开支导致财政负担加重，又很难从战败国那里得到补偿，殖民地不能被当做财源。“靠什么来保证一个国家不会与另一个国家兵戎相见呢？”安吉尔问道，“靠的是国家间深厚的互相依存的关系，不止是经济上，而是各个方面，这样的话，一个国家对另一国家的不义侵略只会损害侵略国自己的利益。”

这种信念虽然屡遭失望痛苦的打击，但依然不乏生命力。就在 1999 年科索沃战前夕，英国的一期《展望》杂志的封面还配上了这么一个标题：“战争结束了？”这不禁令人想起 100 年前伊凡 · 布洛克的那句话——“现在再不可能有战争了？”托马斯 · 弗里德曼的《凌志车和橄榄树》中最自恃的一节或许是他称“与现代史上以往时期相比，在经济全球化的今天，保持和平可带来更多的利益，而制造战争只会导致更多方面成本上升”。为了支持他的观点，他提出了“预防冲突的金色双拱理论”，即没有哪两个都有麦当劳的国家之间彼此打过仗。他这本书于1999年5月17日出版，距美国和南斯拉夫共和国爆发战争不到两个月，弗里德曼显然没有注意到贝尔格莱德的街头麦当劳的广告铺天盖地。当然弗里德曼还没有诺曼·安吉尔错得那么厉害，至少现在还没有。不过他显然和安吉尔持相同观点，认为经济理性将降低战争的可能性。安吉尔至少活着看到这个信念被证实为不折不扣的大幻想。

20世纪的许多国家，无视自由主义者倡导的经济理性论，一次次走向战争，尽管打败的代价如此惨重，而战胜的代价也同样高昂。这种明显的短视行为，或许可以用“有限理性”来解释，即总是低估战争的成本，高估战争的好处。不过还有一种更合理的解释，对一个不民主的政权而言，战争的综合成本和远期成本通常不在考虑范围内，只要战争的直接好处都归统治阶级，而战争的代价由没有发言权的民众承担，战争自然成了十分明智的选择。

给战争一个机会

从独裁政权的角度看，战争费用能产生看得见的回报就是从战败国那里获得战利品、赔款或领土割让（领土可以扩大税收基础和自然资源），当然还有荣誉。有时获胜的回报高于获胜的成本，但只要战争的成本主要由那些没有投票权的低下层人民承担，成本大小也就无关紧要了。

据说奥托曼帝国的苏丹·苏莱曼皇帝的战争盈利占国家收入的近1/3，主要来自于被占领地区缴纳的贡金。法国革命后上台的政权靠剥削被占领地区作为主要收入来源，在该政权后期，它的收入账目里还添上了被占国荷兰缴纳的税金，该项占法国总收入的近1/3。1795~1804年，荷兰共支付了22 900万荷兰盾给法国，比荷兰一年的国民收入还高。拿破仑1806~1807年的战争收入不但能抵付战争开支，还承担了法国日常开支的1/3。意大利1805~1812年的税收，足足有一半流入了法国国库。19世纪的英国亦深谙战争的发财之道：1842年的英国国防预算有40%可由《南京条约》中中国赔偿的 580 万英镑来抵补。帕默斯顿甚至在众议院大言不惭地说战争已经盈利了。俄国先后在 1829 年、1878 年、1882 年与土耳其签订的合约中，也压榨到一次比一次多的钱，所获赔款占俄国国防开支比分别为 9%、42%、115%。但最后那个数字与 1895 年日本从中国捞到的钱比起来仍相形见绌。日本获得的赔款相当于当年军事开支的 3 倍以上，也是那次战争费用的两倍。

不过，将靠战争发财的艺术发挥到极致的还属普鲁士。如米拉博所言，它使战争成为“国家产业”。早在腓特烈大帝时期，就曾用这个手段于 1740~1745 年从奥地利手中夺取了矿产丰富的西里西亚，虽然为了保住这个省，普鲁士在接下来的 7 年战争中付出了沉重代价，但西里西亚在此后的 200 年替普鲁士创造出可观的产业回报。1866 年俾斯麦对德意志联邦的胜利基本也可以收支相抵：它那年的军事总开支最多为 1.11 亿泰勒，而战果除了吞并了霍斯坦、汉诺威、黑森–卡塞尔、拿骚和法兰克福外，还获得了奥地利价值 4 000 万泰勒的赔款，又从萨克森拿到 1 000 万泰勒，从法兰克福拿到 5 万泰勒，从罢黜的汉诺威国王那里没收了价值达 1 600 万泰勒的财产，从符腾堡得来的赔款数目只比这略小一点。整个 19 世纪获利最丰厚的战争要算得上是 1870 年普鲁士率领的北德意志联邦对法国的战争了，根据 1871 年签订的和平条约，法国支付了高达 50 亿法郎的巨额赔款，相当于法国国内生产总值的 1/4，或是普鲁士上年国防预算的 4 倍，此外法国还要支付 2 亿法郎作为巴黎的赎金，并承担法国北部诸省占领军的费用。

这类战争的收益（按 20 世纪的术语应该称为赔款）给战败国带来的不仅是羞耻，还有艰难的处境，但它在大多数情况下还不足以抵过战胜国的战争费用（更不用说赔款到手还得费不少力气）。奥古斯丁时期的罗马帝国，其收入的 1/3 来自埃及、叙利亚、高卢和西班牙缴纳的贡金，而这一时期罗马军队的维护费用就耗掉了年收入的一半。1548~1598 年，在美洲的西班牙征服者收入达 1.21 亿达克特，占卡斯蒂利亚收入的 12%~14%，但同时西班牙在本土外的战争年费用就是这一收入的 4 倍。单只是与荷兰的战争一年就要耗去 2.18 亿泰勒。在西班牙继位战中，法国从被占领土地上收缴的贡金还不到其军队费用的 2/5。法国大革命战争和拿破仑战争中的所得的收益也被 1812~1815 年战败的高昂代价消耗殆尽。据最新统计显示，滑铁卢战役后，获胜的英、荷、普联军强加给法国的赔款和其他费用将近180亿法郎，相当于法国国民生产总值的1/5。虽然赔款数目巨大，但只占法国的敌人先前20年战争费用的一小部分，赔款额若折算成英镑，则为7 800万英镑，也就比英国在1793~1815年资助大陆盟国的6 600万英镑略多一些。

在20世纪的战争中，战胜国所获赔款远不及战争的费用。根据1918年布雷斯特–里托夫斯克停战协议，俄国需向德国缴付14亿美元的赔款，数目不小，但相对于德国200亿美元的战争总成本而言只是杯水车薪。在1921年的伦敦最后通牒中，获胜的协约国终于下定决心，要求德国赔款310亿美元，不过像凯恩斯这样务实的人认为能得到120亿美元就已经很不错了，即便是这个较低的数目也占到德国国民生产总值的80%。然而在战胜国至少580亿美元的战争费用中，这笔赔款只占很小的比例。毫无例外，这两个战胜方谁也没能得到足额的赔款。德国从1919年到1932年停止偿付为止，总共支付了不到45亿美元（根据后来的杨格计划，德国理应继续偿付，到1988年付清）。这笔赔款还远远不够协约国自己尚未还清的美国贷款，这反映出德国善于装穷，而协约国又心太软。

而一战的经历并未让德国、日本和意大利打消念头，它们在20世纪30、40年代又开始新一轮的土地和金钱上的掠夺。先是日本占领了中国东三省，后是德国占领了欧洲大陆大部分地区。它们对占领区大肆掠夺的程度称得上史无前例。从占领区盘剥来的收入与德国国民生产总值的比例不断攀升，从3%升到1943年16%的最高点，但这仍无法满足德国的战争经费需求。协约国因为太过宽容未能在1918年以后要回德国的战争赔款，而德国却压榨太甚，所到之处各地经济日渐委靡。另一方面，纳粹头目（尤其是戈林），却靠着对国内国外敌人的掠夺，攒下巨额私人财富。这些独裁统治阶级只想着及时行乐，即使对最后的战败也无动于衷。因此独裁政权的气数总比宪制国家的短。如果说有人拼命寅吃卯粮，那就是这些总把“帝国万岁”挂在嘴边的人。

西方大国吸取了20世纪20年代赔款问题上的教训，1945年放低了标准：只要求战败的轴心国赔偿70亿美元。而美国在这次战争中的费用总计达2 750亿美元，不必说英国910亿美元的战争费用了。美国认为援助西欧（包括德国）和日本战后经济重建是为长远考虑：马歇尔计划是个罕见的“倒贴赔款”例子。

对于民主国家来说，历史的教训很清楚，那就是战争没有好处。战后获得的赔款总比不上战争的经费开支。如果战后的目标是安抚，或者使战败国走上民主化道路，最可取的方式是予以资助，而不是施以惩罚。但对于独裁政权来说，又另当别论。明知道吞并科威特的代价高昂，也没能阻止萨达姆试一试。和 20 世纪三四十年代的独裁者一样，萨达姆会毫不犹豫地将他冒险失败的损失转嫁到人民头上，只要他和他亲信们的物质生活不受影响。他们的确没受到影响，因为不像希特勒或墨索里尼，萨达姆的政权没有垮台。

胜利的机会

非民主国家不断制造战争的一个深层原因在于，军事上的结果并不是严格由经济上的比较优势决定的。事实上，可以通过高明的战略、出色的指挥和得当的战术来弥补经济上的劣势，同样有效动员国民士气也起着不小的作用。从战争中可以清楚地看到，军事实力绝非由经济实力来决定，尤其是在短期。战争迫使和平时期的领先者在一套不熟悉的规则下去竞争。而在战争中，破坏能力要比建设能力更重要，至少在战争初期如此。这也正是战争吸引和平时期的落后者的地方。

最知名的现代战争最后无疑都是占据经济优势的一方获胜。法国革命战争和拿破仑战争、克里米亚战争、美国独立战争、一战以及二战朝鲜战争中，最后总是世界总产量份额更大的那方取胜。最近发生的战争也能被归入这一类，比如福克兰群岛战争、海湾战争、科索沃战争。这些战争的结果似乎都印证了肯尼迪在《大国的兴衰》中的假设。不过只要想想法国在越南的惨败，美国和中国，还有苏联在阿富汗的惨痛战争经历，就会发现这条规则也有例外的情况。

18 世纪的多数时候，英国的经济似乎都比不上它的头号敌人法国。据现代的估计，1788 年法国的国民生产总值是英国的 2 倍多，而人口近英国的 3 倍。英国尽管经济处于劣势，但相比对头法国，它能以相对更低的费用来动员更多的人力和舰船。英国战舰数量和法国相比，从1780年的1.3 ：1增加到1810年的3.5 ：1。这在很大程度上要归功于英国出色的财政体制。

19世纪也有类似的例子。1866年奥地利率领的德意志联邦武装人数是普鲁士和它唯一盟国梅克伦堡合计人数的两倍多，公民人口是普鲁士的两倍多，军事开支是普鲁士的4倍，然而普鲁士赢了。有人将普鲁士的获胜归结于经济方面的因素：普鲁士拥有发达的铁路系统和更高的钢铁产量。但这些因素在克尼格雷茨会战中并没起到多大作用。同样在1870年，法国在军事人口、公民人口和军事费用上均比德国占优，但法国输了。日俄战争中，俄国经济优势明显，军事开支是日本的2倍，人口是其3倍，能源耗量近日本的4倍，军事人口是日本的9.5倍，钢铁产量是日本的32倍，但日本赢了。

我们也不该忘记两次世界大战中，在击溃和战胜德国和他盟国上所取得的成就。当然德国和它的盟国最终失败了，然而，它们显示出的强大破坏力提醒我们，经济上的劣势可以用高明的军事指挥和切实有效的动员来弥补。万幸的是胜利没有站在造成那么多人伤亡的那一方：同盟国在两次世界大战中的伤亡人数都比轴心国高，虽然它在经济上占据优势。

一战爆发时，协约国与轴心国之间在国民生产总值上相差了60%，用肯尼迪说的“工业潜力”衡量，则比率为1.5 ：1。双方人口比例是4.5：1。此外，德国的净国民产值在战争中缩减了约1/4，而英国和意大利在1914~1917年的经济增长达到10%。而俄国的产量在1916年前的3年里上升了20%。虽然英国的工业生产指数下降了13%，但德国的相应数字下降了31%，德国的钢铁产量下降了14%，而英国增长了25%。1914~1918年德国的粮食产量锐减了近一半，而英国则有所增加。这部分得益于英国的海军封锁，并干涉德国和中立国之间的贸易，减少了德国的进口（包括肥料的进口），而德国潜水艇对切断英国的进口却没能达到同样的效果。德国还失去不少商业船只和外国投资。得不到国外的资金，国内的资本市场又相对低迷，德国只能比英国更依靠通过印钞来为短期债券融资，从而使货币扩张更为严重。可以说轴心国的失败从经济上说是不可避免的。

然而并不能因此预知一战的结果。德国及其盟国造成的敌方士兵伤亡比己方的士兵伤亡多35%，伤亡差距达140万人。他们的军事优势足以击败塞尔维亚（1915 年）、罗马尼亚（1916 年）、俄国（1917 年）。法国士兵在 1917 年即将发生哗变时，英国不得不在经济上，并最终在军事上求助美国。这很大程度上是由于德国的军事优势，但这一军事优势正被慢慢痛苦地消耗掉；另一方面也是由于德国能够在后方对全面战争做出迅速反应。德国比它的敌手更为有效地组织安排劳动力。英国安排强壮的熟练工人到前线当自愿者，但不像德国那样将很多妇女投入劳动。德国在劳动力管理方面也做得更好：薪资增长没有超过产量的增长，罢工造成的工作日的损失也更少。最后，虽然德国皇帝有种种不足之处，但帝国政权一直到战争后期，在大部分被统辖的人民眼里仍是合法政权。直到 1918 年 8 月，确知德国不可能赢得战争的时候，德国的士气才开始涣散。这一变化体现在被英军俘虏的德国士兵人数增至 10 倍。此后不到 3 个月，德国国内，也是德国历史学家强调的德国最关键的薄弱点，发生了革命。

在二战中，通过动员手段来弥补经济劣势的特征更为明显。虽然在 1939 年，后来成为同盟国的国民生产总值比后来的轴心国要高出 40%，人口是后者的 1.7 倍，但是和一战相比，轴心国在二战中实现的地域扩张更大，制造的敌方士兵伤亡和平民伤亡更多，抵御同盟国的时间更长。这些战绩只能从某些经济角度来解释。虽然德国在二战期间的经济有所增长，不同于 1914 年后德国经济衰退的情况，但德国的经济增长速度远不及美国。此外在军工制造上，和同盟国相比，轴心国也处于全面落后，比率从 3 ∶ 1（步枪和机关枪）到 5 ∶ 1（迫击炮和主要海军战舰）。和一战一样，德国在二战期间也比英国更依赖于通过印钞来为短期债券融资，这也加剧了通货膨胀压力（战时英国的通货增至 2.6 倍，而德国增至 7 倍）。只有 1944 年，德国官方公布的生活成本指数增幅低于英国，这完全是因为德国通过铁腕手段对价格实行强行控制的原因。

然而，在二战中轴心国造成的同盟国士兵伤亡人数是己方的 2.5 倍，伤亡差距达 800 万人。如果将平民伤亡也计算在内，轴心国的杀戮更是惊人：同盟国的平民死亡人数是轴心国的 8 倍多。同盟国的总体伤亡人数是轴心国的 5 倍，伤亡差距达 3 800 万人。此外，如理查德 · 奥弗里所言，没有一个理性客观的人能够在 1942 年初期预卜到战争最后的结果。当时轴心国由于掠夺和侵占，国民生产总值达到战前同盟国水平。在人口上轴心国稍劣（比同盟国少 20%，但领土周边地区的动员能力比同盟国强）。虽然同盟国占有世界土地的面积比轴心国大（双方领土面积比率为 6 ∶ 1），但在有决定意义的东线战场，德国在 1941 年和 1942 年连续两年在经济上领先于苏联，而这一阶段战争中的军事技术双方并无明显差异。

轴心国（意大利除外）的强势又要体现在军事上：轴心国在更早时间动员了高比例的人力物力，并充分利用了在指挥作战和战略战术上的优势。暴风军团战术；步兵、炮兵、坦克和空军之间有效地协同作战；深度防御；有弹性的指挥链，这些因素使得德国（其次是日本）能够在欧洲和亚洲战争的初期战胜经济上处于优势的对手。他们不只是动员战斗人员，德日还在战争中比英美动员了更多的妇女作为劳动力（1944 年德、日、英、美的劳动妇女占比分别为 51%、42%、31%、30%）。此外，希特勒在提高战争经济效率方面也极为突出，即便在英美一次次的轰炸下，德国 1944 年的实际国民生产总值仍比 1938 年提高了 25%。另外，第三帝国公信力的维持时间也比第二帝国更持久，但德国 1944~1945 年在多大程度上是依靠逼迫而不是通过鼓动（激起民众自发的热情）促使民众上战场的这个问题，仍存在争议，1941 年之后的几年间，判处死刑的案例剧增，其中民事法庭有 11 000 例，军事法庭有 20 000 例，这意味着德国在未能打败苏联后，加强了高压手段，虽然这一时期被德国判处死刑的人，很大一部分是来自国外的劳役，而不是“普通的德国民众”。

二战期间极权国家在军事上的表现，很好地展示了经济、军事、文化的全方位动员所能取得的成效。在至关重要的东线战场，实际上是由另一个极权政权打败了第三帝国。当然，如果不是英美的空军和陆军在西欧战场的浴血奋战，苏联也很难最终取得对德国的胜利。但值得一提的是，美国在 1942~1945 年提供给苏联的经济援助才占苏联净物资生产的 5.6%，单纯从经济角度讲，这两个政权实力相当，尤其是在 1942 年，苏联的国内生产总值尚落后德国 20%，但它终于苦战获得了胜利。

独裁政权似乎比民主国家在战争中更占优势，从短期看，它虽然不能从整体上消除经济上的差距，但至少可以有效地缩小差距。它似乎能够在平民和军事人员上做出更大的牺牲。德国由于资源差距过大，加上战略缺陷过多，在两次大战中均败北。但我们不能否认这种不人道的动员方式能够弥补经济上的劣势，并且也有取胜的可能。

民主带来的和平

综上所述，人们很容易推断出，光靠经济上的自由主义并不能消除战争，而民主化同样也有必要，因为从理论上说，民主国家比独裁国家更不容易走向战争，这种观点可以追溯到启蒙时代。康德曾说过："在共和政体下，如果开战与否要经民众同意，那么民众就会颇费踌躇。因为开战无异于祈求将战争引起的种种不幸降临到他们头上，比如亲赴前线、从自己的资源中挤出战争的费用、痛心修补战争带来的破坏……还得亲自担起债务的重担，债务使到来的和平如此苦涩，而且债务永远还不清，因为又会有新的战争威胁。"不过独裁者不会这样考虑，"因为国家的领袖不同于普通人，他是国家的拥有者，战争不会让他做出什么牺牲。他只操心舞会能不能照开，狩猎能不能继续，他的宫殿和朝廷能不能保得住"。康德强调他的论点只适用于共和政体，而非民主国家。但是当代研究者却倾向于模糊两者的界限，换句话说，民主国家"受代议制约束"。

毫无疑问，国防费用与国民生产总值的比例大小和民主有很大关系，民主程度低的国家在军事上的开支更高。如果以成对的国家为单位来做分析，那么战争在两个民主国家之间发生的可能性似乎比民主国家与专制国家之间要小。基于这一点，可推断"如果未来所有的国家都成为民主国家，世界上的战争无疑会减少"。但是，如果取单个国家进行研究，那么民主国家和专制国家的战争几率是一样的。也有证据显示，两个专制国家之间，和两个民主国家之间一样，更倾向于避免彼此之间的战争。"民主带来和平"这一理论与事实不符之处在于，民主化早期的国家尤其容易卷入战争。对此有一种解释是，民主往往与政治分裂有关，如我们上一章所见。这种"民主带来和平"论点所面对的关键性难题是，民主（见第 12 章图 32）与战争次数（见第 13 章图 36）之间找不到任何相关之处。

军国主义的好处

军事侵略不能绝迹的一个理由是，高额的军事费用不一定会损害经济，这点肯尼迪曾提出过。但是支持他这一观点的经验数据相当少。

肯尼迪在他的书中以注脚的形式，就他说的“高额的军事费用”下了一个更精确的定义。他说，“历史数据表明，如果一个国家在较长一段时期内将国民生产总值的10%用于军事开支（在一些结构不均衡的国家，这一比例为5%），这么做可能会限制该国的经济增长”。大英帝国1760~1810年的平均军事开支占国民收入的11%，超过了肯尼迪的阀限，但它就是在这个时期成为“第一个工业化国家”。肯尼迪本人也承认，更让他困惑的是，英国在经济上和战略上初显颓势时，它的国防开支相当低。他对英国20世纪上半叶的战略给予的批评中，也有自相矛盾之处。一方面，他批评战争期间历届政府的国防开支过低，“控制这地球上1/4的土地，但国防开支仅占生产实力和战争潜力的9%~10%”。另一方面，他又一再抨击他所谓的“英式的战争方式”，即在欧洲战争中依赖“殖民地军事行动，海上封锁，突袭敌方海滩”，而不是让军队深入大陆作战，“英国所采取的军事战略，看上去省钱……但往往收效不大，有时还会带来灾难性后果……从人力和财力上看，大陆军的花费更高，但它有助于维持欧洲的均势”。从他的观点中我们很难看出英国政府到底应该怎么做，有些政府因为国防开支高而受到抨击，另一些政府却因为国防开支低而受到指责。

另外值得一提的是，20世纪的美国，经济最繁荣的时期（按实际国民生产总值增长率算）不是发生在大肆吹嘘的克林顿时代，而是发生在二战期间。美国经济在1942~1945年的年平均增长率为7.7%，比1995~1998年高出两个百分点。而美国从1942~1990年，除了1948年和1976~1979年之外，其他各年的国防费用都超过国民生产总值的5%（虽然低于肯尼迪为结构性强国限定的10%的上限）。无论英国还是美国，从长期看，国防支出占国民生产总值的比率与经济增长的关系，不管是正相关还负相关，都找不到最终统计上的相关性。即便算是有关联，从美国的例子上看也隐隐地呈现为正相关。另外，即使将 5 年或 10 年的时滞考虑在内，同样也无从看出两者之间的相关性。

最后，对 1990~1997 年各国国防预算与经济增长之间关系进行的全球性调查，其结果显示两者只呈现极轻微的负相关。在接受调查的 59 个国家中只有 4 个国家的国防预算超过国内生产总值的 5%，其中一个国家（俄罗斯）的经济为负增长，另有两个国家的经济增长率低于全球平均水平，而以色列的国防开支虽占国内生产总值的 9.7%，稍低于肯尼迪的阀限，但经济增长率却达到 5.8%，是全球平均水平的两倍。

苏联解体后，肯尼迪对他的观点稍加修正，他在《为二十一世纪作好准备》一书中提出，真正的问题不在于高额国防开支是否会导致经济下滑，而在于经济机构的问题。他说，“如果经济活力旺盛，产业基地繁荣，技术先进，研发投资踊跃，经常性项目收支平衡，没有外债负担，那么该国经济机构良好，可以配以 3%，6% 甚至 9% 的国内生产总值在国防上”。肯尼迪认为美国经济结构状况良好，但他接着又补充了“一个极为重要的事实”，即自 20 世纪 50、60 年代以来，美国经济增长一直相当缓慢，并将 60 年代平均超过 4% 的年增长率与 1991 年可怜的 –0.5% 作了鲜明对比。但是，一份最新的数据表明，美国在 20 世纪 90 年代的年平均增长率是 3.3%，比 70 年代（3.2%）和 80 年代（2.8%）要高。

但是认为 20 世纪 80 年代的苏联由于过重的国防开支最终导致经济崩溃的观点，仍得到许多人的认同。是苏联而不是美国经历了过度扩张，这至少在表面上看是合情合理的。我们在第一章中提到，苏联在 20 世纪 80 年代中期国防开支占国内生产总值的比率高达 16%，而同期美国的相应比率仅为 6%。甚至有人认为正是罗纳德 · 里根政府时期增加国防开支，使苏联突破了可持续的国防开支的限度，最终促成西方在“冷战”中的最终胜利。如果真是这样，那么里根的政策获得了巨大回报。但称之为“和平红利”不太合适，因为赢得胜利的是鹰派而非鸽派。简单的计算足以说明这点。1981~1989 年，在里根和布什的总统任职期间，美国平均每年国防预算为 3 780 亿美元（根据通货膨胀略有调整），比卡特任职期间高出 1 000 亿美元，这种增加使得里根政府的批评者和美国衰退论的预言家们忧心忡忡。但在 20 世纪 90 年代，实际国防开支又回落到了 2 700 亿美元（1998 年数字），这很大程度上是因为苏联和华沙条约组织的解体。假如是五角大楼的消耗战致使苏联后来陷于内外交困的境地的话，那么里根政策的实际费用则要低于 20 世纪 80 年代公布的数字。政策的改变使美国一年多花了 700 亿美元，不到国内生产总值的 1%。如果这样做能多方面打击里根所称的“邪恶帝国”，代价不算太高。

同样也有观点认为，苏联解体是因为它内部的矛盾，而不是里根的国防开支。当然，里根的战略防御措施在其中起的作用并没有他设想的那么大。事实上，在东欧展开一场对德国的全面常规战争时，实行计划经济是一种不错的模式。但要和遥远的美国展开一场军备竞赛的话，这种模式则未必有效。苏联认为一旦他们的导弹弹头取得优势，就可以打赢一场“热战”。在和纳粹德国的战争中，这一政权证明了自己承受得起数以百万计的平民和军队的伤亡；如果发生“热战”，它所面临的公众要求和平的压力也要小于美国，大规模人员伤亡在苏联已经不是第一次，而美国却从未经历过。不过不愿冒核战争的风险迫使苏联与美国展开了一场前途未卜的军备竞赛。在这种情况下，优势并不属于能在短期内实现最大军事动员的那一方，因为那只是打赢“热战”的关键，而“冷战”获胜的关键在于能够在长期内耗费得起军备的高额开支，同时又不会抑制民用消费、降低人们的生活标准。

1950~1974 年，苏联的实际国内生产总值增长率和美国不相上下，事实上在 20 世纪 50 年代、60 年代后期甚至高过美国的增长水平。但从 70 年代中期开始，苏联经济增长开始滞后。而我们知道，相对于美国在 80 年代的经济增长，高额的国防费用带给美国的负担越来越轻。而随着军备竞赛的升级和计划经济的停滞，苏联的军费负担日益加重。简而言之，1980~1989 年，美国的实际国防开支增加了 50%，人均消费水平增长超过 20%；而苏联的实际国防开支增加了 15%，人均消费水平增长了仅 5%。究其原因，部分是因为苏联的这种体制无法从军事研发中获得派生利益，即军事技术不能转化到私营部门，事实上也没有私营部门可言。戈尔巴乔夫原指望能缩小东西方经济、技术上的差距，决定在经济“重建”上放手一搏，不料却引起计划经济生产的崩溃。他同时采取的政治“透明化”结果也功败垂成，只能说明这种体制已经失去了公信力。由此看来，里根政府的国防预算可以看做是美国体制优势的象征，但不能算是使苏联解体的原因。这也说明了高额的军事费用本身并不会损害经济。在适宜的情况下，增加在国防科技上的公共开支与增加消费并不冲突：这是大炮加黄油的神奇组合，更精确地讲，是导弹加麦当劳。

美国和苏联这两种制度并不像当时一些评论家预想的那样趋于一致，而是更趋分化，这种分化可以从财政角度上来解释。回到第 4 章的主题，美国政府享有一项巨大优势，那就是能够通过公开发售国债，来为不断上涨的军事费用筹措资金。里根任期内联邦债务的大幅增长也许让那些过度扩张论的预言家们担心，但它也不失为支付上涨的国防费用的方法。发行国债可以“摊销税收”，从而避免造成经济扭曲。肯尼迪忽略了美国可以在财政上轻松应付债务负担。在 1991 年债务高峰期，美国政府的净利息支付仅占国内生产总值的 2.2%。与此形成对比的是，苏联在 1957 年暂停了国债发售，而更多依靠容易造成经济扭曲的方式来支付上涨的国防费用（比如以赊购方式购买国有企业商品，或是对普通储户实行强制性借款）。这些方式致使经济盈利性下降。在戈尔巴乔夫的领导下，苏联终于转向国际市场时，不得不支付高额的风险溢价（当债权人后来付出沉重的代价后才发现当初的风险溢价还不够高）。英国对大革命之前法国的胜利就是一则很好的例子。在每个例子中，公债市场发达的国家掌握更丰厚的资源，因而能够以相对低廉的成本维持其军事开支。

防患于未然

在对国防开支做成本效益分析时，不能只是将军事预算带来的负担和军事研发所带来的派生效益做简单相加。因为评估某一特定的国防政策的经济价值时，比较一下实际成本和潜在成本是很有必要的。在历史分析中，采用“反事实法”更有助于解答这类问题。过去人们曾就英国强权下的世界和平与美国强权下的世界和平作了比较，下面我将重点谈谈英国和美国。

真如当时的自由主义者所说，大英帝国是“浪费钱财”的吗？似乎并不是这样。有理论认为，采取大英帝国贸易同盟方式所获得的利益不如采用开放式的国际贸易。理论上这是对的。但是这种“开放式的国际贸易”并非天然的贸易方式。有人坚持认为英国本可以在1846年后从大英帝国体系中全身而退，这样既不受损失，还能缩减军事开支，节省下25%的收入。但是，在19世纪末20世纪初，英国的竞争对手纷纷采取对英实行贸易保护，英国霸权面临着前所未有的挑战。如果英国放弃对殖民地的正式帝国控制，将导致这些地区对英国的出口商品征收更高的关税，或者采取其他贸易歧视。这种说法并非空穴来风，有事实为证。美国和印度独立后，均实行高度的贸易保护政策。英国的对手法国、德国和俄国在1878~1914年也采取了同样的政策。从预防这种贸易保护的侵害角度看，英国在一战前的军事预算只能算是最低的保险金。而推行强制性的自由贸易可获得的经济利益达国内生产总值的6.5%。(这个问题还可以从另一个角度看，20世纪30年代贸易保护主义更为盛行，我们不妨考察一下英国在这10年间通过大英帝国体系获取的利益：英国对英联邦国家及后殖民地的出口额占比从44.4%上升到47.6%，从这些地区的进口额占比从30.2%上升至39%。）此外，英帝国在1914年前的国防负担相当低（见第1章)：英国在1913年的国防费用只占净国民产值的3.2%，比俄国、法国、德国和意大利都低。

而另一方面，由于德国在1914年侵略欧洲大陆时，对英国利益构成的威胁相当有限，因此很难说英国花在一战上的钱是否值得。一战前的10年间，英国政策的重大缺陷就是，它看到了德国对欧洲大陆的威胁，要遏制这个威胁，唯一可取的办法就是创建庞大的陆军，但英国并未为此作过太大努力。军队还没训练好就匆匆上了战场，边打仗边琢磨现代的陆地战该如何打，因此在这4年中，英国付出了昂贵的代价。征兵制在早些年被否决了，不是因为费用，这方面英国完全承受得起，而是受自由主义理论的影响，若不是征兵制的否决，英国在1914年很有可能可以吓退德国的进犯行动。

英国参加二战的成本有必要与假设英国战败了或和德国讲和所需的成本做一比较。根据我们了解的希特勒的全球霸权计划，英国在1939~1940年寻求和平解决、扭转局势的设想完全不可能实现。如果在1938年希特勒入侵捷克后，英国能够更早一些做出反应，并以战争相威胁，这样做或许比捷克斯洛伐克被瓜分以后才在1939年做出对波兰和其他东欧国家的最后通牒的效果要好一些。那些替张伯伦辩护的人谁也没有令人信服地指出，当时政府只有绥靖政策这一条路可以走。他们的说辞中最没说服力的是，在国防上开支过高会引起经济动荡、劳动力短缺，以及其他种种问题。1937~1938 年，英国的通货膨胀情况略有好转，通货膨胀带来的危险，相比 1939~1940 年德国在欧洲大陆节节胜利，而英国完全置身事外的危险而言，完全是微不足道的。绥靖政策最大的错误是认为它是在“为争取时间而拖延”，试图先在一段时期内扩大英国对德国的相对优势，事实上从签订《慕尼黑协定》到战争爆发，德国也在同步壮大，某些情况下它壮大得更快（比如《苏德互不侵犯条约》的缔结）。

20 世纪英国的军事威慑力不够，以至于它的外交政策不时被打乱步伐。无论是 20 世纪初还是 30 年代，英国都没能让德国与其盟国相信，与英国开战的风险是很大的。而英国出现这种问题的根源在于“扩张不足”，也就是说它在国防上面的花费还不足以威慑可能的侵略者，导致几年后，不可避免地要展开一场耗资更多的全面战争（福克兰群岛受阿根廷侵略之前也是类似的情形，只是规模较小）。如果英国的各任政府愿意在国防上多投入一些，威慑潜在的敌人，英国也许不会在 20 世纪衰败得那么快。英国若不是在两次世界大战中损耗了国力，也不会被迫削减国防开支或进行非殖民化。

英国由于扩张不足致使军事脆弱，这对今日的美国来说有什么借鉴意义吗？当然这两大强国有着根本性的差异，第 10 章曾指出过其中几点。英国是个资本输出国，美国则是资本进口国。英国把它“抚育的精英送走”，而美国却吸纳移民。

在可预见的将来，很难想象会有哪个国家对美国发动直接攻击，但针对美国各个城市进行恐怖活动的可能性却比较大。美国哪怕大幅缩减国防开支，仍是世界上唯一的超级大国。在经济和军事技术上无可匹敌。美国的国防预算是中国的 14 倍，是俄罗斯的 22 倍。真正问题在于，有没有国家可能攻击美国的盟国，或使用暴力威胁到任何一个可能危及到美国利益的地方。基于这种背景下，自 20 世纪 80 年代中期以来，美国、欧洲各国以及苏联一直在裁军，而某些地区的国家在重整军备就显得意味深长了。根据斯德哥尔摩国际和平研究所的统计，自 1994 年以来，出口到东北亚和中东地区的武器数量有明显增加，某些亚洲国家拥有核武器（如中国、印度、巴基斯坦），伊拉克一直拒绝联合国对它的生化武器进行调查。据五角大楼估计，至少有 20 个国家拥有短程或中程弹道导弹。

比较一下过去 10 年中各国的军事预算（见表 25），世界军事均势的转变也就一目了然了。表 25 所反映出来的东西方的差别很耐人寻味。北美、欧洲和前苏联国家自 1989 年以来国防开支有显著下降，美国的军事预算下降了 1/3，英国为 1/4，俄罗斯的降幅则超过 90%。美洲国家中，包括没列入该表的较小的国家，只有墨西哥和巴西军事开支有所增加。在欧洲只有芬兰、希腊和土耳其的军费有所增加。但在中东，除了埃及和阿曼，其他各国都增加了军事预算，尤其是伊朗增幅达 70%。这种趋势在亚洲的主要强国中尤为明显，中国的军事预算增加了 70%，而新加坡则超过 100%。

表 25　世界主要大国（及地区）的军事开支（单位：百万美元，按 1995 年价格和汇率计）

	1989 年	1998 年	变化百分比
美洲			
美国	373 618	251 836	–32.6
加拿大	10 965	6 999	–36.2
巴西	9 220	13 125	42.4
欧洲			
法国	52 099	45 978	–11.7
德国	53 840	38 878	–27.8
希腊	5 001	6 211	24.2
意大利	22 846	22 809	–0.2
荷兰	9 907	7 859	–20.7
俄罗斯	240 000	11 200	–95.3
西班牙	10 164	8 241	–18.9
瑞典	5 345	5 337	–0.1
土耳其	4 552	7 920	74.0
英国	42 645	32 320	–24.2
亚洲			
中国	9 900	16 900	70.7

（续）

	1989 年	1998 年	变化百分比
日本	47 409	51 285	8.2
韩国	11 253	15 042	33.7
中国台湾	8 886	10 620	19.5
澳大利亚	7 320	8 299	13.4
印度	7 756	9 842	26.9
中东			
以色列	7 515	8 540	13.6
沙特阿拉伯	14 912	17 142	15.0

增加国防费用并不一定增加战争的风险。要是两个可能的对手间，双方都增加军事预算的话，这种增长就意味着相互抵消。1989 年以后，大多数北约国家和前华沙条约的国家纷纷裁军的趋势十分明显，而相同的情况没有发生在亚洲，原因就在于此。另外，该表只是列举了世界上军事开支最大的国家，要在较小的国家中作同样的统计，一些重要的地区差异便会显现出来。在非洲，阿尔及利亚、博茨瓦纳、布隆迪、乌干达等国都增加了国防开支，而埃塞俄比亚、南非和津巴布韦则被列入国防开支减幅最大的国家之列。在拉丁美洲，巴西和墨西哥的国防开支增加，而智利和阿根廷则有所减少。还值得一提的是，关于那些多数的“不合作国家”，比如利比亚、伊拉克、塞尔维亚和朝鲜，无法得到它们国防开支的可靠数字。

科索沃的维和成本

如果上述这些地区差异不是发生在美国扩大外交政策范围的时候，也许不会显得这么要紧。这种认为美国与其盟国有权对别的国家进行军事干涉，以保护该国受迫害的少数族裔的观念，意味着美国作为“全球警察”角色的加重，那么美国担当得起这个角色吗？

要回答这个问题，先要计算一下1999年将塞尔维亚人赶出科索沃，让阿尔巴尼亚人回来总共的花费。这笔费用事实上并不是很高。《简氏防务周刊》的分析家认为，多国部队共出动了3.6万架次战机，投下了2.5万枚炸弹，集结了近5万陆军，北约为此共花费了48亿美元，平均每天花费6 200万美元。不过，这只是账单上的第一项，要算出战争的实际费用还要再加上三个项目：救济科索沃难民的费用，在战后的一段时期每周共花费600万美元（共计2 400万美元，帮助难民在短时间内返回家园）；该省的重建费用，欧盟估计达25亿美元；以及在可预见的未来，维持5万占领军的开支，这项费用光英国一年就要支付1 000万~1 500万美元，其中480万美元是预算达7 700万美元的科索沃国际行动的英国摊派额。假设占领军在科索沃驻扎至少5年，那么战争的总费用将达77亿美元，这次行动比花费了630亿美元的沙漠行动要低廉得多，但要承认的是，沙漠行动的费用实际上主要是由没有参加作战的富裕国家日本和沙特支付，因为将伊拉克赶出科威特于他们有利。无论是战略上还是财政上，1999年的战争象征低花费的“炮舰外交”的回归。

但是这77亿美元的花费都取得了什么成就呢？根据北约1999年公布的评估报告，北约部队直接击中了93辆坦克，153辆装甲运兵车，339辆其他军事车辆，389门大炮和迫击炮。有记者目击到约占其1/3武装力量的塞尔维亚军队撤退。另一方面，北约军队中没有一人在对敌行动中被杀。两位美国直升机飞行员在一次训练事故中丧生，3个美国士兵因为愚蠢而被俘，除此之外，这支部队可以说是历史上最安全的部队，甚至比一些美国高中还安全。与此相比，北约称南斯拉夫士兵阵亡人数达5 000，另有10 000人受伤。这些数字仅凭猜测得出，但即使这把实际伤亡人数高估了3倍，南斯拉夫仍输于北约。事实上，即使塞尔维亚官方公布的北约阵亡人数为576人属实，北约仍是赢了。北约空袭战略的主要缺陷，就是它将打击目标扩大到了民用目标。根据经济学家智囊库的统计，北约的轰炸造成1 500名平民丧生，大多是塞尔维亚人，这个数字未包括战后被没有即时爆炸的集束炸弹炸死或炸伤的大致人数。我们难以确定有多少在塞尔维亚的阿尔巴尼亚人被塞族杀害，国际法庭的专家估计总共将近2 500人。不管这个数字是否算高，在北约轰炸中丧失的平民人数也接近这个数字，这是不可原谅的。

为什么美国与其盟国不直接使用地面部队来对付塞族军队，或使用特种部队来代替轰炸平民的方式呢？显然这不是出于财政负担的考虑，费用容易解决。科索沃战争显示出，或者可以确证，美国的军事力量并非受限于军事干涉的费用，而是受限于公众对美方人员伤亡的反感。

1914 年前的英国外交大臣称他们的作战行动常被“民意”左右。实际上这无非是那些绅士俱乐部的老主顾们酒足饭饱后的情绪。而广大的民众，或从现代意义来说的成年人口，能够施加的影响非常有限，而且这些民众受沙文主义的煽动不亚于受和平主义煽动。即使在今天——部分是因为以色列 30 年来的恐怖主义，部分是因为福克兰群岛战争的胜利，英国选民对军事行动并不那么反感，甚至也能承受伤亡的代价。俄罗斯的平民也表现出它能承受在车臣战争中的军事伤亡，如果俄罗斯军队看上去会赢的话。相反，主要由于越战中的惨痛记忆，今日许多美国人似乎都不愿意为任何领土外的战争搭上美国人的性命，无论战争的目的有多高尚。1993 年，当索马里危机达到白热化时，克林顿总统的新闻发言人乔治 · 斯特凡诺普洛斯说：“现在普通美国人还没看到，我们的利益受威胁的严重程度已经到了需要有美国人为此作出牺牲。”当他得知有 3 名美国士兵在科索沃被塞族人俘虏后，他的公开回应是，“我们照看着自己的人民”。在科索沃战争期间，对于在巴尔干半岛展开地面战将意味着什么这一问题，很少有政治家像越南老兵或共和党议员约翰 · 麦凯恩那么坦率。但是在私底下，大多数政客也都怀着同样的恐惧，他们想象着整飞机整飞机的裹尸袋和受到重创的选举得票率。因为在 21 世纪的民主看来，任何军事伤亡都是不可接受的。对塞尔维亚的平民进行轰炸，就是将美国人的危险降到最低的一种策略。

如此一来，美国在科索沃的战略无法取得实质成果，因为仅靠空袭是无法迫使塞族军队撤出这个省的。而俄罗斯中断对米洛舍维奇政府的外交支持同样也无法迫使塞族军队离开。战略的关键一环是北约部队在科索沃附近稳步集结，因为如果空袭过后不进行地面搜查，就无法迫使塞族军队撤离；而且如果没有这支地面军事力量，在塞族军队撤离之后，北约也无法对该地进行有效保护。然而假如米洛舍维奇决定不撤出他的军队，很难相信克林顿会授权一次肯定会有牺牲的地面攻击。即便是现在这种战略，公众在上次轰炸行动后对下一次轰炸的支持率也已经降到 50%以下。

科索沃战争的结果不能算是北约大获全胜。根据战后的“军事技术协定”，塞尔维亚对朗布依埃计划作出了改动，这一计划也正是当初引发战争的原因。安理会终于获得科索沃多国部队的控制权。预定3年后在该省举行公投的计划也被放弃。科索沃解放军此时的境遇与当初在朗布依埃的情形不同，此次被排除在谈判席之外，并被要求解除武装。米洛舍维奇原指望能得到俄国人含糊的支持。结果可能是这样的，米洛舍维奇同意撤出他的部队，再依靠俄国的力量获得科索沃东北部的控制，让那个地区成为塞尔维亚的根据地。然而不管怎样，科索沃的实际情况是在空袭过去一年半以后，虽然米洛舍维奇政权被推翻，但当地的问题仍未得到彻底解决。萨达姆吞并科威特的野心失败后，其后10年仍在当政。这些事件说明“外科手术”式的军事干涉以及过分仓促的“退出机制”只能治标，不能治本。

军事扩张的理由

美国废除像萨达姆这样的暴政，在他们的国家建立民主政府，难道不好吗？这个问题一再被问，也值得再问。用武力入侵一个国家、废除独裁政权、实行自由选举由于和美国人的“价值观”不符而被弃绝。普遍观点认为美国可能不会像19世纪的英国那样实行公开的帝国统治。但人们常常忘记在二战结束时，对德国和日本实行的就是这种做法，并获得了巨大持久的成功。历史学家查尔斯·迈尔令人信服地指出，1945年以后的美国政策就属于帝国主义的一种形式，本质上和19世纪欧洲的帝国主义没有区别。它通过国内政治合意，运用新的交流技术，将迈尔称之为组合主义的特殊的政治经济模式出口到别的国家。迈尔的坦诚令人称道，他说：

> 战后我们（美国）依靠的是一种非常类似于帝国主义的模式，它能够巩固“和平与繁荣”，我们为此需要对各地域作均衡调整，整顿目前混乱的局面…… 1945年后西方民主社会的稳定无法单靠民权社会和市场经济来保证，也无法靠封闭的民族国家来保证。

迈尔的这种战后稳定论的观点与查尔斯 · 金德尔伯格的理论有明显的相似之处，金德尔伯格认为两次大战间歇期内的混乱局面，就是因为美国在一战后没有继承英国遗留下来的霸权主义衣钵。罗伯特 · 吉尔平也有类似观点，他认为 1945 年后西方经济之所以繁荣，是因为它们有美国军事力量的保护。而“冷战”结束后，一些国家联盟（如欧盟或亚太经合组织）发展得更独立更自信，相应的美国的霸主地位也随之下降。迈尔只是担心“冷战”后的放任政策不能保证持久的稳定。

美国抽身退出这种战后非正式帝国主义体制的迹象相当明显，只要看看美国仅以国民生产总值的 0.1% 用于海外发展援助，以及它违反 1972 年的《反弹道导弹条约》，大力发展国家导弹防御计划这些事实，就可从中窥知一二。这种根深蒂固的狭隘封闭的岛国性质与世界对于一个最强盛的国家的期望显然是南辕北辙。

美国不应该像一只巨大的蜗牛，躲在电子雷达筑成的壳里，过着隐退的生活。美国应该贡献出它庞大资源的一大部分，维护世界和平，促进资本主义和民主的发展。本书竭力说明，这些进步和自由贸易一样，并非自然而然就能发生，它需要强大的法律和秩序作为制度基础，若有必要也可以诉诸武力（就像 1945 年的德国和日本一样）。实行这种政策的费用也不会过于昂贵，因而在经济上是可行的。即便肯尼迪的理论是正确的，将民主加在世界上的这些流氓国家头上，也不会使美国国防预算超过国内生产总值的 5%。这种做法也可获取经济利益，在像伊拉克这样的国家实行法治，随着该国贸易的恢复和扩大，美国也可从中获得长远的经济回报。

如果上述设想不能实现的话，原因有三条：其一，美国这么做会被视为挥舞帝国主义大棒，面临意识形态的窘况；其二，夸大了俄罗斯和中国可能作出的反应；其三，胆小者对军事伤亡的恐惧。或许这就是在 21 世纪即将来临时的最大失望：美国拥有的资源足以让世界变得更美好，它的领导者却没有勇气这么做。

结论

THE CASH NEXUS

历史的两个根本问题是：第一，何为力量？第二，是什么力量推动着国家运转？

——托尔斯泰《战争与和平》

在《战争与和平》宏伟篇章的结尾处里，托尔斯泰不仅嘲笑了那些通俗历史学家、回忆录作家、传记作家，还嘲笑了那些黑格尔式的理想主义者，他们试图从某种角度来解释自1812年以来那些撼动世界的事件。托尔斯泰认为，像天意、运气、枭雄、观念等都不足以解释拿破仑入侵俄国而最终又遭失败的原因。他指出历史学家"不应只研究力量的表象，而应该研究力量产生的原因……如果历史的目的是描述人性和民族的变迁，第一个应该回答的问题是，是什么力量推动着国家运转"。

能量在物理学上能用瓦特来衡量，但在历史学上，能量可以用多种不同的单位来衡量。斯大林曾问起教皇"他有多少个师"，由于教皇在19世纪的演进中逐渐丧失了属地上的权力，如今他所拥有的精神力量与斯大林握有的雄壮的军事力量相比是微不足道的，甚至也不及二战中其他主要参战国。这种观点看上去显然没错，在1944年，苏联红军超过1 200万，占全苏联劳动力近1/5。当然，教皇庇护十二世的软弱，他对蔓延欧洲的法西斯主义的蓄意退让，并不仅仅是因为他缺少军事力量，也是出于他从思想上对这种看似保守的运动的认可，他希望借此可以帮助教廷来抵抗共产主义。但梵蒂冈在二战中的地位也充分显示了它并无实权，它地域狭小，几个童话剧式的兵就可以保护它，它又像是一幅昨日帝国的缩影，缩小到无足轻重的地步。

但其后不到半个世纪，波兰发生的种种大事，显示出教廷仍然拥有某种力量，在适宜的情况下，它的力量更为强大。20世纪80年代发生在波兰的事件显示出教皇的力量更为持久。1979年教皇约翰·保罗二世对故国波兰的访问无疑构成该国共产党政权瓦解中的一个关键事件。

托尔斯泰的问题是："是什么力量推动着国家的运转？"用"动员"这个词来代替"推动"，这个问题或许要容易回答一些。显然这种力量不仅指购买力。经济资源固然重要，但它不是唯一的决定性力量。一个国家的攻击力不仅由它的钢铁产量决定。我们知道一个国家如果能在战略战术、指挥作战上更胜一筹的话，它也能战胜占据经济优势的敌手。而仅具备军事动员能力仍然不够，我们还要将国家在财政上的复杂情况考虑在内：它合理有效征税的能力，筹措借款的能力。在遇到重大冲突时，国家必须能够最优化地进行人口动员。为了在不损害公众利益的前提下达到战争资源最大化，国家的各个经济部门需要取得平衡。另外和军事机构质量同样重要的是公共部门和私营部门中官僚机构的质量。

本书强调了作为财政力量的四大要素的重要性：税收机关，代议制议会，国债发行，中央银行。我在本书导言中称之为"四角机制"。本书的第一部分和第二部分提到英国在18世纪成为第一个发展这些要素的大国，但这些要素随后被西方所有大国采用，其中也包括美国。战争是引发体制革新的驱动力。正是军事费用难以预知的波动促使各国开辟灵活的财源。在税收领域上来说，国家财政无法完全依靠间接税，而要通过直接税获得充足的收入，则须借助于代议制。更为重要的是建立起付薪的官僚体制，相对于法国旧政权下的包税制，这种制度显然更为优越（比如费用更低廉）。

但仅凭税收仍是不够的。为了摊销战争的费用，将战争费用延展至和平时期，就需要建立一个的政府借债延续体制。中世纪意大利所开设的公债体系就是解决之法。第4章指出，相比国债的绝对数或相对数，更为重要的是现在（或未来）的偿债支出占税收收入的比例。像汉诺威王朝这样的国家就可以通过低债务利息来维持相当大的国债规模。第5章和第6章探讨了造成国债利率出现差异的原因，论述了无论是出于过去经验，还是出于对未来债务拖欠和通货膨胀的预期，都会导致国债收益率上升，从而增加了新债的成本。由于缺少现代财政金融指标，投资者通常通过一些政治事件比如战争或革命，来推断债务拖欠和货币贬值的可能性。另外还可能发生“回馈”效应，即收益率的上升将压缩国家财政可以调控的空间，进而增加了政治危机的可能性。

要了解这些机制运作的有效性，首先要认识到它们所能产生的社会结果可以是千差万别的，这就是第7章的主题。下面的维恩图解（图37）以某国为例进行了说明，在这个例子中，该国的选民范围达到最大（即全民享有选举权），大部分选民，但并非所有选民都是纳税人（这里指直接税纳税人），此外还有相对较大的领取养老金的群体（既包括各种转移支付的受益人，也包括食利者），还有相对较小的政府雇员（包括军事人员和公务员）。但这只是无数种组合中的一例。如果依照这个模型绘出旧的苏联体制下的利益圈的话，则会发现苏联的选民范围非常小（事实上仅限于政治局内的人），但政府雇员的规模极为庞大。如果认为在这种群体的各式组合中只存在一种最佳的平衡模式，那是错误的。但是我们也不难想出由于失衡无法维系下去的例子，比如这么一种情形，即纳税人少于领取养老金的人和政府雇员。

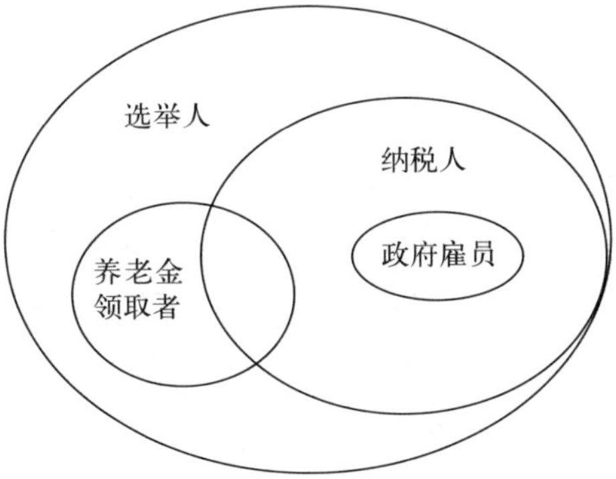

图37 利益圈

在民主体制下，投票者的范围是四者中最大的，政客们一直试图利用财政机制来提高他们获得当选的机会。第8章讲述了对税率、失业率、国家债务、利率以及通货膨胀的操纵成为政客们追求支持率的手段。然而这种“政治商业周期”并不能长久奏效，主要是因为选民的表现不再契合巴甫洛夫简单的“富足感”理论模式。比如20世纪80年代的英国，主要经济指标和政府支持率之间的确定关系逐渐淡化。

当今的民主政府更倾向于通过宣传来获得重新当选的机会，他们营造出来的更多是繁荣的主观感受，而非繁荣的客观事实。通过宣传进行竞选也会涉及到政党的财政问题。随着党费的锐减和竞选费用的上升，政党如今的处境相当困难，如果过于依赖富有的私人资助者，则会导致腐败，而过于依赖公共资金则会导致另一种腐败。第9章指出这也是构成资本主义和民主制度的矛盾之一。

本书的第四部分也是最后一部分将“四角机制”模型推演到全球层面。20世纪80年代，英美金融体制的全球化和国际贸易的自由化似乎回归到了1914年前的全球化浪潮中。这前后两次全球化浪潮有不少相似之处，但也有不同之处。比如现今的劳动力流动性不及19世纪，这也是为什么今天的金融全球化所带来的收入趋同化不如一个世纪前的效果。此外，今天的国际货币体制中也缺少一个可以和1870年以后的金本位相提并论的货币“架构”。事实上，在当今货币纷纷脱钩的情形下，欧洲实行单一货币似乎是逆流而行。第11章还论述了欧洲经济与货币联盟可能会造成会员国之间的利益冲突，因为各国财政体制内的世代失衡程度不一致，而世代失衡问题目前尚属于各国各自的内部问题。

是不是经济的全球化就意味着民主的全球化呢？第12章给出的答案是持怀疑态度的，因为经济增长和政治民主彼此的依赖程度要小于它们对教育、法治、财政稳定这些要素的依赖程度。另外，民主化通常与多民族国家的分裂相关。第13章指出政治分裂是过去半个世纪的一个时代特征，但它与经济之间没有必然的正相关性。同时也不必认为21世纪的超国家组织会比20世纪更为强势。纯粹从财政角度看，像联合国和国际货币基金组织这样的机构并不比它们在两次大战间歇期的前身更强大。

最后一章认为，现在与过去最大的不同是没有一个真正意义上的全球霸权，也就是帝国力量。作为资本进口和民主政治的国家，美国在“冷战”结束以来享受着丰厚的“和平红利”，但它无意继承一个世纪前由英国担当的警察角色，虽然以它的经济能力显然可以做到。而英国的经历深刻地反映了“扩张不足”的危险。并不是帝国的过度开支损耗了英国的力量，而是它在帝国防御上做得不够充分。日本和德国是英国在20世纪遇到的最大的挑战，但这两个国家在体制上尚不能与英国抗衡。两次世界大战中，德国的经济结构不足以维持该国领导者推行的军事计划，导致两次大战都酿成了恶性通货膨胀。但是德国的军事表现表明，一个军事动员能力卓著的独裁政权能够对一个准备不足的民主国家造成多大的损害。这并不是说美国在不久的将来也会遇到这样严重的挑战，而是为了强调美国应该防患于未然，只要进展不错，美国就应当利用它的力量将民主制度和市场经济带给那些“流氓”国家。

什么是力量？托尔斯泰这个问题最终仍无法给出一个物质形态上的答案。一个国家的公信力在它民众眼里并不是由所得税率、选举权、利息率和通货膨胀率决定的，也不是由黄油配给决定的。我设想的体制模式是，它既能体现个人意志，也能体现集体意志。无论税收体制的效率如何，议会的代表性如何，公债市场的流动性如何，货币的管理如何，最终一个国家的公信力是建立在一些无形的事物上的，比如传统（对过去美好事物的怀念），领袖魅力（领导者的凝聚力），普遍的信念（对未来物质回报或精神回报的信念），以及宣传（国家利用媒体资源对上述几点进行宣扬）。虽然卡莱尔担心现代社会将人与人之间的关系都转变为经济关系，但是真正的经济人，即任何行为都要达到经济效用最大化的人，还是相当少的，而且在我们多数人眼里也会被视为怪物。每天世上的男男女女都会将他们个人的经济利益置于其他动机之下，它有可能向往玩乐、向往闲散，又或者是交配欲、破坏欲。

在这种意义上，金钱关系只是长长的、错综复杂的人类动机链上的一环。毕竟《战争与和平》真正的结局并不在第二次收场白，而是在第一次。在第二次收场白中，托尔斯泰圆转的哲学思索最终也没能就他提出的关于力量的问题给出一个答案，而是游离到就自由意志的虚幻本质进行复杂的论证。不过，在第一次收场白中，皮埃尔和娜塔莎，反英雄和女英雄的角色，最终走到一起过上了幸福的家庭生活。当然，皮埃尔仍有他的梦想，只是他最后一个理想——“给俄国乃至全世界指明一个新方向”——未免太天真了。

> 你知道，我并不是说我们应该反对这个、反对那个。我们大概是被误解了。我要说的是："联起手来，热爱正义的人们，让千万个声音汇成一句口号——那就是真、善、美……"我整个想法就是，既然邪恶的人团结起来汇聚成力量，那么诚实的人也应该这么做，就这么简单。

而娜塔莎却象征着更实在的现实，她匆匆赶回家去喂他们的儿子。皮埃尔的侄子的梦也很实际，这个梦是关于他死去的但被偶像化了的父亲安德烈亲王。"啊，父亲！父亲！是的，我要干一番事业，连他都会满意的……"正是这些愿望构成了推动人们前进的内在力量。

然而皮埃尔和他的一家得到的和平却是战争的产物，这是一场由法国大革命引发的几乎蔓延全球的漫长战争。要了解是什么动员法国大军的，是什么让它打到莫斯科，又是什么使得它最终羞耻地撤退，我们不应该仅把它归咎为俄国的严冬，或是拿破仑犯下的大错。拿破仑失败的关键原因或许看上去不够花哨，它在于帝国政权下基本体制的缺陷。

拿破仑帝国对于被占领地的横征暴敛，它的独断专权，它根基薄弱的公债市场，它粗率的重商主义货币政策等，我们只有了解了力量机制，才能明白导致这种结果的原因。从这个意义上说，金钱关系虽然不能对现代社会进行充分的解释，但至少能提供必要的分析。

附　录

A．历史上最重大的战争

战争	发生时间	持续时间（年数）	主要参战国数量	阵亡人数	平均每年阵亡人数	战争死亡人数占世界人口的百分比
第二次世界大战	1939~1945	6.0	7	19 131 683	3 188 614	0.80
第一次世界大战	1914~1918	4.3	8	9 450 000	2 197 674	0.54
三十年战争	1618~1648	30.0	6	2 071 000	69 033	0.44
拿破仑战争	1803~1815	12.0	6	1 869 000	155 750	0.23
西班牙王位继承战争	1701~1713	12.0	5	1 251 000	104 250	0.21
七年战争	1755~1763	8.0	6	992 000	124 000	0.16
奥格斯堡联盟战争	1688~1697	9.0	5	680 000	75 556	0.11
法国革命战争	1792~1802	10.0	6	663 000	66 300	0.08
路易十四发动的荷兰战争	1672~1678	6.0	6	342 000	57 000	0.07
奥斯曼帝国战争	1682~1699	17.0	2	384 000	22 588	0.06
奥地利王位继承战争	1739~1748	9.0	6	359 000	39 889	0.06
朝鲜战争	1950~1953	3.1	4	954 960	308 052	0.04

B．英国政府的支持率与经济指标的多元回归分析

（a）调整后的决定系数，1951~1964 年至 1997~2000 年

历届政府	调整后的决定系数
1951~1964	0.17
1964~1970	0.43
1970~1974	0.23
1974~1979	0.34
1979~1992	0.38
1992~1997	0.60
1997~2000	0.37

（b）回归分析明细表，1951~1964 年至 1997~2000 年

		B	是否显著
1951~1964	失业率水平	–4.83	是
	商品零售价格指数	–0.52	是
	基准利率	–0.89	是
1964~1970	失业率水平	–9.59	是
	商品零售价格指数	–0.44	否
	基准利率	–4.32	是
1970~1974	失业率水平	–4.75	是
	商品零售价格指数	–1.54	是
	基准利率	–0.61	否
1974~1979	失业率水平	–5.35	是
	商品零售价格指数	–0.33	否
	基准利率	–0.61	否
1979~1992	失业率水平	0.19	否
	商品零售价格指数	0.18	否
	基准利率	–2.57	是
1992~1997	失业率水平	0.49	否
	商品零售价格指数	–8.65	否
	基准利率	8.36	是
1997~2000	失业率水平	5.02	是
	商品零售价格指数	3.12	否
	基准利率	–2.47	否

注：上述表格中的分析数据说明如下：

政府领先：假设明天举行选举，选举人中将投票给执政党的人数比例减去将投票给主要反对党的人数比例。

商品零售价格指数：相对于上一年度的变动百分比。失业率水平：自 1971 年 1 月起，依据申请失业救济的人数进行计算，未对其作季节性调整。

基准利率：英格兰银行的月底基准利率。

B 回归系数：即各项经济指标每增加一个单位对政府支持率的增减百分比的效应。

显著性：是：随机关系的可能性低于 5%；否：随机关系的可能性高于 5%。

C．全球债券市场（1999年6月）

地区	十亿美元	%	部门	十亿美元	%
(a)国内					
发展中国家和东欧国家	1 352	5	公司	3 892	13
其他发达国家	2 572	9	金融部门	7 831	27
日本	5 228	18	公共部门	17 645	60
欧元区国家	5 602	19			
美国	14 607	50			
合计	29 361	100	合计	29 368	100
(b)国际					
国际机构	367	8			
发展中国家和东欧国家	393	8	公司	1 126	24
其他发达国家	1 302	28	金融部门	2 205	47
欧元区国家	1 494	32	公共部门	1 360	29
美国	1 063	23			
离岸中心	68	1			
合计	4 691	100	合计	4 691	100
(a)加(b)					
发展中国家和东欧国家	1 745	5	公司	5 018	15
其他发达国家	2 965	9	金融部门	10 036	29
欧元区国家	7 096	21	公共部门	19 005	56
美国	15 670	46			
合计	34 059	100	合计	34 059	100

D．1887~1888年公债负担情况

	债务/财政收入名义值	债务/财政收入调整后净值	债务/出口名义值	债务/出口调整后净值
英国本土	7.9	4.4	2.5	1.4
英属亚洲领地	2.3	–	1.7	–
英属澳大拉西亚领地	6.3	–	3.4	–
英属非洲领地	5.0	–	2.0	–
英属大西洋和南美领地	1.2	–	0.3	–
英属北美领地	7.2	–	2.7	–
英属西印度群岛	1.6	–	0.4	–
直布罗陀	0.3	–	–	–
殖民地合计	3.6	–	2.2	–
大英帝国	5.4	–	2.4	–
奥匈帝国①	6.7	6.5	6.9	6.7
比利时	6.7	1.7	0.9	0.2
丹麦	3.7	–	1.2	–
法国	8.2	6.6	8.6	6.9
德意志帝国	0.7	–	–	–
德意志邦②	4.3	–	–	–
德意志帝国+德意志邦	3.1	–	1.9	–
希腊	7.4	7.4	8.2	8.2
意大利	6.3	5.6	10.3	9.2
黑山	2.0	–	0.5	–
荷兰	9.3	4.6	1.1	0.6
葡萄牙	16.0	10.3	21.5	13.8
罗马尼亚	5.4	–	3.1	–
塞尔维亚	4.6	–	5.2	–
西班牙	7.4	6.0	9.1	7.3
瑞典	2.9	0.7	1.0	0.2

（续）

	债务/财政收入名义值	债务/财政收入调整后净值	债务/出口名义值	债务/出口调整后净值
挪威	2.4	0.9	1.0	0.4
瑞士③	0.6	–	0.1	–
俄国	6.9	6.3	7.3	6.6
保加利亚本部+东鲁米利亚	0.9	–	0.9	–
土耳其	8.7	1.7	12.6	2.5
埃及	11.6	7.3	10.5	6.6
中国④	0.2	–	0.2	–
日本	4.0	4.7	6.2	7.4
阿根廷	7.6	8.0	5.1	5.4
巴西	7.5	6.7	5.2	4.6
智利	2.5	1.6	1.7	1.1
墨西哥	7.0	4.6	4.6	3.0
秘鲁	15.6	–	31.3	–
美国	3.1	–	–	–
美国+各州	–	–	2.0	1.7

① 在奥匈帝国调整后债务负担的计算上，对外国债券持有人的所得税津贴未计算在内。

② 财政收入的数据仅包括主要的邦州。

③ 未包括各州的财政收入数据，各州债务为 1 400 万英镑。

④ 未包括国内债务。

注：墨西哥和秘鲁存在债务拖欠问题。奥匈帝国、俄国、意大利、日本、阿根廷和巴西实行纸币贬值（“为这些国家削减了约 5%的债务负担”）。土耳其缩减了的债务则是以 1%的收益率来计算的。

E. 经济社会指标和两次世界大战间歇期的民主制危机（1919~1938 年）

	自 1918 年后民主制持续的年数	城镇人口占总人口比例	军事人口占总人口比例	学生人口占总人口比例	大萧条期间 GDP 的跌幅，从峰值到谷值
民主制：					
比利时	20	11.7	1.1	12.1	
丹麦	20	17.5	0.4	13.9	–4.5
芬兰	20	6.5	0.9	11.8	–6.5
法国	20	15.3	1.6	11.8	–18.1
爱尔兰	20	13.9	0.3	17.8	0
荷兰	20	26.0	0.2	15.5	–12.5
挪威	20	9.1	0.2	14.7	
瑞典	20	13.7	0.6	11.3	–14.6
瑞士	20	16.6		13.8	–5.8
英国	20	39.7	0.9	13.2	–5.7
捷克斯洛伐克	19	9.1	1.0	14.4	–19.2
奥地利	16	32.1	0.4	12.9	–22.5
爱沙尼亚	16	12.4	1.4		
拉脱维亚	16	19.7	1.3		
德国	14	33.1	0.5	12.8	–22.6
罗马尼亚	12	5.6	1.1	12.3	–10.3
南斯拉夫	10	3.5	1.1	8.7	–11.9
立陶宛	8	1.7	1.2		
葡萄牙	8	12.1	0.6	6.1	
意大利	6	16.2	1.3	12.0	–6.8
波兰	5	9.5	1.0	12.8	
西班牙	5	14.4	1.0	9.8	–4.4
阿尔巴尼亚	5	0	0.9		
保加利亚	5	4.2	0.4	14.8	–9.2
匈牙利	0	14.5	0.4	10.9	–11.5